D0519138

Andreas Gößling

Der Sohn des Alchimisten

Von Andreas Gößling sind bei Arena außerdem erschienen:

Tzapalil
Drachen

Andreas Gößling,
geboren 1958 in Gelnhausen, studierte Literatur- und Politikwissenschaft, reiste in Fantasie und Realität zu vielen magischen Stätten der Menschheit und ist ein Experte für fantastische, mythen- und kulturgeschichtliche Themen. Seine historischen Romane für Erwachsene begeistern Leserschaft und Kritik gleichermaßen.

Andreas Gößling

Der Sohn des Alchimisten

Arena

In neuer Rechtschreibung

1. Auflage 2007

Covergestaltung: Frauke Schneider unter Verwendung
nachstehender Bildquellen
Giovanni Lorenzo Bernini, Selbstporträt, Galleria Borghese, Rom
© Scala Archives, Florenz
Robert Fludd, Utriusque Cosmi, Band 1, Oppenheim, 1617
© Stadtbibliothek Mainz
Handschrift Faksimile © literatuurgeschiedenis, NL
Gesamtherstellung: Westermann Druck Zwickau GmbH
ISBN 978-3-05884-9

www.arena-verlag.de

Erster Teil:

Bosengrund

1

Da war es wieder – das leise Wimmern, die fernen Schreie wie aus irrsinniger Angst. Mit angehaltenem Atem, die Knie an die Brust gezogen, saß Sanno auf seinem Bett und lauschte in die Nacht hinaus.

Vom Fenster her wehte Sommerluft in seine Kammer, gewürzt mit trockenem Tannenduft. Und dazu wieder und wieder diese windzerfetzten Schreie, durch die er eben aus dem Schlaf gerissen worden war.

Vor Monaten hatte es begonnen, im späten März, noch bevor der letzte Schnee in den Spessartschluchten geschmolzen war. Und seitdem immer wieder, in ungewissen Abständen – trappelnde Schritte im nachtdunklen Wald und Schreie, Schreie wie von kleinen, zu Tode verschreckten Kindern.

Wenn er aber am nächsten Morgen seinen Vater Lambert oder die alte Magd Keta danach fragte, sahen die ihn nur verständnislos an. Schreie? Schritte? Niemand hatte irgendetwas gehört, auch nicht Lamberts uralter Laborknecht Cramsen und nicht einmal Rumar, der spitzohrige Wachhund, der sonst immer bei den leisesten Störlauten anschlug.

Träume, hatte Sanno anfangs gedacht, oder vielleicht Nachtgespenster, aber es schien etwas ganz anderes zu sein. Stärker, beharrlicher, wenn auch weniger wirklich als die Welt, die ihn im Taglicht umgab. Waldfeen womöglich, Alben oder Kobolde, die verirrte Wanderer plagten. Bei Nacht war der Wald voller Dämo-

nen und Schattenwesen, übelwollende Teufelsgeister samt und sonders. Das behauptete jedenfalls Pater Rato, der Pfarrer im Waldkirchlein von Bosbrunn, wo sie sonntags die Messe besuchten, und Vater Lambert sah es genauso.
Wieder ein ferner, halb zerfetzter Schrei. Von Wegelagerern oder Räubern vielleicht – aber sie würden jeden Lärm vermeiden, um keine unliebsamen Zeugen anzulocken.
Nein, dachte Sanno und lauschte angespannt nach draußen, diese kleinen Kreaturen mussten aus einer ganz anderen Sphäre stammen – Wesen zwischen Traum und Tag. Ihr Gewimmer verebbte immer nur ganz allmählich, auch wenn er längst aus dem Schlaf gefahren war. So als ob sie nur widerwillig das Feld räumten, obwohl er mit offenen Augen in seinem Bett saß und sein Herz so wild klopfte, dass ihm Brust und Kehle schmerzten.
Sanno starrte zum offenen Fenster, vor dem die Tannen im Nachtwind knarrten. Er hörte die Schreie, die allmählich etwas schwächer wurden, das Knacken der Zweige unter fliehenden Füßen, und plötzlich konnte er eins der Kinder sehen. Ja, kein Zweifel – er *sah* einen vielleicht drei- oder vierjährigen Jungen, wie er zwischen Bäumen und Gestrüpp vorantaumelte. Ein Schemen im Finstern, vom Mondlicht beschienen – sein hellgraues Hemd, der Glanz aufgerissener Augen, das Schimmern von Zähnen, die hellen Flecke nackter Füße auf dem Teppich aus Moos und Laub.
Sanno warf seine Decke beiseite und schwang die Beine über den Bettrand. Jedes Mal in den letzten Wochen, wenn er durch die unheimlichen Laute geweckt worden war, hatte er sich angefeuert, sofort nach draußen zu laufen und nachzusehen, was es damit auf sich hatte. Aber dann hatte er doch immer nur gewartet, bis die Schreie verebbt waren und sein hämmerndes Herz sich beruhigt hatte. Unter seine Decke verkrochen, hatte er sich gezwungen, an etwas anderes zu denken, zum Beispiel an die

friedlichen Szenen aus seiner eigenen Kindheit, die Vater Lambert seit Jahr und Tag vor ihm heraufbeschwor.
Doch auch diese Gedanken konnten ihn nur selten beruhigen, meist bewirkten sie sogar das Gegenteil. Trotz aller Bemühungen seines Vaters vermochte sich Sanno bis heute an keinen Menschen, kein Ereignis aus jener Zeit wirklich zu erinnern – an nichts, was er bis zu dem schrecklichen Tag erlebt hatte, als seine Mutter und er mit der Kutsche verunglückt waren. Natürlich, er sah jede Einzelheit gestochen scharf vor sich, die Lambert ihm mit wohlklingender Stimme ausmalte, aber es fühlte sich ganz anders an als alles, was er *danach* erlebt hatte und in seinem Gedächtnis aufbewahrte. Blasser, flächiger, kälter – auch wenn er auf Lamberts drängende Fragen immer behauptete, dass er sich an mehr und mehr Dinge von damals erinnere. An ihr reetgedecktes Haus am Nordmeer oder an die kleine Wachstafel, in die er mit unbeholfener Knabenhand seine ersten Buchstaben und Wörter ritzt. An das klare, helle Blau des nördlichen Himmels, das Lächeln seiner Mutter Heidlinde, ihre starken, sanften Arme, die ihn umklammern, als die Kutsche über die Steilküste aufs Felsufer fällt. An das rote Rinnsal, das aus ihrem Mund sickert, während er sich aus ihrer starren Umarmung befreit.
Auch das war ein Vorsatz, den Sanno seit Langem gefasst und bisher nicht eingelöst hatte: Er musste endlich einmal offen mit Lambert reden. Es würde den Vater tief verletzen, das wusste Sanno im Voraus, wenn er einsehen müsste, dass seine Bemühungen vergebens waren und, schlimmer noch, dass sein Sohn ihn Jahr um Jahr getäuscht hatte. Dass er sich in Wahrheit bis heute an nichts erinnerte, was ihm bis zu seinem siebten Lebensjahr widerfahren war. Dass er immer nur so getan hatte, als ob er durch Lamberts Erzählungen sein Gedächtnis wiederfinden würde. Dass er gelogen hatte, weil der Vater sich doch so sehr wünschte, Sannos Erinnerung möge zurückkehren. Dass er sich

aber tatsächlich mehr und mehr wie eine Lumpenpuppe fühlte, in die der Vater Hände voll toten Strohs stopfte.
Ich bin kein Kind mehr, dachte Sanno, ich muss mich endlich getrauen, Lambert die Wahrheit zu sagen. Vor drei Wochen war er fünfzehn geworden, und seit letztem Jahr schon fuhr er auf eigene Faust, nur von der alten Keta begleitet, mit dem Eselswagen voll *Specificum Lamberti* von ihrem Spessartberg herunter und unten in den Tälern von Markt zu Markt. Nach Lohr, Aschaffenburg und in die alte Reichsstadt Gelnhausen – bald würde es wieder losgehen. Sanno freute sich schon auf den Moment, wenn er die Karre voll klirrender Tiegel über die Torschwelle lenken würde, hinaus aus den sonnenarmen Spessartschluchten, aus dem düsteren Bannkreis des väterlichen Guts.
Abermals erklangen nun draußen Kinderschreie, und Sanno gab sich einen Ruck und sprang auf. Jetzt hörte er auch, wie Rumar unter seinem Fenster knurrte – so leise und zaghaft, als ob sogar dem Wolfshund sämtliche Knie schlotterten. Aber zumindest hatte diesmal auch Rumar mitbekommen, dass da draußen, hinter den Mauern ihres Gutshofs, unheimliche Dinge geschahen.
Im knielangen Nachthemd, eine flackernde Talgkerze in der Rechten, in der Linken sein Messer, das der Vater ihm vorletzten Winter zu seinem dreizehnten Geburtstag geschenkt hatte, schlich Sanno aus seiner Tür und die Holztreppe hinab.

Sannos Kammer lag unter dem Dach, im Stockwerk darunter waren die Gemächer von Vater Lambert – Studierzimmer, Bibliothek, dahinter das Schlafgelass. Er lauschte kurz an der Tür zu Lamberts Zimmerflucht, aber zu hören war gar nichts. Keine Schritte, kein Gemurmel, nicht mal ein Räuspern. Wahrscheinlich lag der Vater längst in tiefem Schlaf, falls er nicht wieder mal mit dem alten Cramsen unten im Keller an der Rezeptur seines Heilelixiers werkelte und über Tiegeln und Töpfen die Zeit und

alles andere vergaß. Magister Lambertus war ein angesehener Gelehrter, und sein *Specificum Lamberti,* ein Pflanzentrunk von unbegrenzter Heilkraft, genoss auf den Märkten an Main oder Kinzig einen glänzenden Ruf.
So leise wie möglich schlich Sanno weiter die Treppe hinunter, in die geräumige Vorhalle des Gutshauses, wo es noch finsterer war als oben. Alle Fenster verrammelt und der Steinboden so kalt, als ob man mit nackten Füßen über ein Schneefeld liefe. An dem Gang vorbei, der zur rußgeschwärzten Küche führte, tappte Sanno zur Haustür. Schwerfällig tanzten die Schatten von Tisch und Stühlen, Schränken und Truhen im Kerzenlicht, das er mit der Linken beschirmte, so gut das trotz des Messers in seiner Hand ging. Noch bevor er den Schmiederiegel zur Seite gewuchtet und die eisenbeschlagene Eichentür aufgezogen hatte, hörte er wieder die Schreie – lauter jetzt, kräftig und hell.
Das ist gar kein Kind, dachte Sanno, es klingt wie die Stimme einer verängstigten jungen Frau. Vor seinem inneren Auge erschien das Porträtbild, das in Lamberts Studierzimmer über dem Kamin hing und das Sannos Mutter Heidlinde darstellte. Immer wenn Vater Lambert ihn neben sich auf die Lederbank zog und ihm in eindringlichem Ton von seiner Kindheit erzählte, schaute Sanno unverwandt zur Mutter hinauf, die mit einem schwermütigen Lächeln seinen Blick festhielt. Heidlinde war die schönste Frau, die Sanno jemals gesehen hatte – hochgewachsene, schlanke Gestalt, helle, fast durchscheinende Haut, dunkelgrüne Augen, die ein wenig verträumt dreinschauten, und langes blondes Haar, das zumindest auf dem Ölbild einen Stich ins Rotgoldene aufwies.
»Ruhig, Rumar, ganz ruhig.« Kaum hatte Sanno die Tür geöffnet, um hinaus auf den Hof zu huschen, da war der schwarze Wolfshund bei ihm, lautlos wie ein Geist. »Du kannst nicht mit da raus.« Er blies die Kerze aus und legte sie neben die Schwelle,

dann kniete er sich zu dem Hund auf den Boden und klopfte ihm das zottige Fell. »Du musst hierbleiben und aufpassen, hörst du?« Murmelnd redete er auf Rumar ein, dabei spähte er nach links und rechts über den mondbeschienenen Hof. Alles schien ruhig und friedlich zu sein, bei der halb verfallenen ehemaligen Kapelle, in Stall und Schuppen daneben und auch gegenüber im Gesindehaus, wo Keta und Cramsen die Nächte verbrachten. Nur aus dem Stall war ab und an ein leises Schnauben zu hören – von Uda, der treuen Eselin, die an Markttagen ihren Karren hinab ins Maintal zog.

Vom Wald hinter den Hofmauern erklangen nun aufs Neue die unheimlichen Laute – rennende Schritte, halb verwehte Rufe und Schreie. Dazu das Knarren und Ächzen von unzähligen Bäumen im Wind. »Hörst du das, Rumar?«

Der Hund begann wieder zu knurren. Im Mondlicht sah Sanno, wie er seine Ohren aufstellte und sein Nackenfell sich sträubte. »Ganz still, Rumar. Aber wenn ich nach dir rufe, dann bellst du so laut, wie du nur kannst.« Der Hund antwortete mit leisem Fiepen, es klang beinahe so, als ob er sagen wollte: Wird gemacht. Lambert hatte ihn vor acht Jahren auf dem Aschaffenburger Markt gekauft, noch im selben Sommer, in dem sie vom Nordmeer mit Sack und Pack hier eingetroffen waren und sich auf dem Gutshof eingerichtet hatten. Sanno hatte den Wolfshundwelpen sofort ins Herz geschlossen, und auf dem einsam gelegenen Gut, wo er außer Lambert und den beiden alten Dienern oft monatelang keinen Menschen zu sehen bekommen hatte, war Rumar rasch zu seinem einzigen Freund und Vertrauten geworden.

Abermals ein windverwehter Ruf – von einer jungen Frau, dachte Sanno wieder, nicht von einem Kind. Er sprang auf und strich sich mit der Hand über die Knie, wo sich kleine Steine vom Hofboden eingedrückt hatten. »Also ganz still, verstanden, Rumar? Ich geh durchs Hintertor in den Wald.«

2

Das Kind lag nackt auf der Lichtung, in Laub gebettet und vom Halbmond beschienen. Es wimmerte nur noch ganz leise, auch die Bewegungen seiner Beine, die wie bei einem Frosch gekrümmt waren, und der winzigen Fäuste wirkten kraftlos, so als ob es bis zu völliger Erschöpfung gestrampelt hätte. Sein Zwergengesicht war eingefallen und wie bei einem uralten Menschen zerfurcht. Sanno hatte noch niemals ein so winziges, so ausgemergeltes Kind gesehen. Offenbar war es ein Junge, und höchstwahrscheinlich war der Kleine erst wenige Wochen oder allenfalls ein paar Monate alt. Aber zugleich wirkte er auf beklemmende Weise greisenhaft, so als ob er nicht mehr lange zu leben hätte.

Zwei Dutzend Schritte hinter der Lichtung gurgelte der Bosbach, ein auch im Sommer reißendes Flüsschen, das während der Schneeschmelze zum tosenden Wildwasser anschwoll. Es war eine laue Julinacht, doch der Wind wühlte bereits in den Baumwipfeln, und zerfetzte Wolken jagten unter den Sternen dahin. Wahrscheinlich würde es noch in der Nacht ein Unwetter geben.

Sanno kauerte im Unterholz, versteckt zwischen Bäumen und Gestrüpp. Er verstand überhaupt nicht, was hier vorging. Was war mit dem größeren Jungen, den er vorhin von seinem Fenster aus gesehen hatte? Und die junge Frau, die er vom Hof aus deutlich gehört hatte, wohin war sie so plötzlich verschwunden? War sie die Mutter der beiden Kinder? Anders konnte es ja gar nicht sein. Aber warum war sie davongelaufen und hatte diesen hilflosen Säugling auf der Lichtung zurückgelassen? Der Kleine war eine leichte Beute für Wolf oder Luchs, die zuhauf durch die Wälder strichen.

Am liebsten hätte Sanno das Kind in seinen Arm genommen und wäre auf schnellstem Weg zurück in den Schutz der Gutsmauern gerannt. Aber aus irgendeinem Grund flößte ihm der Anblick des nackten Säuglings ein Grauen ein, das immer lähmender wurde, je länger er hier im Buschwerk hockte. Fast noch ärger war es, wenn er an den größeren, vielleicht dreijährigen Jungen dachte, der da im hellen Hemd durch den Wald gestolpert war – es rührte irgendetwas in ihm an, eine unheimliche Erinnerung von *damals* vielleicht, auch wenn Lambert immer beteuerte, dass Sannos Kinderjahre nicht von dem kleinsten Wölkchen verdüstert worden seien.

Das Kind lag jetzt ganz still da, es gab keinen Ton mehr von sich, und auch seine viel zu mageren Arme und Beine wirkten puppenstarr. Sanno wollte aufspringen, aber wie in einem bösen Traum konnte er kein Glied mehr rühren. Irgendeine Gewalt zwang ihn, reglos in seinem Versteck auszuharren. Wo ist der andere Junge hin?, dachte er wieder. Und wo ist die Frau? Fetzen von Schreckensgeschichten, die Keta ihm erzählt hatte, flogen ihm durch den Kopf – manche Leute in den Spessarttälern glaubten noch an die alten heidnischen Götter, brachten ihnen verbotene Opfer, feierten Teufelsmessen hier draußen in den Wäldern. An einer Tanne über dem Säugling entdeckte Sanno jetzt das Hemdchen des Kleinen, T-förmig an den Stamm genagelt – wie zur Verhöhnung des gekreuzigten Heilands! Ja, das muss es sein, dachte er, eine Heidenmesse oder so etwas.

Tiefer im Wald erklang wieder die Stimme der jungen Frau. Eine zweite antwortete ihr, heiser und krächzend, anscheinend ein altes Weib. Was immer die beiden da im Dickicht getrieben hatten, jetzt kamen sie offenbar zurück. Die Alte keuchte und zeterte, und die Junge rief mit bebender Stimme: »Um Gottes willen, bestimmt kommen wir zu spät!«

»Dumme Gans, lass den Christengott aus dem Spiel!«, fauchte die Alte. »Willst du die Waldgeister gegen uns aufbringen?«

»Ich will mein Kind gesund zurück, sonst gar nichts.« Die jüngere

Frau begann zu schluchzen. Im gleichen Moment trat sie auf die mondbeschienene Lichtung, und Sanno stockte der Atem.
Sie hatte grüne Augen, rotgoldene Haare. Ihre hochgewachsene Gestalt war in ein unförmiges Gewand aus sandfarbenem Sackleinen gehüllt, und doch glich sie Mutter Heidlinde aufs Haar. Jedenfalls kam es Sanno in diesem Moment so vor – als ob die gemalte Gestalt über Lamberts Kamin lebendig geworden wäre.
Dicht hinter ihr schlurfte die Alte auf die Lichtung. Verblüfft musterte Sanno die knochige Vettel, das graue Runzelgesicht zwischen spinnwebdünnen Haaren. Dieses Weib kannte er doch auch – es war die alte Josepha aus dem nahen Bauerndorf Bosbrunn, vor deren windschiefer Kate er alle paar Monate mit dem Eselskarren vorfuhr, um ihren Vorrat an *Specificum Lamberti* aufzufüllen. Was hatte die Josepha hier draußen im Wald verloren? Sanno verstand nun überhaupt nichts mehr.
Das Herz klopfte ihm bis in den Hals hinauf, während er zusah, wie die Alte neben dem Säugling in die Knie ging. Ächzend nahm sie das schwächliche Knäblein auf, nur ein Zucken in Armen und Beinen zeigte an, dass es überhaupt noch am Leben war. Mit dem Kind im Arm trat Josepha hinter einen Baum, der sich kniehoch über dem Boden in zwei Stämme gabelte. »Nun beeil dich doch!«, befahl sie der jüngeren Frau. Die nickte schicksalsergeben und stellte sich auf die andere Seite des Zwillingsbaums.
Mit der steifen Feierlichkeit einer Vogelscheuche reichte die Alte ihr den Kleinen zwischen den Stämmen hindurch. »Maiden der Nacht, gebt uns das Kind.« In schwankendem Singsang, die Vettel krächzend, die jüngere Frau mit einem unterdrückten Schluchzen, riefen sie wieder und wieder die Waldgeister an. »Gebt uns das Kind, und wir ziehen geschwind zurück in den Tag.« Dabei reichten sie sich wieder und wieder den kleinen Körper zwischen den Baumstämmen zu.
Endlich hielt die junge Frau inne und sah dem Säugling erschro-

cken ins Gesicht, das fast so bleich und hohlwangig war wie bei einem Gespenst. »Josepha! Er ist . . .«
»Weiter, hurtig!« Sie nahm das Kind und eilte zum Fluss hinüber. »Wenn wir ihn mit Mondwasser taufen, wird sich alles zum Guten wenden.«
»Hört auf, Josepha, bitte – ihr bringt ihn ja um!« Der Ausruf war einfach so aus Sanno herausgeplatzt, und während die beiden Frauen mit schreckgeweiteten Augen zu ihm herumfuhren, kam er mehr krauchend und taumelnd als aufrecht gehend aus seinem Versteck hervor. Er schlotterte vor Angst und Erregung am ganzen Körper. Das Messer entglitt seiner Hand und fiel mit dumpfem Klacken zu Boden.
»Das ist nur der Bursche von Lamberts Gutshof«, krächzte die Alte, drehte sich schon wieder um und wankte weiter auf den gurgelnden Bosbach zu. »Linda-Herz, kümmere dich um ihn.«
Die junge Frau trat ihm in den Weg, einen Kopf größer als er. Wie oft hatte Sanno sich ausgemalt, dass sich Mutter Heidlinde aus ihrem Goldrahmen über dem Kamin lösen und zu ihm herabsteigen würde, und jetzt war sie tatsächlich hier. Ganz nah bei ihm, so nah, dass er ihren Geruch nach Dung und Mehl einatmete – anscheinend arbeitete sie als Magd auf einem Mühlenhof. Aber wie war das alles möglich? Wieso war sie nicht tot? »Mutter Heid. . . Heidlinde?«, stammelte Sanno. Irgendwo in seinem Rücken, weit entfernt noch, begann Rumar zu bellen, und der alte Cramsen schrie irgendetwas, doch Sanno nahm das alles wie durch Nebelschleier wahr.
Hinter Heidlinde – oder Linda, wie die Alte sie genannt hatte – sah er, verschwommen im Mondlicht, wie Josepha am Ufer des Gießbachs in die Knie ging, die hohle Hand eintauchte und über dem Köpfchen des Kleinen Wasser ausgoss. »Kraft, Kraft«, hörte Sanno die Alte ächzen, »durch die Macht des Wassers und das Licht der Nacht.«

Die blonde Frau legte einen Arm um ihn und zog ihn noch näher zu sich heran. Wie oft hatte er sich das in den vergangenen Jahren gewünscht – von seiner Mutter in die Arme genommen zu werden. So warm, so sanft, dachte er. Den Vater umgab doch immer eine düstere Strenge, und Keta hatte ihn ja all die Jahre liebevoll umsorgt, aber sie war eben nur eine einfältige alte Magd.
Vom Bosbach her drang nicht mehr der leiseste Mucks zur Lichtung, und diese Stille verstörte Sanno mehr als ein qualvoller Schrei. »Sie tötet ihn ja«, rief er mühsam, sein Gesicht an die Schulter von Linda gepresst. »Er ist doch dein Kind, wieso hilfst du ihm nicht?«
»Dummkopf«, sagte sie mit gurrender Stimme in sein Ohr. »Hast du nicht gesehen, wie schwächlich der Kleine ist? Mein Kind ist ja das stärkste weit und breit.«
Was hatte das nun wieder zu bedeuten? Vielleicht redete Linda im Fieber, oder die Alte hatte ihr aus Stechapfel und Tollkirschen einen Sud gebraut, der die Sinne verwirrte. Hinter ihnen bellte wieder Rumar, und der alte Cramsen brüllte aus voller Kehle Sannos Namen. Lass mich, bitte, lass mich doch, wollte Sanno sagen, aber er brachte kein Wort mehr heraus. Linda drückte sein Gesicht jetzt gegen ihren Busen. »Und wie steht's mit dir, Bursche, bist du schon so stark wie ein Mann?«
Sanno nahm all seine Kraft zusammen und riss sich aus der teuflischen Umarmung heraus. Wie hatte er nur einen Augenblick lang glauben können, dass sie seine Mutter Heidlinde sei? Eine Satansbuhlin war sie, weiter nichts.
Rumar bellte, Cramsen fluchte, auch die klangvolle Stimme von Vater Lambert mischte sich hinzu. Aber ärger als alles Lärmen vom Gutshaus her war die tödliche Stille da drüben am Bach.
Josepha hatte sich wieder erhoben, jetzt kehrte sie auf die Lichtung zurück. In ihren Armen hielt sie einen kleinen, reglosen Körper. Fast im selben Augenblick trafen Vater Lambert und der

hagere Laborknecht Cramsen ein, beide im knöchellangen Umhang, brennende Fackeln in den Händen. Während Lambert zusätzlich seine Arkebuse trug, die er nun drohend auf die goldhaarige Linda richtete, hielt Cramsen mit der anderen Hand den Wolfshund am Strick. Mit gesträubtem Fell blieb Rumar am Rand der Lichtung stehen. Er fletschte die Lefzen und begann wie tobsüchtig zu Josepha emporzubellen. Niemals vorher hatte Sanno den Hund so außer sich gesehen.
»Was um alles in der Welt ist hier los?«, rief Lambert und schaute streng von den beiden Frauen zu Sanno. Der Vater war ein Hüne, spitzbärtig, mit eisfarbenen Haaren, höher gewachsen, stärker und unermüdlicher als jeder Mensch, den Sanno kannte. »Was habt ihr hier angestellt?«
Glaubte der Vater etwa, dass er, Sanno, mit den Weibern im Bunde wäre? »Ich hab wieder diese Kinderschreie gehört, Vater«, fing er an zu erklären, »und da bin ich hier herausgekommen, um nachzusehen. Ich glaube, sie haben Waldgeister angerufen«, fügte er hinzu.
Lambert schien auf Sannos Worte kaum zu achten. Josepha war neben Linda getreten, den tropfnassen kleinen Körper im Arm. Das Köpfchen hing nach hinten hinab, der winzige Mund wie zu einem allerletzten Schrei geöffnet, den das Kind niemals mehr ausstoßen würde. Herausfordernd sah die Alte Lambert an, ihr runzliges Gesicht ließ weder Reue noch Angst erkennen. Erst jetzt schien der jüngeren Frau zu dämmern, was geschehen war – sie nahm Josepha das leblose Kind aus den Händen und begann es unter lautem Heulen und Jammern in ihren Armen zu wiegen.
»Kindsopfer für heidnische Teufelsgeister, da bleibt uns keine Wahl«, sagte Lambert zu seinem alten Knecht. »Wir nehmen die beiden Weiber in Gewahrsam. Sperr sie in den Verschlag hinter den Laborräumen. Gleich morgen setze ich einen Brief an die In-

quisition auf – mögen die weisen Herren beschließen, was mit den Frauen weiter geschehen soll.«
Cramsen fuchtelte drohend mit seiner Fackel vor der Alten herum. »Also ab in den Kerker mit euch. Und versucht nur nicht abzuhauen – sonst hetze ich den Hund hinter euch her!«
Immer noch war Rumar kaum zu bändigen – er knurrte und bellte abwechselnd, und wenn Cramsen ihn nicht am Strick gehalten hätte, wäre er Linda oder Josepha bestimmt an die Kehle gesprungen. Doch in dem ganzen Tumult wirkte die alte Kleinbäuerin weiterhin völlig ungerührt – so als ob sie gar nicht verstanden hätte oder aus irgendeinem Grund nicht glauben mochte, was Lambert eben gesagt hatte. Wenn er sie wirklich der Heiligen Inquisition auslieferte, war sie schon so gut wie tot.
»Ich glaube, sie wollten das Kind gar nicht umbringen, Vater«, sagte Sanno. »Sie haben nur auf seltsame Weise diese Waldgeister angerufen, damit die den Kleinen gesund und stark machen.«
Mit Cramsens Fackel war es ihm endlich gelungen, sein Messer mit dem Hirschhorngriff wiederzufinden, das ihm vorhin aus der Hand gefallen war. Er hob es auf und wendete es verlegen hin und her. Aller Augen waren auf ihn gerichtet, nur Linda wiegte immer noch selbstvergessen den anscheinend toten Jungen auf ihren Armen. »Bitte, Vater Lambert«, fuhr er fort, »sperrt sie nicht ein, liefert sie nicht den Inquisitoren aus – zumindest Linda nicht, sie wollte ja nichts Böses tun.«
Der Vater sah ihn unter zusammengezogenen eisgrauen Brauen an, wie immer, wenn er mit Sanno nicht einverstanden war. »Das zu entscheiden liegt nicht bei uns, mein Sohn. Zu den alten Göttern zu beten ist eine Todsünde, und dieses Kind ist bei dem heidnischen Ritual zu Tode gekommen, wie du eben selbst bezeugt hast. Wir müssen sie der Obrigkeit übergeben.«
Verzweiflung befiel Sanno – auch wenn er mittlerweile erkannt hatte, dass er diese junge Frau nur aus verirrter Sehnsucht mit

Mutter Heidlinde verwechselt hatte, konnte er doch nicht einfach zulassen, dass sie den Hexenjägern ausgeliefert wurde! Vorhin hatte er selbst sie in Gedanken als Teufelsbuhlin beschimpft, und noch immer wurde ihm heiß vor Beschämung, wenn er daran dachte, wie sie ihn umarmt hatte. Aber das alles hieß doch noch lange nicht, dass sie den Tod verdient hatte! Der Kleine hatte doch sowieso schon todkrank ausgesehen, wie von einem tückischen Fieber ausgezehrt. Von zehn Kindern, die in einer Familie zur Welt kamen, starben sieben oder acht, ehe sie auch nur ihre Milchzähne verloren hatten – das hatte der Vater selbst ihm doch schon mehr als einmal erklärt. Nicht einmal das *Specificum Lamberti* vermochte die Kleinen stets vor Fieber, Pocken und all den anderen Krankheiten zu bewahren, die wie hundert hungrige Dämonen in Strohsäcken und Matratzen, Gewändern und Bettdecken zu lauern schienen. Und bestimmt hatte die Alte Linda zu dem Ritual beschwatzt und ihr auch noch einen ordentlichen Batzen Geld dafür abgeknöpft, und Linda hatte nur aus Sorge zugestimmt, dass ihr kränkliches Kind ohne die Beihilfe der Heidengeister nicht lange leben würde. Dabei war der Kleine allerdings trotzdem umgekommen, aber das war doch ein Unglück und kein Verbrechen!

»Gehen wir«, sagte Lambert. Der Wind wurde stärker, die Tannen ächzten wie gemarterte Seelen.

Fieberhaft überlegte Sanno, wie er den Vater doch noch erweichen könnte, und plötzlich fiel ihm die Lösung ein. Wieso war er nicht viel eher darauf gekommen? »Bitte, Vater«, sagte er mit festerer Stimme, »Ihr müsst Linda gehen lassen. Wer soll sich denn sonst um ihren anderen Sohn kümmern? Der Kleine läuft bestimmt noch irgendwo hier im Wald herum – ich hab ihn ja vorhin mit eigenen Augen gesehen!«

»Was denn für ein anderer Sohn?« Cramsen sah von Sanno zu Lambert. »Ich kenne die ganze Sippe seit Ewigkeiten, die Hepp-

ners vom Mühlenhof – außer diesem Knaben da hat die Linda keine Kinder.«
Lamberts Miene wurde noch finsterer. »Rede schon, Vettel«, fuhr er Josepha an, »habt ihr noch weitere Bälger mit hier herausgeschleppt?«
Die Alte schüttelte den Kopf, dass die Spinnwebhaare flogen. »Wenn man die Mondmaiden anruft, darf niemand sonst in der Nähe sein, Herr – nur die Zauberin, die Mutter und der Säugling, der gerettet werden soll. Deshalb ist die Sache ja auch schiefgegangen – weil der Bursche hier aufgekreuzt ist und die Waldmaiden wütend gemacht hat! Du hast den Kleinen umgebracht, du, du!«, keifte sie in Sannos Richtung und zwinkerte ihm gleichzeitig mit einem abscheulichen Krähenauge zu.
Rumar begann wieder zu knurren, und Cramsen hatte Mühe, den Wolfshund zu beruhigen.
»Aber ich hab ihn doch selbst gesehen!«, rief Sanno. »Von meinem Fenster aus – er muss drei, vier Jahre alt sein, und er hat nur so ein hellgraues Hemd getragen, mit nackten Füßen ist er hier draußen durch den Wald gerannt!«
Vater Lamberts Augen weiteten sich, sein Gesicht mit den scharfen senkrechten Falten überlief ein Zucken, aber nur für die Dauer eines Wimpernschlags. Und vielleicht war es auch bloß eine Täuschung gewesen, begünstigt durch das ungewisse Licht, die tanzenden Schatten, die Qualmschwaden, die von den Fackeln aufstiegen. Aber Täuschung oder nicht, im selben Augenblick durchfuhr es Sanno wie ein Blitzschlag – *ich hab mich selbst gesehen*. Der kleine Junge, der da im hellen Hemd durch den Wald gestolpert ist, hat überhaupt nichts mit den beiden Frauen, dem Säugling, dem Heidenritual zu tun – *dieser kleine Knabe war ich selbst*.
Seine Gedanken wirbelten. Konnte das denn überhaupt sein? Dass er sich zum allerersten Mal wirklich an *damals* erinnert hat-

te, an die Zeit, bevor er mit Mutter Heidlinde in der Kutsche verunglückt war? Und dass diese Erinnerung aus irgendeinem Grund nicht in seinem Innern aufgetaucht war, sondern draußen vor seinem Fenster wie auf einer Jahrmarktsbühne? Vielleicht weil in mir drin einfach kein Platz mehr für sie war, dachte Sanno –, weil Vater Lambert jedes freie Winkelchen in meinem Innern mit seinen Bildern und Geschichten von damals vollgestopft hat.
Oder bildete er sich das alles nur ein, verwirrt durch die Ähnlichkeit von Mutter Heidlinde und der Müllersmagd Linda?
»Genug jetzt«, befahl Lambert. »Schaff die beiden Weiber weg, Cramsen, weck Keta, damit sie sich um den Leichnam kümmert – und du, Junge«, fuhr er Sanno an, »halte uns nicht länger zum Narren.«
Damit setzte sich der kleine Trupp endgültig in Bewegung. Schweigend kehrten sie zum Gutshaus zurück, auf holprigen Pfaden hügelan und Schluchten hinab, und Sanno trottete hintendrein. Der Hund an seiner Seite knurrte und fiepte, und Sanno fühlte in seinem Innern ein Durcheinander aus Wut und Beschämung, Grauen und Schmerz.

3

In der Halle des Gutshauses scheuchte Cramsen die beiden Frauen gleich zu der schmalen Tür in der Seitenwand, hinter der sich die enge Kellertreppe in die Tiefe drehte.
»Du hältst dich vom Gewölbe fern, Sanno«, ordnete Lambert an, aber Sanno hatte sowieso nicht vorgehabt, in die Unterwelt hinabzusteigen. In den acht Jahren, die sie nun schon hier lebten, war er höchstens ein Dutzend Mal unten gewesen. Der modrige

Geruch der Mauern und der beißende aus Lamberts Töpfen und Tiegeln, die niedrigen Decken, das fehlende Sonnenlicht und der dumpfe Widerhall von Schritten und Stimmen machten ihn immer so beklommen, dass sein Herz wie rasend zu klopfen begann und ihm der Schweiß aus allen Poren brach.
Dagegen verbrachten der Vater und Cramsen oft ganze Tage und halbe Nächte in den Laborräumen, wo sie im glutroten Licht des uralten Eisenofens Kräuter kochten und den Sud destillierten, denn die Nachfrage nach dem Specificum war in den letzten Jahren gewaltig gestiegen. Seit einiger Zeit bemühte sich Lambertus außerdem, ein ganz neuartiges Heilelixier herzustellen, das die Wirkung des Specificums nochmals übertreffen sollte. Aber anscheinend kamen er und Cramsen mit der neuen Rezeptur bislang nicht so richtig voran.
Vater Lambert hatte seinen Umhang abgeworfen, die Arkebuse hinter die Tür gehängt und sich auf den mit Schnitzereien verzierten Lehnstuhl an der Stirnseite des Eichentischs gesetzt. Die gewaltige Tafel bot zwei Dutzend Essern gleichzeitig Platz, aber meist nahmen hier nur Sanno und der Vater ihre Mahlzeiten ein – Besucher verirrten sich nur selten auf den entlegenen Gutshof. Und manchmal, wenn Vater Lambert nach Würzburg, Frankfurt oder noch weiter den Main hinaufreiste, um seltene Heilessenzen zu erhandeln oder sich mit anderen Gelehrten seines Fachs zu unterreden, aß Sanno mit Keta und Cramsen neben der Küchenesse am speckig glänzenden Gesindetisch.
»Geh wieder ins Bett, Sanno«, sagte Lambert, »noch sind ein paar Stunden von der Nacht übrig.« Er wirkte matter und besorgter, als Sanno ihn jemals gesehen hatte – mit schwarzen Schatten unter den Augen, deren sonst helles Blau aschgrau wirkte. Zusammengesunken saß er da, das eisfarbene Haar hing ihm wirr über Schläfen und Kragen, und die senkrechten Falten auf seiner Stirn und von den Mundwinkeln abwärts schienen Sanno fast so tief

und von Finsternis erfüllt wie die unwegsamsten Schluchten draußen im Wald.
»Nur noch einen Moment, Vater, dann gehe ich hinauf.« Sanno setzte sich neben ihn an den Tisch, sprang aber fast sofort wieder auf. Er war todmüde und gleichzeitig von schrecklicher Unruhe erfüllt. Durch die offene Kellertür klangen die Schritte von Cramsen und den beiden Frauen herauf, die jetzt sicher schon den engen Gang entlangtappten, an dessen Ende die Flucht von Laborräumen begann. Im hintersten dieser Räume, einem fensterlosen Verschlag von höchstens zwei mal zwei Metern, sollten Linda und Josepha die restliche Nacht verbringen.
»Bitte, Vater«, sagte Sanno, »können sie nicht wenigstens hier oben im Haus schlafen?«
Lambert schüttelte den Kopf. »Es geht nicht anders«, sagte er. »Setz dich noch einen Augenblick zu mir und lass dir erklären.« Er packte Sannos Hand und zog ihn auf seinen Stuhl zurück. »Ich mache dir keinen Vorwurf, Junge, aber es wäre für uns alle besser gewesen, wenn du diese Nacht in deinem Bett geblieben wärst.« Sanno sah ihn erschrocken an und wollte sich rechtfertigen, doch Lambert schüttelte den Kopf. »Lass mich ausreden. Ich weiß sowieso, was du sagen willst, und ich wiederhole, dass ich dir keinen Vorwurf mache. Aber nachdem du die beiden auf frischer Tat ertappt hast, bleibt uns nichts anderes übrig, als sie an die Herren mit den schwarzen Kutten auszuliefern. In den Augen der Geistlichkeit sind sie Hexen und mit dem Teufel verbündet.«
Er hielt inne, seine Augen zogen sich zusammen. Als er weitersprach, war seine Stimme fast zu einem Flüstern gedämpft. »Wenn wir uns nicht vorsehen, Junge, wird Monsignore Taurus, der mächtige Inquisitor, auch uns der Teufelsdienerei bezichtigen. Sie brauchen nur zu behaupten, dass ich da unten im Labor keine harmlosen Heilelixiere zusammenbraue, sondern teuflische Schwarzkunst betreiben würde – und schon liegen wir alle

vier, zumindest aber ich und der treue Cramsen, neben den beiden Hexen auf den Folterbänken im Inquisitionspalast.«
Sanno sank in sich zusammen, er wagte kaum mehr, dem Vater ins Gesicht zu sehen. Durch seine Unbedachtheit würden die beiden Frauen elend ums Leben kommen, und durch seine Schuld würde womöglich auch der Vater Schaden erleiden!
»Aber warum sollten sie Euch denn verdächtigen, Vater?«, brachte er endlich hervor. »Auf den Märkten in Aschaffenburg oder Gelnhausen gehören die Priester und Nonnen zu den eifrigsten Käufern Eures Elixiers.«
Gedankenverloren zwirbelte sich Lambert den eisfarbenen Spitzbart. »Das mag alles so sein, aber Pfarrer und Hexenjäger sind nun einmal zweierlei. Oder kannst du dir vielleicht vorstellen, dass unser behäbiger Pater Rato die beiden Weiber da unten im Keller mit glühenden Eisenzangen zwackt?« Erschrocken schüttelte Sanno den Kopf. »Na, da siehst du es selbst. Der gute Pater könnte sich sowieso kaum tief genug bücken, um die Daumenschrauben bei seinen Opfern anzusetzen – das Weinfässchen unter seinem Gewand wäre ihm im Weg. Aber sein weiches Herz und seine sanfte Seele noch viel mehr.«
Immer wilder zwirbelte Lambert seinen Kinnbart. »Stell dir dagegen einen Hexenjäger vor – er ist unbedingt von hagerer Gestalt, wenn nicht sogar ausgemergelt wie unser Cramsen. Sein Herz ist hart wie Granit, seine Seele gleicht einem zugefrorenen See, sein Geist ist strahlend klar wie Kristall. Das muss auch alles ganz genauso sein, denn der Herr Hexenjäger hat ein schwieriges Geschäft. Wo endet die weiße Magie, die Heilkunst zum Lob des Schöpfers – und wo beginnt die schwarze, die Dämonenbeschwörung, die nur im Bund mit dem Satan möglich ist? Wenn die hochgelehrten Inquisitoren eines schönen Tages befinden, dass die Grenze zwischen beidem ein klein wenig anders verläuft, als beispielsweise Pater Rato oder ich selbst das glauben

und als sie selbst sie noch gestern oder vor einem Jahr gezogen hatten – nun, dann werden sie gewiss nicht zögern, mich der Schwarzkunst zu bezichtigen. Denn es ist nun einmal ihre Pflicht, Hexer und Teufelsjünger unschädlich zu machen – und nebenher auch noch zu ihrem eigenen allergrößten Vorteil. Das Vermögen jedes überführten Satansbündlers, dessen Körper auf dem Scheiterhaufen verbrannt wird, fällt bis zum allerletzten Heller an die Herren mit den schwarzen Kutten.« Er rieb sich mit der flachen Hand über das Gesicht. »Also kurz gesagt, Sanno – Leute wie wir sollten alles vermeiden, was die Aufmerksamkeit der Hexenjäger auf uns lenken kann.«

Sannos Kehle wurde immer enger. »Es tut mir so leid, Vater«, stammelte er, »ich wusste ja nicht . . .«

Lambert legte seine große, grau behaarte Hand auf Sannos Arm. »Natürlich nicht, Sanno. Aber mach dir keine Sorgen, es wird schon alles gut ausgehen.«

Vom Keller her hörten sie jetzt, wie die junge Frau dumpf um Hilfe rief. »Du Unhold, lass mir mein Kind!«

»Dein Balg ist tot, du abergläubische Gans!«, wetterte Cramsen unter der Erde. »Du selbst hast es ja mit der Alten umgebracht!« Weitere Schreie und Flüche, dann schlugen dicht hintereinander mehrere Türen zu. Riegel wurden vorgeschoben, kurz darauf stampfte Cramsen wieder den Kellergang entlang und die Treppe hoch. Als er zurück in die Halle trat, hielt er ein formloses kleines Bündel, in ein Lumpentuch gewickelt, im Arm. Mit dem Ellbogen drückte er die Tür ins Schloss und schob auch hier den Eisenriegel vor. Mit seiner hageren Knochengestalt, dem blanken Schädel, den tief liegenden Augen und eingefallenen Wangen sah Cramsen beinahe wie der Mensch gewordene Tod aus – der Schnitter, der auf Kupferstichen die Sense schwang und blutige Ernte unter den Sterblichen hielt.

»Bring das tote Kind in die Kapelle hinüber«, sagte Vater Lambert

zu Cramsen. »Keta soll es säubern und wie einen Christenmenschen herrichten – ob es nun getauft ist oder nicht. Währenddessen such du ein paar Bretter aus dem Schuppen zusammen und zimmere einen Sarg.«
Sanno war kurz davor, in Tränen auszubrechen. Mit brennenden Augen sah er zu, wie der greise Knecht zur Haustür schlurfte und mit dem traurigen kleinen Bündel hinaus auf den Hof trat. »Ruhig, Rumar«, brummte Cramsen, doch die Mahnung half überhaupt nichts – der Hund begann sofort wieder wie wild zu knurren und zu bellen.
Draußen war es immer noch tiefe Nacht – im Spalt der zugleitenden Tür sah der Himmel sogar noch finsterer aus, da Mond und Sterne jetzt hinter Wolken verborgen waren. Nicht mehr lange, dann würde es gewittern, dachte Sanno. Und im Schutz des Unwetters würde er hinters Haus schleichen, wo kniehoch über dem Boden eine Reihe schmaler Luftschlitze in der Mauer ausgespart war, einer für jeden Kellerraum. Er musste mit Linda reden, ihr erklären, dass er sie nicht mit Absicht in diese Lage gebracht hatte und dass ihm schrecklich leid tat, was geschehen war. Zumindest das war er ihr und Josepha schuldig, wenn er schon nichts unternehmen konnte, um ihr Los zu verbessern. Wieder und wieder sah er Linda vor sich, wie sie vorhin auf die Lichtung getreten war, ein täuschendes Abbild von Mutter Heidlinde. Doch dann hatte sie ihn an sich gezogen und auf eine Weise berührt, die ihn noch in der Erinnerung fast unerträglich aufwühlte. Ich muss sie sehen, mit ihr reden, dachte Sanno, wenigstens das.

Beim Schein einer Kerze ging Sanno in seiner Kammer auf und ab, vom Bett zum Fenster und wieder zurück. Unmöglich, in dieser Nacht noch zu schlafen. Drückend hing die Gewitterluft über dem Wald, aber der erlösende Donnerschlag war bisher ausgeblieben. Unter dem Fenster stand die kleine Tannenholztruhe, die all seine Habseligkeiten enthielt – das Festtagsgewand für die Kirchgänge hinunter nach Bosbrunn, ein paar Kugeln und Keulen, Handpuppen und bunte Flickentücher für seine geliebten Gaukeleien. Sanno kniete sich auf die Truhe und beugte sich weit aus dem Fenster. Doch von dem kleinen Jungen im hellgrauen Hemd war nichts mehr zu sehen.

Ich selbst mit drei oder vier Jahren, dachte er wieder, aber kann das denn sein – dass man einfach so draußen vor dem Fenster erblickt, was einem die Erinnerung eingibt? Oder hatte er den Kleinen doch in Wirklichkeit gesehen? Dann lief der Junge noch immer da unten durch die Dunkelheit – zu Tode verängstigt, vielleicht zerrissen von wilden Tieren, bevor der Morgen dämmern würde? Aber wer war dieses Kind, und wie war es dort hinaus in die Wildnis geraten, fragte sich Sanno – wenn es auch zu Linda und der Alten nicht gehörte?

Und die beiden Frauen hockten unten im Keller, im Stockfinsteren metertief unter der Erde wie in einem Grab. Sanno schauderte, wenn er sich auch nur ganz kurz vorstellte, an ihrer Stelle zu sein. War es wirklich seine Schuld, dass alles so gekommen war? Würden Linda und die Alte seinetwegen sterben? Hatten Lambert und die beiden Diener denn gewusst oder wenigstens geahnt, was sich in manchen Nächten da draußen im Wald abspielte – Teufelsmessen für Heidengeister, die um Heilung todkranker Kinder angefleht wurden? Und hatten sie deshalb auf seine Fragen hin immer wieder behauptet, dass er sich die Schreie und Schritte im Dunkeln nur einbilde – aus Sorge, dass sie alle in die kirchliche Hexenjagd verstrickt werden könnten?

Sanno sprang von der Truhe und ging die drei Schritte zu seinem Bett zurück, einer Holzpritsche mit strohgestopfter Matratze. Aber das ergab ja auch keinen Sinn, sagte er sich, sonst hätten der Vater oder Keta ihm doch befohlen, sich nicht um die Geschehnisse da draußen zu scheren. Schließlich wussten sie alle, dass er manchmal, wenn er einfach nicht einschlafen konnte, in stockdunkler Nacht hinausging und sich stundenlang unter freiem Himmel herumtrieb. Meistens blieb er ja zwischen den schützenden Gutsmauern, streifte nur mit Rumar auf dem Hof umher oder hockte sich auf eine Treppenstufe vor der Haustür, schaute zum gestirnten Himmel empor und lauschte den Lauten des Waldes – Eulenrufen, Wolfsgeheule, den Angst- und Alarmschreien fliehender Tiere, dem Trappeln von Pfoten auf Zweigen und Laub.

Aber manchmal, besonders in warmen, mondhellen Nächten wie dieser, hielt es Sanno nicht im väterlichen Gemäuer – dann flüsterte er Rumar Trostworte ins Ohr und schlich durchs Hintertor hinaus. Direkt hinter der Torschwelle begann der Wald, und schon nach fünfzehn Schritten, wenn er sich umdrehte, war im Dunkeln, hinter den Tannenwänden, vom Gutshaus nichts mehr zu sehen. Noch ein paar Schritte weiter, und es kam ihm zuweilen so vor, als ob er sich das alles dort hinten nur eingebildet hätte – den düsteren Gutshof, sein Leben mit dem Vater, mit Keta und Cramsen, seine Fahrten mit dem Eselskarren von Markt zu Markt. Als ob er eigentlich an einem ganz anderen Ort leben würde, und wenn er dann in sich hineinzuhorchen versuchte, um herauszufinden, was das alles zu bedeuten hatte, dann verspürte er eine schreckliche Traurigkeit, einen fast unerträglichen Schmerz.

Soweit er zurückdenken konnte, war Sanno immer ein schlechter Schläfer gewesen, unruhig auch im Tageslicht, aber vor allem in den Nächten oft wie von bösen Geistern gezwackt. Am wohlsten fühlte er sich, wenn er unterwegs war, mit dem Eselskarren voll klirrender Tiegel zu Tale schaukelnd oder auf ziellosen Wanderungen durch die Wälder rings um Lamberts Hof. Mit neun oder zehn Jahren war er sogar einige Zeit geschlafwandelt – ein paar Mal hatten Lambert oder die alte Keta ihn auf dem Dach des

Gutshauses entdeckt, wo er in tiefen Träumen über den First balanciert war. Und nichts bereitete ihm noch heute mehr Vergnügen, als die Kunststücke der Gaukler nachzumachen, die auf den Jahrmärkten in Gelnhausen oder Aschaffenburg auf meterhohen Stelzen umherstaksten, Keulen und Bälle durch die Luft wirbeln ließen oder auf dem straff gespannten Seil vom Kirchturm hinüber zum Rathausgiebel spazierten.
Nein, dachte Sanno, wenn der Vater, Keta oder Cramsen irgendetwas von dem heidnischen Treiben da draußen geahnt hätten, dann hätten sie mich ganz bestimmt ermahnt, mich von dort fernzuhalten. Und außerdem – niemals vorher hatte Rumar auf das nächtliche Getöse reagiert, und das hieß ja wohl, dass da draußen in all den unruhigen Nächten vorher etwas ganz anderes geschehen sein musste als in dieser Nacht. Etwas sehr viel weniger Handgreifliches, an dem keine wirklichen Menschen aus Fleisch und Blut beteiligt waren, sondern Kreaturen zwischen Tag und Traum – so wie der kleine Junge im hellgrauen Hemd, der allerdings auch diese Nacht im Wald umhergegeistert war. Aber was mochte es mit ihm nur auf sich haben? Wieder sah Sanno vor sich, wie die Augen von Vater Lambert sich geweitet hatten, als er den drei- oder vierjährigen Kleinen erwähnt hatte. Ob der nicht vielleicht doch den verschütteten Tiefen seines eigenen Gedächtnisses entsprungen war?
Erschöpft ließ sich Sanno auf sein Lager fallen. Aber das würde ja bedeuten, überlegte er, dass auch die Kinderschreie, dieses schreckliche leise Wimmern, das er in so vielen Nächten vorher gehört hatte – dass sie genauso aus den Abgründen seiner eigenen Seele aufgestiegen waren. Gütiger Gott, wieso denn Schreie, dachte er, Schreie der Verzweiflung, der nackten Todesangst? Seit er vor acht Jahren in dieser Kammer aus seinem wochenlangen Heilschlaf aufgewacht war, hatte Vater Lambert ihm mehr oder weniger jeden einzelnen Tag aus der früheren Zeit geschil-

dert, von Sannos Geburt bis zu dem Julitag im Jahr 1511, als Mutter Heidlinde und er mit der Kutsche verunglückt waren. »Du warst das glücklichste Kind weit und breit«, pflegte der Vater seine Erzählungen zu beschließen, »unser Haus am Nordmeer, der große Garten voller Blumen, Kirsch- und Apfelbäume – es war wie ein Paradies auf Erden.« Von nächtlichem Herumirren im Wald, von Verzweiflung und Todesangst, die Sanno mit drei oder vier Jahren ausgestanden hätte, war in Lamberts Erzählungen nie die Rede gewesen.
Auch darüber, dachte Sanno, musste er mit dem Vater sprechen – gleich morgen in aller Frühe, ehe Lambert sich wieder mit Cramsen in seinem Labor verschanzen würde.
Da endlich zuckte ein Blitz über den schwarzen Himmel, nur Augenblicke später gefolgt von einem Donnerschlag, der die Mauern des Gutshauses erzittern ließ. Noch bevor Sanno aufgesprungen und zum Fenster gelaufen war, zerbarsten die Wolken, und es begann wie aus Kübeln zu gießen.
Er schloss die Fensterläden, schlich zur Tür und zog sie leise auf.

4

Hinter den Fensterlöchern der verfallenen Kapelle zuckten Schatten im Fackellicht. Hammerschläge hallten durch die Dunkelheit, lauter selbst als der prasselnde Regen und das Dröhnen des Donners.
Sanno war an der Haustür stehen geblieben, unschlüssig, wohin er sich wenden sollte. Der Regen toste herab, durchnässte in einem einzigen Augenblick sein Hemd, das sich wie eine faltige zweite Haut an seinen Körper klebte. Aber nass zu werden machte ihm nichts aus, schon oft war er bei Regen durch den Wald ge-

rannt und zu Ketas Schrecken triefend wie eine Wasserleiche zurückgekehrt – bis zu den Knien hinauf mit Schlamm bespritzt und sein schulterlanges, sonst hellbraunes Haar vor Nässe fast schwarz. Wo war Rumar? Auch wenn der Wolfshund ziemlich wasserscheu war, kam er sonst doch bei jedem Wetter angerannt, sowie die Haustür auch nur einen Spaltbreit geöffnet wurde.

Blitze äderten den Himmel, dann erschallte abermals ein Donnerschlag – so dröhnend, als ob ein halbes Hundert Riesen mit gigantischen Schlegeln auf Eisenplatten hieben.

Sanno stieß einen leisen Pfiff aus, der für menschliche Ohren in dem Getöse bestimmt nicht zu hören war. Sofort antwortete Rumar mit einem erbarmungswürdigen Winsellaut – von der Kapelle her, dachte Sanno, und damit war es entschieden. Eigentlich hatte er schnurstracks zur Rückseite des Hauses laufen wollen, wo die Luftschlitze von den Kellerräumen eingelassen waren. Aber seine Neugierde war stärker – zuerst musste er nachschauen, was da drüben in der Kapellenruine vor sich ging.

Der Regen peitschte ihm gegen Gesicht und Brust, und seine nackten Füße platschten durch Pfützen, als Sanno quer über den weiten Gutshof rannte. Wie Lambert ihm erzählt hatte, war in der Kapelle vor über hundert Jahren zum letzten Mal Gottes Wort verkündet worden. Der damalige Gutsherr, ein frommer Edelmann namens Hademar, hatte eigens einen Priester unter seinem Dach beherbergt, damit der jeden Morgen für Ritter Hademar samt Sippe und Gesinde die heilige Messe las.

»Ist ja gut, Rumar, ist doch alles gut.« Der Wolfshund hockte vor der geschlossenen Kapellentür, mit einem Strick an das Türgitter gebunden. Sanno kniete sich neben ihn und klopfte ihm das Fell, dass die Tropfen sprühten. Mit seinen durchnässten schwarzen Zotteln sah Rumar bemitleidenswert aus – ein mageres Wölflein, um zwei Drittel seines gewöhnlichen Umfangs geschrumpft. »Wer hat dich denn hier angebunden, du armer Kerl?« Und vor al-

lem, setzte er in Gedanken hinzu – aus welchem Grund? »Ist ja gut«, wiederholte er, da Rumar immer noch schrecklich winselte. »Ich mach dich doch schon los.«
Er sprang auf und löste den Strick vom Eisengitter, behielt aber das Ende in der Hand. Zu seiner Überraschung begann der Wolfshund zu knurren, als Sanno die Türklinke herunterdrückte und in den Vorraum der Kapelle eintreten wollte. Mit seinem ganzen Gewicht stemmte sich Rumar vor der Schwelle in den Schlamm, aber Sanno zerrte ihn hinter sich her.
Früher hatte Keta ihm immer Schauergeschichten erzählt, von Gespenstern, die angeblich in der verfallenen Kapelle spukten. Natürlich glaubte er seit Langem nicht mehr, dass im Altarraum oder in der Sakristei wirklich der Geist des letzten Priesters umging oder die verlorene Seele einer Nonne, die sich Jahrhunderte vorher an dem riesigen Kruzifix erhängt haben sollte. Aber so ganz geheuer war ihm die kleine Ruine mit ihren kahlen Fensterlöchern, durch die Eulen und Fledermäuse aus- und einflogen, mit ihren schimmelgrün verfleckten Wänden und dem geborstenen Granitaltar bis heute nicht. Da war es für alle Fälle besser, wenn der Wolfshund an seiner Seite war – auch wenn Rumar sich mindestens so sehr wie Sanno selbst zu fürchten schien.
Kaum hatten sie den fensterlosen Vorraum betreten, da fiel mit entmutigendem Stöhnen die Tür ins Schloss. Vollkommene Finsternis umgab sie, und Rumar knurrte jetzt so laut, dass es wie ein ganzer Hummelschwarm klang. »Was hast du denn nur?«, flüsterte Sanno. »Jetzt komm schon. Aber leise!«
Mit schabendem Geräusch schleiften Rumars Pfoten über den Steinboden, als Sanno den sich sträubenden Hund hinter sich herzog. Im Stockdunkeln tastete er nach der Flügeltür, die in die eigentliche Kapelle führte. Von den Hammerschlägen, die vorhin aus der Ruine nach draußen geschallt waren, war seit Längerem

nichts mehr zu hören. Dafür schlug Sannos Herz jetzt so heftig, dass ihm sein eigener Pulsschlag in den Ohren dröhnte.
Seine Finger erfühlten das von Holzwürmern zernarbte Türholz. Sanno holte Luft, drückte den rechten Flügel mit der Hand auf und trat ein. Dicht an ihn gedrängt schob sich auch Rumar in den Altarraum, und an seinem Unterschenkel spürte Sanno, dass der triefnasse Wolfshund regelrecht schlotterte.
Mondschein fiel durch die Fensterhöhlungen, vier in jeder Längswand, und zerteilte die Kapelle in schmale Schneisen blassen Lichts und breitere Streifen Dunkelheit. Während Sanno langsam weiterging, musterte er die Überreste der Kirchbänke, die, zu Brettern zerfallen, durch Schimmel und Feuchtigkeit aufgequollen waren. Die Heiligenfiguren an den Wänden stierten mit zerdepperten Nasen und Augen voller Vogeldreck zu ihm herunter. Der Granitaltar sah aus, als ob Gott selbst ihn mit Seiner Faust zermalmt hätte. Am wenigsten gefiel Sanno aber seit jeher das knochenfarbene, mindestens drei Meter hohe Kruzifix über den Altartrümmern. Der darangenagelte Jesus war im Verhältnis viel zu klein geraten – es sah aus, als ob sie ein Kind gekreuzigt hätten, einen höchstens achtjährigen Knaben.
Für einen kurzen Moment ließ das Rauschen des Regens nach, und Sanno hörte gedämpfte Stimmen durch die schmale Tür hinter dem Altar. Also sind sie beide in der Sakristei, dachte er, Keta und Cramsen, wie Vater Lambert es angeordnet hat. Eigentlich war ihm ja die ganze Zeit schon klar, was hier in der Kapelle vorging – der Knecht hatte den kleinen Sarg gezimmert, und jetzt legten sie das tote Kind hinein. Aber irgendetwas war hier dennoch nicht so, wie es sein sollte, das spürte er ganz deutlich. Und warum hatten sie Rumar draußen vor der Kapelle angebunden, im strömenden Regen? Wieso hatten sie ihn nicht mit hier hereingenommen oder einfach frei übers Gelände streifen lassen wie in anderen Nächten auch?

Während Sanno noch überlegte, sein Herzklopfen zu überhören versuchte und den knurrenden Rumar weiter hinter sich herzog, krachte draußen abermals ein Donnerschlag. Wieder begann Regen herniederzuprasseln, im gleichen Moment schob sich eine Wolke vor den Mond, und es wurde stockfinster im Altarraum.
Dennoch ging Sanno weiter, wie Rumar auch winselte und sich starrbeinig auf den Boden stemmte. Unter seinen Fußsohlen spürte er Steinbröckchen, kleine Tierknochen, alles eingebettet in eine fingerdicke Schicht aus Moder und Staub. Er umrundete die Trümmer des Altars so leise wie möglich und lauschte unverwandt zur Sakristeitür, aber Regen und Donner, Rumars Winseln und sein eigenes Herzklopfen waren so laut, dass er kein Wort von Ketas und Cramsens Gemurmel mitbekam.
Schließlich erfühlten seine Finger die Klinke der Sakristeitür. Er drückte sie herunter, zog die Tür auf – und wünschte sich im gleichen Moment, dass er niemals hierhergekommen wäre. Dass er in seinem Bett läge und tief und fest schliefe oder dass er in Lamberts Bibliothek auf der Lederbank säße und zuhörte, wie der Vater ihm von seiner Kindheit erzählte, während Mutter Heidlinde mit traurigem Lächeln auf ihn heruntersah.
Beim Knarren der aufgleitenden Tür waren Cramsen und Keta zu ihm herumgefahren, dass die Fackel in der Wandhalterung flackerte. Jetzt beeilte sich die Magd, das Bündel, das sie im Arm gehalten hatte, in den frisch gezimmerten Sarg zu legen, der zwischen Hammer und Brettern auf einem morschen Tisch stand. Kaum war der tote Säugling in der Kiste verschwunden, da schob Cramsen den Deckel darauf und schlug den ersten Nagel ein.
Aber Sanno hatte den schaurig verwandelten Kleinen trotzdem gesehen. Ihn ganz kurz *gesehen* – sein verzerrtes Gesicht mit den schreckgeweiteten Augen. Die wie schutzsuchend emporgeworfenen Ärmchen. Den knochendürren kleinen Körper unter den Lumpen, in die er notdürftig eingewickelt war.

Rumar bellte wie tobsüchtig, mit gefletschten Lefzen, ein irres Funkeln in den Augen, zu dem kleinen Sarg hinauf. Die Luft in dem fensterlosen Raum war zum Ersticken modrig, und für einen Moment fürchtete Sanno, dass er das Bewusstsein verlieren würde. Er hielt sich am Türrahmen fest. »Um Gottes willen, Keta – was ist mit ihm passiert? Still, Rumar!«

Seit sie auf dem Gut lebten, hatte sich die alte Magd wie eine zweite Mutter um Sanno gekümmert. Ihn gepflegt und gefüttert, als er damals, kurz nach ihrer Ankunft im Spessart, aus dem Heilschlaf erwacht war, in den Lambert ihn nach dem Kutschunglück versetzt hatte. Ihn gekleidet und genährt, umsorgt und belehrt, soweit ihr vorgerücktes Alter und ihr einfacher Geist es ihr erlaubten. Immer hatte sie ein Lächeln, ein freundliches Wort für ihn gehabt – umso mehr erschrak Sanno jetzt, als die Alte ihm mit drohender Miene entgegentrat.

»Was willst du, Junge? Geh ins Haus zurück – oder hast du noch nicht genug Unheil angerichtet?«

»Aber ich wusste doch nicht . . .« Wieder wollte sich Sanno rechtfertigen, wieder wurde ihm das Wort abgeschnitten.

»Was wir wollen, ist manchmal ziemlich gleichgültig, Junge – vor allem dann, wenn Gott der Herr andere Pläne mit uns hat.« Sie bekreuzigte sich und verdrehte die alterstrüben Augen himmelwärts. Hinter ihr schlug Cramsen Nagel um Nagel in den Sargdeckel ein. Selbst wenn Sanno es gewollt hätte, an der beleibten Alten, die wie ein Wächterengel vor ihm in der Tür stand, wäre er nicht vorbeigekommen.

Aber freiwillig wäre er dort sowieso nicht hineingegangen – nicht mehr nach dem, was er eben gesehen hatte. Und Rumar schien es nicht anders zu ergehen – Sanno spürte einen Ruck, als der Hund ihm mit verzweifelter Kraft den Strick entriss. Im nächsten Augenblick war Rumar um den Altar herumgerannt und mit einem Satz durch das nächstgelegene Fenster nach draußen gesprungen.

»Bitte sag mir, was passiert ist, Keta.« Sanno rieb sich vorsichtig seine Handfläche, die von dem Strick aufgeschürft worden war. »Ah, verdammt, tut das weh!«
»Fluch nicht, Junge – oder willst du, dass noch mehr Unheil über uns kommt?« Finster sah Keta ihn an. »Wenn du's unbedingt wissen willst, frag Cramsen.« Sie trat zur Seite und gab den Blick auf den hageren alten Knecht frei, der eben den Hammer sinken ließ.
»Was passiert ist?« Cramsen schlug mit der Faust leicht auf den verschlossenen Sarg. »Na, was eben so geschieht, wenn eine Seele ungetauft dahingeht. Ich war noch unten im Labor, den kleinen Leichnam im Arm, als das Bündel auf einmal wie in Krämpfen erbebt. Das Gesicht verzerrt sich, die Augen werden weit vor Entsetzen, die Arme fliegen hoch und können doch nicht verhindern, dass der Teufel die Seele herausreißt und mit seiner Beute in die Hölle fährt.«
Cramsen spuckte in die Hände, ehe er den Sarg packte und auf seine Schulter hob. »Da kann der Herr Lambertus tausend Mal befehlen, den Kleinen wie einen Christenmenschen herzurichten – er ist und bleibt doch, sichtbar für jeden, der die Kiste aufmacht, ein Teufelsbalg.«

5

Der Regen hatte aufgehört, Mond und Sterne funkelten wieder zwischen den Wolken hervor, als Sanno aus der Kapelle heraus und über den Hof rannte. So rasch, wie Schlamm und Pfützen es erlaubten, so schnell, wie seine aufgewühlte Seele es verlangte, so hurtig allerdings auch, dass Keta und Cramsen nicht mitbekamen, wohin es ihn jetzt noch zog – hinter das Gutshaus, während über dem Wald schon der Morgen graute.

»Linda?« Zwischen Disteln und Gestrüpp kauerte er sich auf Knie und Ellbogen in den Schlamm und schob seinen Mund so nah wie möglich an den Mauerschlitz heran. »Linda, hörst du mich?«

»Bist du das, Bursche? Was willst du noch?« Im Halbdunkel sah er ihre Augen hinter dem Mauerspalt glitzern – ein grünes Schimmern über dem helleren Glanz ihrer Zähne. »Das Bübchen ist tot, und die Alte und ich hocken hier drunten im Kerker. Reicht dir das nicht? Willst du, dass ich mir auch noch die Augen aussteche, damit ich dich nicht mehr sehen muss – oder warum sonst bist du gekommen?«

»Ich hab Schelte und Spott verdient.« Sanno presste sein Kinn gegen den nassen Stein unter dem Mauerspalt. »Jedenfalls würdet du und Josepha nicht da drinnen sitzen, wenn ich mich nicht eingemischt hätte. Das alles tut mir auch schrecklich leid, Linda. Ich würde viel drum geben, wenn ich es ungeschehen machen könnte. Aber dass dein kleiner Junge tot ist – bitte, dafür kann ich doch nichts!«

»Die Alte sagt's anders – leise, Kerl, sonst wacht sie auf und zetert wieder Ewigkeiten lang rum, weil der Steinboden für ihre morschen Knochen zu hart ist.« Im zunehmenden Morgendämmer sah Sanno, wie Linda kurz über die Schulter nach hinten schaute. »Was musste sie mich auch zu dem Heidenritual überreden? Ich bin eine getaufte Christin, und wenn's nach mir gegangen wäre . . .« Ihre Rede verlor sich in unverständlichem Gemurmel.

»Aber wie kann ich denn schuld sein, dass der Kleine gestorben ist?«, flüsterte Sanno wieder zu ihr hinab. Er hörte Josepha im Schlaf röcheln und beeilte sich weiterzureden, ehe die Alte erwachen und dazwischenfahren konnte. »Er war doch schon vorher todkrank, das hast du ja selbst gesagt, und das hab ich ja auch mit eigenen Augen gesehen. Und durch diese Geisterbeschwörung hat Josepha ihm vielleicht noch seine letzten Lebenskräfte genommen, aber ich, Linda – ich hab doch nur im Busch gehockt und zugesehen. Wie soll denn dein Bübchen dadurch umgekommen sein?«

»Weil du die Heidenmesse gestört und die Waldgeister wütend gemacht hast – deshalb haben sie meinen Buben sterben lassen! Das sagt jedenfalls die Alte.«

Obwohl sie flüsterte, war ihr Zweifeln deutlich zu hören, und das ermutigte Sanno, sich noch einen Schritt weiter vorzuwagen. »Aber du glaubst ihr nicht, oder?«

»Dummkopf! Wie könnte ich ihr glauben – wo sie doch so offensichtlich irrt?«

»Wie meinst du das?«, fragte er verwirrt.

»Na, wie soll ich das schon meinen, du törichter Bursche – mein Karlchen ist so lebendig, wie man überhaupt nur sein kann! Bestimmt sitzt er gerade auf einer grünen Wiese und labt sich an Kirschen und Himbeeren, mit denen diese blassen Maiden ihn von früh bis spät verwöhnen. Und dabei vergisst er mich!«, flüsterte Linda mit zittriger Stimme. Es klang, als ob sie gleich in Tränen ausbrechen würde. »Vergisst mich jeden Tag ein bisschen mehr, aber darüber darf ich nicht klagen – Hauptsache, der Kleine lebt!«

Ihre linke Hand zwängte sich durch den Mauerschlitz und begann, fieberhaft über Sannos Gesicht zu streicheln. »Mach dir keine Vorwürfe, Bursche – mein Karlchen lebt.«

Sanno musste schlucken, seine Augen brannten. »Aber ich hab ihn gesehen, Linda.« Er kam sich gemein und herzlos vor, doch er konnte nicht anders – so wie vorhin draußen im Wald, als er wie festgebannt hinter dem Busch gehockt und auf den hilflosen Säugling gestarrt hatte, außerstande, ihn aufzunehmen und in Sicherheit zu bringen. »Vielleicht war sogar noch ein wenig Leben in ihm«, fuhr er fort, »als Josepha ihn mit Wasser aus dem Bosbach übergossen hat. Aber spätestens vorhin in Cramsens Armen ist dein Karlchen gestorben.« Sanno wollte das alles gar nicht sagen, aber wie unter einem übermächtigen Zwang musste er weiter und weiter flüstern. »Er ist tot, Linda, ich hab eben noch die Leiche gesehen. Und er sieht schrecklich aus, gerade so wie jemand, dessen Seele der Teufel geholt hat.«

»Da sagst du es ja selbst, Dummkopf – mein Karlchen lebt!« Auch Lindas zweite Hand kroch durch den Mauerspalt und begann Sanno zu streicheln. »Der Kleine ist acht Tage nach der Geburt getauft worden, wie es sich für einen Christen gehört – wie könnte ihn da jetzt der Teufel geholt haben? Und nach der Taufe ist er jeden Tag größer und kräftiger geworden – bis vor zwei Wochen, als die Waldfeen ihn mir gestohlen und gegen diesen kränklichen Wechselbalg vertauscht haben!«

»Du meinst – der Kleine von der Lichtung war gar nicht dein Karlchen?« Die Kinderschreie, die Schritte im Wald, die er all die Nächte gehört hatte, überlegte Sanno verwundert, auch der kleine Junge, der vorhin unter seinem Fenster vorbeigegangen war – alles nur Feenspuk? Mondschein-Maiden, wie man die Feen auch nannte, die kleine Menschenkinder geraubt hatten, die Fliehenden verfolgten oder sich gar an ihrer Todesangst labten?

Es war eine mögliche Erklärung, er selbst hatte sie auch schon mehr als einmal erwogen, aber eigentlich glaubte er nicht daran. Keta kannte unzählige Geschichten von kleinen Mädchen und Knaben, die von den Waldfeen gestohlen worden waren oder von leichtfertigen jungen Männern, die sich von einer Mondschein-Maid ins Feenreich locken ließen. Die Waldfeen bekamen Kinder von den Menschenmännern, die ihren Verlockungen erlegen waren, aber diese Kleinen blieben ihr Leben lang kümmerliche, kränkelnde Kreaturen, halb Menschenkind, halb Mondschein-Geist. Nicht selten raubte eine Fee ein gesundes, kräftiges Kind aus seiner Wiege und legte dafür ihre hässliche Missgeburt hinein. Die Mutter glaubte dann, dass ihr Kleines eine schreckliche Krankheit

bekommen hätte, aber wie sie es auch stillte und päppelte, es blieb doch immer ein kränkliches Krüppelkind.
Auch Linda war offenbar überzeugt davon, dass die Waldfeen ihren Kleinen gegen einen solchen Wechselbalg vertauscht hätten. »Aber natürlich war das nicht mein kleiner Karl!«, ereiferte sie sich, wispernd hinter dem Mauerspalt. »So wenig wie ich deine Mutter bin, Bursche – auch wenn du mich im Wald ›Mutter Heidlinde‹ genannt hast. Armer Kerl, Josepha hat mir vorhin von deinem Unglück erzählt.« Sie schniefte leise und zog eine Hand zurück in ihren Kerker, um sich über die Nase zu wischen. Ihre zweite Hand fuhr immer noch fieberhaft auf Sannos Gesicht herum, und er ließ es wie willenlos geschehen.
Genauso fiebrig flüsterte Linda währenddessen auf ihn ein. »Wir haben den Wechselbalg auf die Lichtung gelegt, sind dann neun mal neunzig Schritte weit nach Osten gerannt, wie es der Brauch verlangt, zumindest sagt das die Josepha – damit die Waldfeen das gestohlene Kind zurückbringen und ihren Balg dafür wieder mitnehmen. Aber wie wir so durch den dunklen Wald stolpern, krieg ich's mit der Angst zu tun – dass sie mein Karlchen auf die Lichtung legen, und bis wir zurück sind, kommt der Wolf und frisst ihn auf! Ich schrei und heule, aber die Josepha hält mich fest, zerrt mich immer weiter, bis wir neun mal neunzig Schritte weit weg sind. Dann rennen wir zurück, aber die Alte schnauft und humpelt, und als wir endlich wieder bei der Lichtung sind, sehe ich auf einen Blick – die Waldfeen haben mein Karlchen nicht gebracht. Was da auf dem Boden liegt, ist immer noch die schwächliche Kreatur! Aber sogar die hatte ich ein bisschen lieb gewonnen, kannst du das verstehen? Denn sag selbst, Bursche – besser so ein hässliches Mondschein-Kind als gar kein Knäblein mehr in den Armen zu halten. Hab ich nicht recht?«
»Doch, Linda, ganz bestimmt.« Sanno konnte jetzt seine Tränen nicht mehr zurückhalten. Er war völlig durcheinander, aber ei-

gentlich wusste er gar nicht, was an ihrem abergläubischen Gestammel ihn derart anrührte. Am liebsten wäre er durch den Mauerspalt zu ihr hinab in das Kellerloch gekrochen – um den Zauber ihrer Ähnlichkeit mit Mutter Heidlinde noch intensiver zu spüren oder um mit ihr in der Zelle zu büßen, auch das hätte er nicht sagen können, doch in diesem Moment fiebriger Verwirrung war es ihm gleich.

»Aber die Inquisitoren«, fragte er schließlich, nachdem er sich ein wenig gefasst hatte, »was willst du ihnen sagen? Wenn du ihnen erzählst, dass dein Kind von den Waldfeen vertauscht worden ist – werden sie dich nicht erst recht für eine Hexe halten, die mit teuflischen Geistern in Verbindung steht?«

Linda lachte wieder ihr gurrendes Lachen, ihr Mund hinter dem Mauerspalt so nah, dass er ihren Atem über seine Lippen streichen fühlte. »Josepha sagt, dass wir die geistlichen Herren niemals zu sehen bekommen werden. Schon morgen, hat mir die Alte eben noch versichert, sind wir wieder frei wie die Vöglein. Warum alles so kommen wird, hat sie mir nicht verraten wollen, aber sie hat in einem so überzeugten Ton gesprochen, dass ich gar nicht anders kann, als ihr zu glauben. Also mach dir keine Gedanken und keine Vorwürfe mehr, dummer Bursche – du hast mir eine unbequeme Nacht eingebrockt, aber das kannst du ja bei Gelegenheit wieder gutmachen.«

Ihre Hand krallte sich in sein Haar, und ehe Sanno sich losreißen und zurückwerfen konnte, hatte sie ihre Lippen auf seinen Mund gedrückt.

Keuchend fuhr er zurück, so heftig, dass er rücklings auf den schlammigen Boden fiel. Er hörte ihr Lachen und verspürte Ekel und fühlte sich gleichzeitig wie von Stechäpfeln berauscht.

»Vergiss mich nicht, Bursche, hörst du?« Im hellen Morgenlicht blitzten ihre Augen und funkelte das Rotgold ihrer Haare wie ein verbotener Schatz aus der Tiefe der Erde zu ihm herauf.

6

Sanno, komm zu dir – ihr müsst schleunigst aufbrechen.«
Er öffnete die Augen und machte sie gleich wieder zu. Die Mittagssonne flutete in seine Kammer. Neben ihm auf der Bettkante saß Vater Lambert, seine Hand auf Sannos bloßem Arm. »Aufbrechen?«, wiederholte er schlaftrunken.
»Ihr müsst heute noch nach Gelnhausen hinunter«, sagte Lambert. »Keta und Cramsen beladen schon den Wagen.«
»Aber warum . . .« Er hatte Mühe, sich auf die Worte des Vaters zu konzentrieren. »Wieso nicht nächste Woche, wie es besprochen war?«
Traumfetzen wehten durch seinen Kopf – er hat endlich Mutter Heidlinde aufgespürt, aber sie sitzt in einem tiefen Brunnen fest. Er legt sich flach auf den Boden, streckt den Arm zu ihr hinunter, will sie zu sich heraufziehen. Weiter und weiter schiebt er sich über den Brunnenrand, tief unten sieht er ihre Augen, ihr hoffnungsvolles Lächeln zu ihm emporschimmern. Sie reckt ihm die Hand entgegen, endlich kann er sie ergreifen und will die Mutter heraufziehen – da reißt sie mit schrecklicher Kraft an seinem Arm, und er fällt kopfüber in den Schacht hinab . . .
»Aber du schläfst ja wieder ein, Sanno – aufwachen, Junge!«
Gehorsam öffnete er abermals die Augen. Lamberts Gesicht war jetzt ganz nah über ihm. Die großen, kühlen Hände des Vaters umfassten seinen Brustkorb und schüttelten ihn mit sanfter Beharrlichkeit. Die Berührung war Sanno wenig angenehm. Seine Haut war feucht vor Schweiß, wie so häufig, wenn er aus beklemmenden Träumen erwachte.
»Der Brief an Monsignore Taurus«, sagte Lambert mit gedämpfter Stimme. »Ich habe ihn gleich heute früh aufgesetzt, wir dürfen keine Zeit verlieren.« Er ließ Sanno los, blieb jedoch über ihn gebeugt sitzen, so nah, dass der herabhängende Spitzbart beina-

he Sannos Brust berührte. »Mir ist zu Ohren gekommen«, fuhr Lambert fort, »dass der hochgestellte Hexenjäger zurzeit im Gasthaus zum Löwen in Gelnhausen logiert. Fahr auf dem schnellsten Weg dorthin, Sanno, und übergib ihm den Brief – aber nur dem Monsignore persönlich, hörst du? Der Brief darf unter keinen Umständen in falsche Hände geraten. Einzig und allein Monsignore Taurus darf dieses Siegel brechen.«

Seine Hand fuhr unter sein Wams und kehrte mit dem Brief zurück, einem fein geäderten Büttenbogen, der kunstvoll gefaltet und in honiggelbem Wachs mit Lamberts Initialen gesiegelt war – I.L.L. für Ignaz Laurentius Lambert, wie der Vater mit vollem Namen hieß. Die Lettern waren wie sich windende Schlangen ineinander verschlungen. Den Siegelring aus schwerem Silber trug Lambert stets an seinem linken Ringfinger.

»Ich werde alles machen, wie Ihr es wünscht, Vater.« Die Kehle wurde ihm eng, denn jetzt erst fiel ihm wieder ein, was in der Nacht geschehen war. Das sterbende Kind auf der Lichtung, die beiden Frauen im Keller hinter Lamberts Labor. Aber der Kleine war doch schon kaum mehr am Leben, dachte er, als Linda und die Alte ihn auf die Lichtung gelegt haben. Und ob es nun stimmt oder nicht, dass die Mondmaiden Lindas Karlchen gestohlen und gegen einen Wechselbalg ausgetauscht haben – Linda kann ja nichts dafür, dass der Kleine gestorben ist!

Doch Lamberts Entschluss stand fest, das hatte er Sanno ja noch in der Nacht erklärt, und das zeigte auch sein Blick unter zusammengezogenen Brauen, mit dem er schweigend auf Sanno herabsah. Es geschah nur sehr selten, dass Lambert wütend wurde, doch wenn der Zorn in ihm emporloderte, dann war der Vater kaum wiederzuerkennen. Nein, sagte sich Sanno, was Lambert ihm auftrug, das musste er unter allen Umständen ausführen – nichts konnte heißere Wut im Vater entfachen als ein Widerwort oder auch nur ein leises Zögern bei der Befolgung seiner Befehle.

Endlich richtete sich Lambert wieder zum Sitzen auf, und Sanno hoffte schon, dass er seine Kammer verlassen würde. »Ich war lange nicht hier oben bei dir«, sagte der Vater aber stattdessen, »und noch länger ist es her, dass ich zuletzt deine Wundmale beschaut habe.« Er zog ihm die Decke bis zur Nabelgegend herunter. Sanno erstarrte, gleichzeitig wurde ihm siedend heiß. »Nun, das könnte sehr viel schlimmer aussehen«, sagte Vater Lambert in zufriedenem Ton.

Er tastete auf Sannos Bauch herum, und Sanno schämte sich schrecklich. Wo sein Nabel sein sollte, wellte und wand sich ein Wirrwarr vernarbter Wülste. Es sah aus, als ob ein Veitstänzer mit groben Stichen und zuckenden Händen einen Haufen Lumpen zusammengeflickt hätte, kreuz und quer und wie es gerade kam. Bei dem Kutschunfall hatten sich dolchspitze, daumendicke Holzsplitter in Sannos Bauch gebohrt, und nur der Geschicklichkeit eines Medikus, der damals zufällig in der Nähe war, und der Heilkraft von Lamberts Elixieren war es zu verdanken, dass Sanno überhaupt mit dem Leben davongekommen war.

»Sehr schön, Junge«, murmelte Lambert. »Besser könnte es überhaupt nicht aussehen. Und jetzt setz dich einmal auf.«

Widerstrebend gehorchte Sanno. Schon mit zehn, elf Jahren hatte er erbettelt, dass er seine Haare schulterlang tragen durfte, um die Narbe zu verbergen, die sich vom Nacken emporringelte und auf seinem Schädel fast bis zur Stirn hinüberzog. Wenn er mit dem Finger darüberfuhr, fühlte es sich an wie der Wulst zwischen den Hälften einer Walnuss – als ob sein Kopf bei dem Kutschunglück entzweigebrochen wäre und Lambert und der Medikus hätten die beiden Hälften nur grob wieder zusammengefügt.

»Auch diese Wunde könnte gar nicht schöner verheilt sein«, sagte Lambert in erfreutem Ton, nachdem er eine Weile in Sannos Haarschopf herumgewühlt hatte. »Und hast du manchmal noch Schmerzen?«

Sanno schüttelte den Kopf. Nur tief in meinem Innern, dachte er, in dem schwarzen Brunnenschacht, den ich statt eines Gedächtnisses in mir trage. »Vater Lambert, erlaubt Ihr mir eine Frage?«
»Frag nur, Junge. Aber vergiss nicht – du musst dich sputen.«
Sanno holte tief Luft. Er wünschte, dass er nichts gesagt oder dass Vater Lambert seine Bitte abgelehnt hätte, aber nun war es zu spät. »Dieser kleine Knabe«, sagte er mit unsicherer Stimme, »der drei oder vier Jahre alte Junge letzte Nacht im Wald, Vater – haltet Ihr es für möglich, dass ich mich selbst gesehen habe?«
Diesmal, im hellen Schein der Mittagssonne, war kein Irrtum möglich – Lambert zuckte nicht zusammen, und seine Augen weiteten sich auch nicht vor Verwunderung oder Schrecken. Ganz im Gegenteil, mit beiden Händen erfasste der Vater Sannos Schultern und sah ihn mit einem freudigen Lächeln an. »Du meinst . . . eine Erinnerung, Sanno? Aber das wäre wundervoll! Lass mich überlegen . . . mit drei, vier Jahren, sagst du?« Nachdenklich sah er auf Sanno hinab. »Woran erinnerst du dich noch? War es kalt oder warm in jener Nacht? Warst du guter Dinge oder vielleicht verängstigt?«
Sanno senkte den Kopf. »Es ist . . . keine wirkliche Erinnerung, Vater. Ich hab nur plötzlich dieses Kind gesehen, im hellen, kurzen Hemd, mit nackten Füßen ist der Kleine durch den Wald gerannt – da draußen, hinter der Mauer.« Er deutete zum Fenster. »Und auf einmal kam mir der Gedanke, es war wie eine Eingebung, versteht Ihr – *das bin ich selbst*. Obwohl ich überhaupt nicht begreifen kann, wie das möglich sein soll – dass man jemanden, an den man sich erinnert, plötzlich da draußen sieht, wie auf einer Jahrmarktsbühne. Und erst recht, wenn man glaubt, selbst dieser Jemand zu sein.«
Aufs Neue lächelte Vater Lambert ihn an, so heiter hatte Sanno ihn lange nicht mehr gesehen. »Aber ja, du hast recht!«, rief er aus. »Jetzt fällt es mir wieder ein. An diese reizende kleine Ge-

schichte hatte ich seit vielen Jahren nicht mehr gedacht. Also pass auf, die Sache ist rasch erzählt.«
Mit klangvoller Stimme wie stets beschwor er die wunderliche Begebenheit herauf. »Es war ein warmer Sommertag im Jahr 1507. Am Abend saß Mutter Heidlinde an deinem Bett und erzählte dir eine Geschichte aus der Heiligen Schrift. ›Der liebe Gott wohnt ja oben im Himmel‹, sagte sie zum Abschluss. ›Und immer schon hat es fromme Menschen auf die höchsten Berge hinaufgezogen, die bis zum Firmament emporragen.‹ Welche Geschichte genau es war, kann ich dir nicht mehr sagen, aber sie hat dich offenbar sehr beeindruckt, mein Junge. ›Ach, was muss das herrlich sein‹, hast du ein ums andere Mal ausgerufen, ›oben auf dem hohen Berg beim lieben Gott zu sein!‹ «
»Mitten in der Nacht«, fuhr Lambert fort, »bist du dann aufgestanden und in deinem Schlafhemd aus dem Haus gegangen. Ich glaube, es war das erste Mal, Sanno, dass du im Schlaf gewandelt bist. Hinter unserem Haus erstreckte sich ein Acker, dahinter begann der kleine Wald, der sich einen Hügel emporzog. Und dort bist du im Dunkeln herumgegeistert, barfuß durch den Wald, immer den Hügel hinauf – weil du ja die Mutter so verstanden hattest, dass der liebe Gott dort oben auf dem Gipfel wohnen würde. Und weil dich die Vorstellung so sehr entzückt hat, dem gütigen Herrgott einen Besuch abzustatten.«
Sanno hatte die Augen halb geschlossen, wie meistens, wenn der Vater eine Begebenheit von früher heraufbeschwor. Tatsächlich sah er sich selbst auch gleich schon vor sich, wie er als kleiner Kerl auf dünnen, kurzen Beinen durch den nachtdunklen Wald lief. Es fühlte sich nicht ganz wie eine wirkliche Erinnerung an, eher so, als ob er prächtige Bilder anschaute, mit denen der Vater seit vielen Jahren die Wände seiner Kammer bedeckte. Aber so fühlten sich schließlich alle Erinnerungen an, die Lambert in ihm lebendig werden ließ – und besser als grässliche Träume wie

der von Mutter Heidlinde im Brunnen war die kühle Glätte der väterlichen Bilder allemal. Sehr viel besser.
»Und wie ist es ausgegangen?«, fragte er. »Oder nein, bitte antwortet nicht, Vater, ich glaube, ich weiß es selbst – Ihr habt mein Verschwinden bemerkt und seid mir in geringer Entfernung gefolgt.« Lamberts Lächeln wurde noch heiterer. »Irgendwann habe ich es mit der Angst zu tun bekommen – aber da wart Ihr im nächsten Moment bei mir und habt mich getröstet und nach Hause zurückgebracht.«
»Mein lieber Junge.« Lambert wirkte nun regelrecht gerührt. »Du glaubst gar nicht, wie glücklich mich das stimmt. Eben hast du dich zum ersten Mal von selbst an etwas erinnert, das vor dem Unglück geschehen ist.« Er erhob sich und schaute aus seiner Riesenhöhe auf Sanno herunter. »Und jetzt beeile dich, mein Sohn.«
Aber die Schreie, das Wimmern, durchfuhr es Sanno, die ich in den unruhigen Nächten da draußen gehört habe – wie um Himmels willen passt das dazu?
Lambert war schon an der Tür, die Hand auf der Klinke. »Auch den Sarg müsst ihr mitnehmen – wenn Monsignore Taurus meinen Brief liest und den Leichnam sieht, wird er verstehen, was letzte Nacht da draußen geschehen ist.«

7

An Markttagen brachen Sanno und Keta sonst stets im Morgendämmer auf und fuhren als Erstes hinab nach Aschaffenburg, um das *Specificum Lamberti* auf dem Marktplatz unter dem Burgberg feilzubieten. Aber diesmal war alles anders – die Sonne brannte schon vom höchsten Himmelspunkt herunter, als Sanno den voll beladenen Wagen durchs vordere Hoftor lenkte, hinaus auf den holprigen Eselsweg.

Die graue Uda trabte gleich munter los, dass die Tiegel in ihren Steigen aneinanderklirrten – zumindest die Eselin schien sich über die verfrühte Reise zu freuen. Sanno aber hockte in trüber Stimmung, voll böser Vorahnungen auf der Kutschbank – auf dieser Reise würde etwas Fürchterliches geschehen. Das spürte er ganz deutlich, und das behauptete auch Keta, die wie immer hinten bei den Steigen saß.
Im Grunde bestand der Wagen nur aus ein paar zusammengenagelten Brettern mit wackligem Planengestell darüber und zwei Achsen und Rädern darunter. Ein schmaler Steg von kaum einer Handbreit Höhe lief an den Rändern entlang, eben hoch genug, um die Plane aus löchrigem Sacktuch daran festzuzurren, aber viel zu niedrig, um Passagiere oder Fracht vor einem Sturz über Bord zu bewahren. Während der Fahrt durch Mulden und Gefällkurven musste die alte Magd nicht selten sich selbst mit der einen und die übereinandergetürmten Steigen mit der anderen Hand krampfhaft festhalten. Wie immer hockte sie auf ihrem angestammten Platz am linken Wagenrand, aber heute saß sie nicht auf einem Stapel leerer Mehlsäcke, sondern auf der fest vernagelten Kiste aus Tannenholz.
Ein Sarg mit einem ungetauften kleinen Teufel im Wagen – laut Keta würden sie übelwollende Geister aller Arten anziehen, Alben, Kobolde, wenn nicht noch ärgere Dämonen aus den tiefsten Schluchten des Spessarts, womöglich gar Werwölfe.
Dagegen half auch die Arkebuse wenig, die Lambert der Alten zuletzt noch in die Hand gedrückt hatte: »Vor Kurzem wurden in der Gegend Wegelagerer gesehen. Ich glaube nicht, dass sie es auf Eselskarren wie unsere abgesehen haben, aber für alle Fälle ... Du weißt ja, wie man damit umgeht, Keta – wenn ihr angegriffen werdet, feure einfach in die Luft. Die Räuber werden Hals über Kopf davonrennen.«
Das sollte sicher beruhigend klingen, aber kaum war das Gut hin-

ter der ersten Wegbiegung verschwunden, da begann Sanno, ängstlich nach links und rechts zu schielen. Bisher hatte er sich auf ihren Reisen niemals vor Wegelagerern gefürchtet, auch wenn er immer darauf achtete, dass er sein Hirschhornmesser griffbereit im Gürtel trug. Der Weg hinunter an den Main galt als leidlich sicher, bis heute hatten sie noch nie auch nur die Bartspitze eines Räubers zu sehen bekommen. Und falls hier doch irgendwo Wegelagerer auf der Lauer lagen, hatten die es sehr viel eher auf prächtige Kutschen abgesehen, da hatte Vater Lambertus zweifellos recht.

Doch heute sah man ihnen bestimmt schon auf eine Meile an, dachte Sanno, dass es mit ihrer Eselskarre eine besondere Bewandtnis hatte. Der Vater hatte angeordnet, dass sie auf geradem Weg nach Gelnhausen fahren sollten, auch wenn sie in der stolzen Kaiserstadt im Kinzigtal bestimmt nicht vor Einbruch der Nacht eintreffen konnten. Aber der Brief an den hochgestellten Hexenjäger duldete keinen Aufschub – Lambert wollte die beiden Gefangenen so schnell wie irgend möglich in berufene Hände übergeben. Unter allen Umständen, das hatte er Sanno mehrmals eingeschärft, mussten sie den Gasthof zum Löwen in der Gelnhäuser Langgasse heute noch erreichen, um Monsignore Taurus den Brief auszuhändigen, ehe der Hexenjäger im Morgengrauen womöglich schon weiterreisen würde.

Mit sanftem Gefälle wand sich der Weg durch Schlucht und Wald, und nach und nach begann sich Sanno ein wenig zu entspannen. In der hellen Mittagssonne war er nie zuvor hier entlanggefahren. Auch wenn sich die Baumwipfel zu einem dichten Dach hoch über seiner Kutschbank verflochten, drang doch genügend Sonnenlicht hindurch, um die Luft mit tausend Strahlen zu ädern und den Weg vor ihnen mit goldenen Tupfen zu übersäen. Amseln und Finken sangen in den Bäumen, Eichhörnchen huschten in großer Zahl an den Stämmen hinauf, und Rehe spähten, im Unterholz halb verborgen, bebend vor Wachsamkeit hinter ihrem Wagen her. Nach dem nächtlichen Gewitter roch die Luft frisch und würzig. Der Bosbach, der sich neben dem Weg zu Tale schlängelte, murmelte so friedlich, dass Sanno die nächtlichen Ereignisse auf einmal ganz unwirklich schienen, fern wie ein halb vergessener Traum.

Er begann ein Lied zu pfeifen, die Weise vom jungen Gaukler, der seine Kunststücke vor der schönen Prinzessin vorführt und so ihre Liebe gewinnt.

»Wer pfeift, ruft den Teufel herbei«, murrte hinter ihm Keta. »Schlimm genug, dass wir diesen Sarg auf dem Karren haben.«

Aber Sanno wollte sich von der griesgrämigen Alten nicht verdrießen lassen. Seine düstere Stimmung war verflogen, er verstand kaum mehr, wie er vorhin glauben konnte, dass irgendein Unheil über ihnen schwebte. »Du bist so abergläubisch, Keta«, rief er über die Schulter nach hinten. »Man soll nicht so viel auf Vorahnungen und Träume geben, sonst bringt man nur sich selbst durcheinander und macht sich das Leben schwer.«

Durch ein Loch in der Wagenplane konnte er sehen, wie die Alte unter ihrem Kopftuch das Gesicht verzog. »Red nicht so siebengescheit daher«, tadelte sie ihn. »Wärst du nicht in der Nacht da hinausgerannt, dann müsste ich jetzt nicht auf diesem Teufelssarg hocken. Wenn sich hier jemand von Ahnungen foppen lässt, Sanno – dann doch wohl du!«

Er drehte sich kurz um und nickte ihr mit friedfertiger Miene zu. »Du hast ja recht, Keta. Die Nacht gibt allem so ein düsteres Aussehen – über manche Sachen sollte man wirklich nur im Sonnenlicht nachdenken.«

»Oder, viel besser, gleich dem gütigen Gott vertrauen! Der Herr geleitet uns durch alle Finsternis, er lässt uns nicht im Dunkel darben . . .« Keta begann fromme Formeln zu leiern, aber Sanno hörte ihr schon nicht mehr zu.

Der Weg war schmaler und steiler geworden, in engen Spiralen wand er sich zwischen Schlucht und schroffem Fels hinunter ins Maintal. Der Abgrund zu ihrer Linken mochte hundert Fuß tief sein oder mehr – wer dort hinabstürzte, tat jedenfalls keinen Schnaufer mehr.
Sanno zog die Zügel ein wenig an. »Langsamer, Uda«, rief er, und die Eselin fiel folgsam in gemächlichen Trott.
Was er eben zu Keta gesagt hatte, war aus tiefstem Herzen gekommen. Er wünschte sich so sehr, dass Nacht und Alb ihre Macht über ihn verlieren würden – und damit auch jene Kreaturen zwischen Tag und Traum, die ihn aus dem Schlaf fahren ließen und mit ihren Schreien, dem Getrappel ihrer Schritte schreckten und foppten. Ob Vater Lambert die Wahrheit gesagt hatte, ob er, Sanno, damals wirklich nur deshalb bei Nacht durch den Wald geirrt war – weil er den lieben Gott besuchen wollte?
Es wäre so wundervoll, sagte sich Sanno, wenn er sich endlich aus eigener Kraft an all das erinnern könnte, was der Vater so beharrlich vor ihm heraufbeschwor. Wenn sich dann zeigen würde, dass Lambert ihm wirklich immer die reine Wahrheit gesagt, dass er nichts geschönt, nichts hinzugeschwindelt oder weggelassen hatte, um ihn zu schonen. Denn diesen Verdacht war Sanno niemals ganz losgeworden – dass seine Kinderjahre vielleicht doch nicht immer so friedvoll und glücklich verlaufen waren wie in den Erzählungen des Vaters.
Einige Augenblicke lang grübelte er darüber nach, und gleich wurde wieder der schreckliche Traum in ihm lebendig. Er liegt flach auf dem Boden, reckt seinen Arm in den Brunnenschacht hinab. Schiebt sich weiter und weiter über den Rand, und unten erhebt sich die Mutter auf Zehenspitzen, macht sich so lang wie irgend möglich und streckt ihm ihre Hand entgegen. Ihr hoffnungsvolles Lächeln, der Glanz ihrer Augen, das kupfrige Funkeln ihrer Haare – und dann schließt sich seine Hand um die ihre, und sie reißt mit

einem grässlichen Ruck an seinem Arm, und er fällt . . . fällt . . . fällt kopfüber in den höllenschwarzen Schacht hinab . . .
»Sanno!« Mit kippender Stimme krächzte Keta seinen Namen. Er fuhr herum und sah die beiden Gestalten in grauen Lumpenmänteln, die Gesichter unter Kapuzen verborgen. Der eine sprang eben zwischen den Bäumen hinab, die zur Rechten des Wegs aus der senkrechten Bergwand emporwuchsen, der andere hing schon hinten am Wagenrand und war gerade dabei, sich auf die Karre hinaufzuschwingen.
»Schneller, Uda, hüa!« Sanno ließ die Peitsche schnalzen. »Lauf, so schnell du kannst!«
Auch der zweite Räuber war jetzt heran – die Arme nach vorn gereckt, mit wehendem Bart unter der Kapuze, bekam er ein Ende der Plane zu fassen, während sein Kumpan bereits hin und her schwankend auf dem Wagenrand kniete.
Eine scharfe Wegbiegung, dahinter ging es noch steiler bergab. Wie lange würde die Karre das halsbrecherische Tempo überstehen? Mit ihren kleinen Rädern rumpelte sie in jedes Schlagloch, die Achsen ächzten und die Tiegel klirrten, dass es fast wie Kinderschreie gellte. Und zu ihrer Linken, dicht neben dem Weg, toste der Bosbach die Schlucht hinab – mehr schon ein Wasserfall als ein reißender Fluss.
»Schneller, Uda, renn, was du kannst, hüa!«
Die Eselin galoppierte, dass die Steine unter ihren Hufen hervorspritzten. Sie schlingerten in die nächste Spiralkurve. Im Lenken wandte sich Sanno immer wieder kurz um. Sein Herz raste, seine Hände krampften sich um Peitsche und Zügel, seine Augen waren vor Aufregung so sehr geweitet, dass es wehtat. Glücklicherweise kam zumindest der zweite Räuber nicht nah genug heran – der losgerissene Fetzen Plane entglitt seiner Hand, er stolperte, langsamer werdend, hinter dem Wagen her und verschwand aus Sannos Blickfeld. Sein Kumpan aber war unterdessen tiefer in die Kar-

re gekrochen, auf Keta zu, die wie versteinert am linken Wagenrand hockte, auf dem Sarg neben den schwankenden Steigen.
Während sich Keta bekreuzigte, richtete sich der Räuber auf und schob sich in gebückter Haltung weiter auf sie zu. »Bleib stehen!«, schrie er Sanno zu. »Euch soll nichts geschehen, wenn ihr gehorcht.«
Da zog Keta die Arkebuse hervor und legte schlotternd auf den Räuber an. Der Kapuzenmann erstarrte und hob ganz langsam die Hände. »Nicht doch ... nichts für ungut!«, schrie er gegen den donnernden Wasserfall und das irre Klirren der Tiegel an.
Sanno zog die Zügel straff. »Ho, Uda. Hörst du nicht – bleib stehen!«
Die Eselin rannte in unvermindertem Tempo weiter – aber nur, um ein paar holprige Herzschläge später so unvermittelt stehen zu bleiben, dass Sanno fast von der Kutschbank gefallen wäre. Als er sich umwandte, konnte er eben noch sehen, wie der Räuber auf Keta zutaumelte, die Magd das Gewehr abermals hochriss und abdrückte. Doch anstelle einer Explosion war nur ein metallisches Schnarren zu hören, das im Donnern des Wassers fast unterging.
Mit einem Triumphschrei warf sich der Räuber auf Keta. Gleich würde er seine Hände um ihre Kehle schließen, aber im letzten Moment ließ sich die alte Magd vornüberfallen und kam wie ein Kohlensack zwischen Kutschbank und Tiegeln zu liegen. Und gerade in diesem Moment zog Uda mit einem scharfen Ruck wieder an.
Der Räuber krachte zu Boden und umklammerte Halt suchend den Sarg, während die Eselin wie von der Tollwut geschüttelt in eine scharfe Rechtskurve stürmte. Mit aller Wucht wurde der Kapuzenmann links gegen die Plane geschleudert, die sich unter dem Anprall von dem schmalen Seitensteg löste. Mitsamt dem winzigen Sarg, den er noch immer mit beiden Armen umklam-

mert hielt, kollerte der Räuber unter der flatternden Plane nach draußen und schlug hart auf dem steinigen Weg auf.
Sanno zerrte an den Zügeln, schrie Uda zu, dass sie langsamer laufen sollte, und schaute gleichzeitig über die Schulter zurück. Der Räuber lag bäuchlings am Boden, um Haaresbreite neben dem Rand der Schlucht. Starr sah er hinter dem Wagen her, während der Sarg mit dem kleinen Leichnam auf dem tosenden Bosbach in die Tiefe raste.

8

Erst viele Stunden später, auf einer Anhöhe über dem lieblichen Maintal, gönnten sie der Eselin und sich selbst eine kurze Rast. Sanno schwang sich von der Kutschbank, seine Beine fühlten sich wacklig an. »Wer um Gottes willen war das nur, Keta?«
»Wer, fragst du?« Die alte Magd wuchtete ihre Leibesfülle vom Wagen und ging mit kleinen, stampfenden Schritten am Wegrand auf und ab. »Was, Sanno – *was* waren das für Kreaturen, solltest du lieber fragen.« Sie löste den Knoten unter dem faltigen Kinn, zog ihr Kopftuch herunter und kämmte sich mit gespreizten Fingern ihr Haar, bis es nach allen Richtungen abstand wie die Strahlen eines grauen Sterns. »Werwölfe, wenn ich meinen alten Augen noch trauen kann – hast du die Fingerkrallen von diesem Kerl nicht gesehen?«
Sanno schüttelte den Kopf. Die ganze Zeit über, während sie durch Schluchten und über Anhöhen fuhren, finstere Waldstücke und noch nachtschwärzere Hohlwege passierten, hatten sie dieses Thema sorgsam ausgespart. Ab und zu hatten sie einander kleine Aufmunterungen zugerufen – »Na, bald haben wir's geschafft!« – »Nicht mehr lange, und wir sehen den Main unter

uns im Tal.« Doch die meiste Zeit waren sie in völligem Schweigen gefahren. Ohnehin konnte man sich unterwegs nur mühsam unterhalten. Die Räder ratterten viel zu laut, und obwohl die Tiegel in Holzwolle eingebettet waren, klirrten sie unablässig gegeneinander – ein zermürbender Klang, der mal an kreischende Kinder, dann wieder an das Kichern von Hexen gemahnte.

»Und die gelben Augen?«, ereiferte sich die Alte. »Die Fellstücke auf seiner Hand? Ich hab's dir ja gleich gesagt, Junge – mit dem Teufelssarg auf dem Karren ziehen wir üble Kreaturen an.«

»Und ohne den Sarg, Keta – wie soll es jetzt weitergehen?« Er schirrte Uda aus und führte die dampfende Eselin zum Ufer des Bosbachs, der hier unten wieder ganz harmlos dahinplätscherte. »Trink, Uda, du hast es dir verdient.« Er klopfte ihr die schweißnasse Flanke. »Du hast uns das Leben gerettet, weißt du das?«

»Dein Herr Vater wird uns schon nicht den Kopf abreißen, Sanno.« Ketas Tonfall verriet, dass sie dem verlorenen Leichnam keine einzige Träne nachweinte. »Magister Lambertus muss ja auch gewusst haben, dass diese höllischen Waldgeister versuchen würden, uns den kleinen Teufel im Sarg wieder abzujagen.«

Uda schaukelte mit dem Kopf hin und her, es sah nach gewaltigen Zweifeln aus. Auch Sanno hörte den Schauergeschichten der abergläubischen Alten nur noch mit einem Ohr zu. Werwölfe? Er hatte nur zwei Räuber in Kapuzenmänteln gesehen. Der eine war langsamer als ein Esel gelaufen, der andere hatte sich vor einem alten Weib mit Schießgewehr erschrocken – und das sollten Werwölfe gewesen sein, die grässlichsten Nachtwesen weit und breit? Er pustete Uda sanft ins Ohr, und die Eselin fletschte zwei Reihen quittengelber Zähne. Es war ein altes Spiel zwischen ihnen – allerdings war Sanno nie so ganz sicher, ob Uda es auch wirklich komisch fand. Ob sie ihre Zähne zu einem breiten Grinsen entblößte oder zu einer Grimasse des Zorns.

»Wenn es dem Herrn so wichtig war, dass der Sarg heil in Gelnhausen ankommt«, schwadronierte derweil Keta, »dann hätte er besser getan, uns von zwei Erzengeln mit Flammenschwertern beschützen zu lassen.« Sie verdrehte die Augen zum Himmel, bekreuzigte sich und murmelte irgendetwas – wahrscheinlich eine Bitte um Vergebung für ihre lästerlichen Reden. Sanno hatte sie niemals vorher so aufgebracht gegen Lambertus gesehen, der für sie normalerweise wie ein zweiter Herrgott war – unfehlbar, allmächtig, über jeden Zweifel erhaben. Noch in ihrem Grimm schien sie kaum zwischen Gott im Himmel und ihrem Herrn auf Erden zu unterscheiden, aber scharfe Unterscheidungen waren sowieso nicht Ketas Sache.

Im Grunde hat sie nicht mal unrecht, dachte Sanno dann. Vielleicht war die Waffe gar nicht geladen, oder das Pulver war feucht geworden. Sonderbar genug, dass Lambert ihnen überhaupt sein Gewehr mitgegeben hatte – auch das war niemals vorher geschehen. Und ausgerechnet diesmal waren sie überfallen worden, doch die Arkebuse hatte versagt. Dabei hätten sie mit einem einzigen Schuss leicht die Oberhand gewinnen können. Und auch der Sarg wäre dann bestimmt nicht aus dem Wagen gefallen und vom Bosbach mitgerissen worden auf Nimmerwiedersehen.

Die Eselin tauchte ihre Schnauze in den Bach, und Sanno blieb neben ihr stehen und schaute an den Ufern des schmalen Wasserlaufs auf und ab. Schilf und überhängende Weidenäste, Treibholz und eine Wolke schnatternder Entenküken – nur von einem zerdepperten Säuglingssarg war weit und breit nichts zu sehen.

Auf schweren Beinen kam Keta zu ihm herübergewatschelt und setzte sich auf einen Felsbrocken im Gras. Sie öffnete ihr Bündel, brachte Brot und Käse zum Vorschein, und sie beide langten kräftig zu. Allmählich wich der Schrecken aus Sannos Seele, die ängstliche Starre, die ihn beim Anblick der Kapuzenmänner ergriffen hatte, fiel langsam von ihm ab. Er kaute, schluckte und spülte mit metallisch schmeckendem Wasser aus dem Bosbach nach.

Es war wie mit den düsteren Träumen, dachte Sanno, die im Wachen, bei hellem Sonnenschein meist schnell ihre Macht über ihn verloren. Wenn er sich zurückwandte und zu der ungeheuren dunklen Masse des Waldes mit seinen Schluchten und Bergwänden emporsah, wollten gleich wieder Schatten und Vorahnungen aus dem finsteren Brunnenschacht in seinem Innern wabern. Schaute er aber nach vorn, ins sonnige Tal hinab, wo sich der Main zwischen Wiesen, Weilern und Weingärten wie eine riesige schimmernde Schlange dahinwand, dann wurde ihm leicht ums Herz, und sein Geist wurde hell und klar.
»Was auch geschehen ist«, sagte er und zerkaute den letzten Brocken Käse, »wir müssen weiter nach Gelnhausen. Unter allen Umständen muss ich den Brief heute noch an Monsignore Taurus übergeben.«
Wieder wollte ihm das Herz schwer werden, denn den Befehl des Vaters auszuführen, bedeutete unweigerlich, Linda ins Verderben zu reißen. Doch da kam Sanno eine so kühne wie großartige Idee. Aufgeregt dachte er darüber nach. Aber ja, das war die Lösung! Er verstand gar nicht, warum er nicht längst schon darauf gekommen war. Schließlich hatte der Vater ihm aufgetragen, den Brief nur dem hochgestellten Hexenjäger persönlich zu übergeben – und bei dieser Gelegenheit würde er Monsignore Taurus ganz einfach erklären, dass er selbst alles mit angesehen hatte. »Linda trifft nicht die allerkleinste Schuld, hoher Herr«, würde er dem Inquisitor versichern und auf jede Frage des mächtigen Mannes so klar und ruhig wie irgend möglich antworten. Dann musste sich ja herausstellen, dass Linda allenfalls eine winzige abergläubische Abirrung vorzuwerfen war. Und wenn bei alledem überhaupt irgendwen eine Schuld traf, dann höchstens die alte Josepha, die Lindas verzweifelte Mutterliebe ausgenutzt hatte, um sie zur Anrufung der Mondmaiden zu beschwatzen.
Oh ja, ganz genauso würde er es dem Monsignore erklären,

dachte Sanno, und Erleichterung durchströmte ihn. Anscheinend hatte er doch noch einen Weg gefunden, wie er den Befehl des Vaters ausführen und dennoch Lindas Leben retten konnte.

Als sie die Kaiserpfalz am Ufer der Kinzig erreichten, war es schon später Abend. Keta lag schnarchend zwischen den Steigen, und auch Uda hob Huf um Huf nur noch so langsam wie in manchen Träumen, wenn die Luft zäh wie Morast scheint und jede Bewegung unendliche Mühe kostet.
Der Stadtwächter öffnete bloß eine Klappe im mächtigen, mit Eisenbändern beschlagenen Stadttor. Darüber ragte, schwärzer als der dunkle Himmel, der Haitzerturm auf, einer der gewaltigen Wehrtürme der festen Stadt. »Was willst du, Bursche – Einlass vor Morgengrauen nur für Marktleute.«
»Gott zum Gruß, Herr Stadtwächter«, antwortete Sanno und unterdrückte ein Gähnen. Obwohl Uda stillstand, hatte er den deutlichen Eindruck, dass sie immer noch fuhren. »Ich bin Sanno Lambert, der Sohn von Magister Lambertus aus dem Bosengrund. Ihr kennt mich, ich jedenfalls kenne Euch – Ihr seid der Herr Horstmar und habt dieses Tor schon bewacht, als ich vor mehr als einem Jahr zum ersten Mal mit dem Karren voll *Specificum Lamberti* hierhergekommen bin.«
»Ah, der Junge mit dem Wundertrank.« Ein Grinsen huschte über das breite Gesicht in der Klappe. Kurz darauf schwang ein Torflügel auf, und Sanno durfte mit seiner klirrenden Fracht passieren – allerdings nur drei Schritte weit ins stockfinstere Innere des Torturms. »Warte, Bursche.«
Sanno seufzte und rieb sich die Augen. Es war doch jedes Mal dasselbe. Umständlich verrammelte der Wächter hinter ihm das Stadttor. Zwei Schritte vor Udas Nase öffnete sich der Durchlass zur Haitzergasse, deren Katzenkopfpflaster im Mondlicht glänzte. Vom Turm der Marienkirche begann es scheppernd die Stun-

de zu schlagen, nur einen Augenblick später setzten auch die Glocken der hoch aufragenden Peterskirche ein. Schläfrig zählte Sanno mit, zehn dröhnende und zwei mattere Schläge. Seit fast elf Stunden waren sie jetzt unterwegs.

Endlich tauchte Horstmars breites Gesicht unter dem schwarzen Helm wieder neben ihm auf. Der Wächter hielt eine brennende Fackel in der Linken, seine Rechte legte sich schwer auf Sannos Arm. »Runter von der Karre, Bürschlein. Ich habe strengen Befehl, jeden Wagen, der in die Stadt will, zu durchsuchen.«

Bei diesen Worten zwinkerte er ihm jedoch mit einem schmierigen Grinsen zu, und ganz kurz sah Sanno wieder vor sich, wie die alte Josepha ihn letzte Nacht angeblinzelt hatte – ihr zugekniffenes abscheuliches Krähenauge, während sie in gespielter Empörung behauptet hatte, dass er schuld sei am Tod des greisenhaften kleinen Knaben.

Er wandte sich um und tastete durch das Loch in der Plane nach der obersten Steige. Nach mehr als einem Jahr ärgerte er sich immer noch darüber, dass sich die Stadtwächter genauso wie die Büttel auf den Marktplätzen schamlos an jedem einzelnen Bauern oder Krämer bereicherten. Wer seine Ware auf den Marktplätzen feilbieten wollte, musste die Kerle in den Uniformen schmieren, und zwar jedes Mal aufs Neue. Dabei konnte Sanno noch von Glück sagen, dass sie sich bei ihm bisher stets mit ein paar Tiegeln Specificum begnügt hatten. Unter den Marktleuten kursierten die schauerlichsten Geschichten – nicht selten wurden Bauernwagen mit der Ernte eines Jahrs beschlagnahmt und ganze Familien in den Kerker geworfen.

Sanno zog einen Tiegel hervor und wandte sich wieder nach vorn. »Das Specificum hilft gegen jede Art von Krankheiten und Beschwerden – überzeugt Euch selbst.« Er hielt Horstmar den sorgsam verkorkten Tiegel vor die Nase. »Der Wagen enthält nichts anderes – nur ein paar Dutzend dieser kleinen Krüge.«

»Und ein schnarchendes altes Weib.« Der Wächter spuckte aus, dann endlich nahm er seine Hand von Sannos Arm und schloss sie um den Steinguttiegel, der ungefähr so groß war wie eine Kinderfaust. »Meine Alte wird sich freuen.« Er schob den Tiegel unter sein Wams. »Die Gicht, verstehst du – ihre Glieder verdrehen sich mehr und mehr, als ob irgendein böser Dämon sie zu einer Hefebrezel flechten wollte.« Er grinste trübe. »Aber ich selbst fühle mich in letzter Zeit auch nicht besonders gut.«
Sanno hätte beinahe aufgeschrien vor Ungeduld und Zorn. Ob der Gasthof zum Löwen nicht sowieso längst verriegelt und verrammelt war? Und wenn nicht – konnte er zu dieser Nachtstunde überhaupt noch dort vorsprechen und darum bitten, zu Monsignore Taurus vorgelassen zu werden? Aber vielleicht hatte er ja Glück und der mächtige Hexenjäger saß noch bei einem Schlaftrunk in der Gaststube.
Wieder drehte er sich um, nahm einen weiteren Tiegel aus der obersten Steige und drückte ihn dem Büttel unsanft in die Hand. »Das dürfte für eine Weile reichen, Herr Stadtwächter – für Euch selbst und Eure gesamte Sippschaft, Gott segne sie.«
Horstmar warf den Tiegel wie einen Ball in die Luft und fing ihn wieder auf. »Eins noch, Bursche – hilft der Wundertrank auch bei gewissen Beschwerden?« Sein Grinsen wurde noch schmieriger. Er rieb sich mit der Faust unter dem breiten Gürtel. »Du verstehst schon – wenn der Drache sein Haupt nicht mehr emporrecken will?«
Die Hitze schoss Sanno in die Schläfen. »Woher soll ich das wissen – und jetzt gebt endlich den Weg frei!« Ohne sich länger um den verdutzten Wächter zu kümmern, riss er an den Zügeln. »Auf, Uda – bevor der Herr Horstmar uns auch noch seinen Hintern zeigt.«
Das sagte er glücklicherweise so leise, dass es im Rattern der Räder und im Hufklappern unterging.

9

Vorschriftsmäßig hatte Sanno eine Fackel angezündet und in der Halterung vorn an der Karre befestigt, jetzt rollten sie durch die Untere Haitzergasse, so schnell der schmale Fahrweg und das holprige Pflaster es erlaubten. Fünf Fuß über seinem Kopf ragten die Fachwerkhäuser so weit über die Gasse, dass die Giebel fast aneinanderstießen. Wer in einer festen Stadt wie dieser lebte, bekam vom Himmel mancherorts nicht viel mehr als ein schmales Band über den Dächern zu sehen.

Rund und gedrungen ragte linkerhand der Hexenturm auf, glücklicherweise in einiger Entfernung hinter den hingeduckten Handwerkerhäusern. Erst vor ein paar Wochen wieder war eine Hexe aus dem schauerlichen Gemäuer hinauf auf den Obermarkt geführt und vor aller Augen verbrannt worden. Keta hatte an jenem Tag eigens ihr Festtagsgewand angezogen und dem frommen Spektakel von Anfang bis Ende beigewohnt. Wie sie Sanno nachher erklärte, hatte sie sorgsam darauf geachtet, nicht den Blick der brennenden Hexe zu erwidern, denn das brachte Unglück, und sich während der gesamten Zeremonie unaufhörlich bekreuzigt, damit die bösen Kräfte der Teufelsbuhlin wie von der Rüstung eines Ordensritters abprallten.

Sanno jedoch hatte sich geweigert, bei dem grässlichen Schauspiel zuzusehen. Während in der Oberstadt dunkler Qualm aufgestiegen und ein widerlicher Geruch bis zur Kinzig herabgewabert war, hatte er auf dem Untermarkt ausgeharrt, allein zwischen Dutzenden verwaister Krämerbuden, hinter ihrem Verkaufsstand mit sorgsam aufgestapelten Tiegeln, für die sich an jenem Tag nicht einmal habgierige Büttel oder Diebe interessierten.

Die Schreie der Hexe waren bis zu ihm herabgegellt, über Gassen und Plätze hinweg durch die halbe Stadt, und Sanno hatte wie erstarrt gelauscht, außerstande, auch nur die Hände zu seinen

Ohren zu heben. Wie unter einem übermächtigen Zwang, dachte er nun, während er Uda zu ihrem angestammten Verkaufsplatz am westlichen Ende des Untermarkts lenkte – einem Bann ähnlich dem, der ihn letzte Nacht beim Anblick des ausgesetzten Säuglings befallen hatte.

Wie schon so häufig in den letzten Wochen und Monaten fragte sich Sanno, was da um Himmels willen mit ihm vorging. Er spürte ja immer deutlicher, dass tief in seinem Innern ein Geheimnis vergraben lag, doch zumindest in diesem Augenblick wollte er nicht das Geringste davon wissen.

Er sprang von der Kutschbank und dehnte seine Glieder, schirrte die Eselin ab und führte sie zur Viehtränke in der Mitte des Marktplatzes. »Brave Uda.« Hinter den Fenstern der stattlichen Kaufmannshäuser, die den lang gestreckten Platz säumten, war es finster und totenstill. An der Tränke waren erst wenige Lasttiere angepflockt, wie auch auf dem ganzen dunklen Platz höchstens ein halbes Dutzend Bauern- und Krämerwagen verstreut standen. Die meisten Marktleute würden erst im Morgengrauen anrücken, nur reisende Händler wie sie selbst, die von weiter her kamen oder von Stadt zu Stadt fuhren, trafen häufig schon am Abend vor einem Markttag ein.

»Ah, verdammt – dein Futtersack, Uda.« Vorsichtshalber bekreuzigte er sich, da er wieder einmal gedankenlos geflucht hatte, eine Sünde, die einen laut Keta der Hölle um einen Schritt näher brachte. Im Allgemeinen gab Sanno nicht viel auf Ketas frömmlerische Reden, in denen sich Kirchengebote und Aberglaube wie die Wollreste in ihrem Stopfkasten unentwirrbar vermischten. Aber auf einmal war er sich gar nicht mehr so sicher, ob die alte Magd nicht vielleicht doch recht hatte. Ob der Teufel und seine Dämonen nicht doch allgegenwärtig waren und nur auf einen winzigen Fehler, einen Augenblick der Schwäche lauerten, um die Seele des Sünders noch ein wenig weiter einzuschwärzen.

Was für Gedanken er sich da plötzlich machte! Das kam bestimmt alles nur von seiner Müdigkeit nach der langen Fahrt. Sanno klopfte Uda die Flanke und lief rasch zum Wagen zurück, wo Keta immer noch tief und fest schlief. Von Rührung ergriffen, sah er im Schein der Fackel auf die schnarchende Magd hinab. So grob und einfältig Keta auch war, sie hatte ihn von Herzen lieb, und auch er selbst hing an der wunderlichen Alten. Sachte zog er ihr den Futtersack unter dem Kopf weg – Keta seufzte nur kurz auf und schnarchte dann desto dröhnender weiter. »Tut mir leid, Muttchen«, flüsterte Sanno.

Er rannte quer über den Platz zurück, hängte der Eselin den wohlgefüllten Sack um und pustete sanft in ihr spitzes Ohr. »Jetzt muss ich aber wirklich los, Uda – gute Nacht.«

Die Eselin grinste, und Sannos Augen brannten schon wieder verdächtig. Warum war er auf einmal nur so rührselig? Schließlich nahm er nicht für alle Zeiten von Keta und Uda Abschied, sondern wollte nur rasch hinüber in den Gasthof zum Löwen laufen – keine fünf Minuten Fußweg von hier.

Sanno tastete unter sein Gewand – der Brief steckte ganz richtig in seiner Herztasche, und noch hatte es nicht einmal elf geschlagen. Also los, feuerte er sich an, konnte sich aber nicht zu einer raschen Gangart überwinden. Stattdessen trottete er so langsam über den Platz und zwischen den prachtvollen Bürgerhäusern der Langgasse dahin, als ob sich mächtige Hände auf seine Schultern legten, um ihn zurückzuhalten.

»Bitte, Herr Wirt, könnt Ihr mir helfen? Ich suche Monsignore Taurus!«

Endlich hatte sich Sanno zum Tresen vorgedrängt, aber der schnauzbärtige Wirt schenkte ihm keine Beachtung. Die Gaststube zum Löwen war gedrängt voll mit einem halben Hundert Zechern, die an langen Tischen saßen oder auch auf dem blanken Boden hockten. Fettiger Qualm von der Küche, von Kerzen und Fackeln waberte umher, so dick, dass die Umrisse von Menschen und Möbeln verschwammen. Der Raum schwirrte vor Stimmen, die durcheinanderriefen und fluchten, lachten und schimpften – es war so laut, dass Sanno seine eigenen Worte kaum hören konnte, auch wenn er mit voller Kraft schrie. Noch sehr viel ärger war der Gestank – nach ranzigem Fett, saurem Wein und Erbrochenem, nach Leibern, die seit Ewigkeiten nicht gesäubert worden waren, und besonders durchdringend nach Füßen, die besser niemals von Schuhen oder Stiefeln entblößt worden wären.

Zusammen mit Lambert oder Keta hatte Sanno schon ein paar Mal einen Gasthof besucht, aber so ein Tohuwabohu wie hier drinnen hatte er noch nie erlebt. Bevor er in die Gaststube eingetreten war, hatte er geglaubt, dass er hungrig wäre, doch jetzt schnürten Qualm und Gestank ihm Hals und Magen zu. »Herr Wirt«, versuchte er es wieder, »nur eine Frage, bitte!«

Der Schweiß lief dem Wirt nur so über die Glatze und die feuerroten Backen. In rasendem Tempo entkorkte er bauchige Krüge und goss Wein in Steingutbecher, brüllte Befehle über die Schulter, fuhr blitzartig herum und knallte dem Küchenjungen eine Backpfeife ins Gesicht, weil der für einen kurzen Moment untätig an der Theke gelehnt hatte. Die Küche hinter dem Tresen hatte Ähnlichkeit mit der Vorhölle auf manchen Kupferstichen von Pater Rato – zwei riesige Öfen, in denen die Flammen loderten, davor ein halbes Dutzend Verdammter, die ganze Schweine am Spieß drehten, Tröge umherwuchteten, in Qualm und Hitze durcheinanderwankten und unablässig Flüche, Befehle und Klagerufe ausstießen.

»Herr Wirt, es dauert wirklich nur einen Augenblick!« Sanno wedelte mit beiden Armen. Von hinten presste sich ein knochiger Körper gegen ihn, aber er war entschlossen, sich nicht vom Tre-

sen abdrängen zu lassen, jedenfalls nicht, bevor der Wirt ihm Auskunft erteilt hatte.
Diesmal schien der Mann mit dem gewaltigen Bauch unter der Lederschürze ihn zumindest bemerkt zu haben. Aber anstatt ihm zu antworten, packte er sich plötzlich ein riesiges Tablett voller Platten mit Fisch und Braten, kam mit stampfenden Schritten hinter dem Tresen hervor und war gleich schon zwischen Tischen und Zechern im Dunst der Gaststube verschwunden.
Mit Mühe hatte sich Sanno umgewandt, um dem Wirt hinterherzusehen. Tränen traten ihm in die Augen – Tränen der Wut und Verzweiflung oder auch einfach von dem beißenden Qualm. Jedenfalls dauerte es ein wenig, bis Sanno erkannte, wer da so dicht an ihn gepresst stand, dass ihre Nasen sich beinahe berührten.
Es war ein schmächtiges Männlein mit eingefallenen Wangen, farblosen Augen und einem Haarkranz von der Farbe geschmolzenen Bleis. Sanno hätte ihn sicher nicht weiter beachtet, denn der kleine Kerl wirkte in jeder Hinsicht unbedeutend. Doch er trug eine schwarze Kutte, die um seine magere Mitte mit einem einfachen Strick gegürtet war – das Gewand eines Mönchs vom Orden der Hexenjäger.
»Monsignore Taurus?« Die wasserhellen Augen blinzelten. »Verzeiht, Herr, dass ich Euch anspreche«, schrie Sanno in das faltige Gesichtchen hinein, »aber ich suche Monsignore Taurus! Eine eilige Angelegenheit, die keinen Aufschub duldet!«
Genau diese Worte hatte auch Vater Lambert gebraucht, doch auf den schmächtigen Hexenjäger machten sie nicht den erhofften Eindruck. Er verzog den schmalen Mund, als ob der fremde Atemstrom so nah vor seiner Nase ihm Ekel bereitete. Seine Augen verengten sich, und er machte Anstalten, sich abzuwenden. Doch um den Tresen herum standen die Leute mittlerweile so dicht gedrängt, dass weder Sanno noch der hagere kleine Mönch sich von der Stelle rühren konnten.

»Bitte, Herr«, schrie Sanno. »Ich habe einen Brief für Monsignore Taurus!«
»Einen Brief?« Sein Ton war schneidend, seine Stimme hell wie bei einem Knaben, und obwohl er sie kaum erhoben hatte, drang jede Silbe klar und deutlich an Sannos Ohr. »Lass sehen, Kind.«
Mit Mühe gelang es Sanno, einen Arm so anzuwinkeln, dass er den Brief unter seinem Wams hervorziehen konnte. Er drehte den versiegelten Bogen hin und her, sodass der Mönch lesen konnte, dass der Brief tatsächlich an den hochgestellten Hexenjäger gerichtet war. Doch als der andere mit seiner knochigen Kinderhand danach greifen wollte, schob Sanno den Brief schnell in seine Herztasche zurück. »Ich darf ihn nur Monsignore Taurus persönlich übergeben.«
Die dünnen Lippen verzogen sich zu dem beunruhigendsten Lächeln, das Sanno jemals gesehen hatte. »Und ich rate dir dringend, mir deinen Brief auszuhändigen, Knabe. Ich bin Savorelli, der Sekretär des Inquisitors.«
Sanno blieb beinahe das Herz stehen. Der Blick des kleinen Mönchs bohrte sich in seine Augen. Er hatte den Eindruck, dass der Sekretär jeden einzelnen verborgenen Gedanken hinter seiner Stirn lesen könnte. Was sollte er jetzt nur machen? »Besteht denn wirklich keine Möglichkeit, Monsignore Taurus den Brief persönlich zu übergeben?«
Savorellis Lächeln erstarb. »Versuche es nur, Knabe. Wenn du es unbedingt so willst, stell dich in aller Frühe wieder ein – wir reisen vor Sonnenaufgang ab.«

In der restlichen Nacht durfte er kein Auge mehr zutun, das wurde Sanno klar, noch während er sich durch die überfüllte Gaststube zurück ins Freie kämpfte. Zuerst hatte er vorgehabt, zu Keta zurückzukehren und in ihrem Wagen den neuen Tag zu erwarten, aber das war viel zu gefährlich. Wenn er erst einmal neben der schnarchenden Magd säße, würde es bestimmt nicht lange dauern, bis ihn gleichfalls der Schlaf übermannte. Und das durfte auf keinen Fall geschehen! Wenn der hochgestellte Hexenjäger im Morgengrauen seine Kutsche besteigen würde, musste er wieder zur Stelle sein, koste es, was es wolle.

Also trottete Sanno ziellos durch die schlafende Stadt. Vor den Wächtern, die zu zweit ihre Runden zogen, verbarg er sich hinter Mauern oder Torpfosten. Schwankend vor Müdigkeit, umkreiste er den Gasthof zum Löwen und den dahinterliegenden Obermarkt mit der gewaltig aufragenden Peterskirche, und dabei fragte er sich unaufhörlich, ob es richtig gewesen war, dass er sich geweigert hatte, Savorelli den Brief auszuhändigen.

Sorgen und Bedenken umschwirrten ihn wie Hornissen. Was war denn so ein Sekretär letztlich anderes als die rechte Hand seines Herrn? Hatte der Vater vielleicht sogar von dem Sekretär gesprochen, als er Sanno beschworen hatte, den Brief nur in die Hand des Monsignore zu geben? Aber der Vater drückte sich doch sonst auch nicht so gewunden aus, das konnte er also wirklich nicht gemeint haben. Dennoch haderte Sanno mit seiner Entscheidung, ging immer strenger mit sich ins Gericht, je länger die Nacht sich hinzog und je erschöpfter er dahinwankte.

Längst hatte der Wirt zum Löwen die letzten Zecher vor die Tür gesetzt, alles verrammelt, die Lichter gelöscht. Längst hatten die Kirchturmglocken die erste, zweite und dritte Nachtstunde geschlagen. Nicht einmal herrenlose Hunde waren um diese Zeit noch unterwegs.

Sanno wanderte die Holzgasse hinauf, bis er sich der nördlichen Stadtmauer näherte. Aber bevor dort oben, am Ende der Gasse, das Holztor mitsamt dem steinernen Wehrturm sichtbar wurde, kehrte er vorsichtshalber um. Wenn er um diese Stunde, da in den Menschen die seltsamsten Gedanken und Träume wach wurden, einem ungetreuen Wächter in die Hände geriete, dann gnade ihm Gott.

Er wandte sich um und trottete zurück, in Richtung Gasthof, um den seine Gedanken ohnehin unablässig kreisten. Nahm er selbst es mit der väterlichen Anweisung vielleicht nur deshalb so genau, fragte sich Sanno – weil er im Stillen hoffte, dass der Brief auf diese Weise den Inquisitor verfehlen würde?
Er hatte sich ja vorgenommen, Monsignore Taurus zu erklären, was da im Wald letzte Nacht wirklich geschehen war – aber durfte er um dieses Planes willen riskieren, dass der Brief seinen ausersehenen Empfänger gar nicht erreichte? Oder war es womöglich der gütige Herrgott selbst, der die Dinge still zum Guten wendete, indem er den Sarg mit dem Teufelsbalg verschwinden ließ und dafür Sorge trug, dass der Brief ungelesen in Sannos Herztasche blieb?
So überlegte er hin und her, schwankte zwischen Hoffnung und Verzagtheit, schwankte mehr noch vor Müdigkeit und konnte sich endlich nicht länger auf den Beinen halten. Da kroch bereits eine erste Ahnung dunkelgrauer Dämmerung vom Horizont herauf, und Sanno näherte sich zum ungezählten Mal in dieser Nacht dem Gasthof zum Löwen.
Jetzt konnte es aber wirklich nicht mehr lange dauern, bis Monsignore Taurus und sein Sekretär mit der Gestalt und Stimme eines ältlichen Knaben aus der Tür treten würden. Sanno setzte sich auf die Stufen davor, der Kopf sank ihm auf die Brust, seine Lider flatterten. Auf der Rückseite des gewaltigen Baus führte ein Tor direkt zu Schuppen und Ställen und von dort eine Hintertür zu den Gasthofzimmern. Aber das alles wusste er zu diesem Zeitpunkt noch nicht, und selbst wenn – es hätte ihm wenig genützt.
Denn während die Sonne ganz langsam über dem Kinzigtal emporstieg, während die Krämer und Bauern auf dem Untermarkt in der Dämmerung ihre Buden zusammenzimmerten, während im Hinterhof des Gasthauses vier prächtige Rappen vor eine pompöse schwarze Kutsche mit Goldbeschlägen geschirrt wurden, wäh-

rend Monsignore Taurus und sein Sekretär Savorelli die Kutsche bestiegen und eilends die Stadt verließen, und zwar durch das südlich gelegene Schifftor und ohne dass einer der dort Dienst tuenden Wächter es wagte, die Herren Hexenjäger um ein paar Heller oder Handfesteres anzugehen – währenddessen lag Sanno auf der speckigen Gasthoftreppe, seinen Kopf mit dem braunen Haarschopf auf die oberste Stufe gebettet, und schlief.

10

Noch im Erwachen, von einem städtischen Büttel unsanft geschüttelt, erfasste Sanno, was passiert war. Eingeschlafen. Der Monsignore auf und davon. Er tastete nach seiner Herztasche. Zumindest der Brief war noch da – aber das war ja gerade das Schreckliche!

Sonnenstrahlen tanzten über sein Gesicht, kitzelten ihn in der Nase. Niesend richtete sich Sanno auf. Alles tat ihm weh, diese Gasthoftreppe war nicht gerade das angenehmste Lager. Als ob es darauf jetzt ankäme! Gütiger Gott, dachte Sanno, was mach ich jetzt nur? Wie kann ich dem Vater so unter die Augen treten? Ich habe versagt, ihn schrecklich enttäuscht, Lambertus wird außer sich sein!

Drohend starrte der Büttel, ein bulliger Mann mit zottigem Bart, auf ihn herab. »Mitkommen, Bürschchen. Auf der Straße zu nächtigen ist streng untersagt!«

»Bitte, Herr Wächter, erlaubt mir eine Frage.« In seiner Not verlegte sich Sanno aufs Schmeicheln. »Ihr seid doch ein erfahrener Mann, dem in dieser Stadt nichts verborgen bleibt.« Er rappelte sich auf, trat dicht vor den Büttel, der nach saurem Bier und Ärgerem roch, und sah bittend zu ihm auf.

Der Wächter nickte gewichtig, die Hände auf den Hüften. »Da könntest du recht haben. Aber glaub nicht, dass du mich aushorchen kannst, Halunke!«
»Ich bin kein Halunke, Herr Wächter – ich bin ein Bote, beauftragt, dem ehrwürdigen Monsignore Taurus diesen Brief zu übergeben.« Einmal mehr zog er den kunstvoll gefalteten und honiggelb gesiegelten Bogen aus dem Wams und wedelte damit vor dem Büttel hin und her.
Der Wächter glotzte beeindruckt. Offenbar war er des Lesens nicht mächtig, jedenfalls machte er keine Anstalten, die Aufschrift neben dem Siegel zu entziffern.
»Ein Brief von Magister Lambertus«, setzte Sanno mit gedämpfter Stimme hinzu, »es geht um eine äußerst eilige Angelegenheit. Nur deshalb hab ich ja hier draußen gewartet, Herr Wächter – um Monsignore Taurus dieses Schreiben zu überreichen, da mir gesagt wurde, dass der Herr Inquisitor in aller Frühe weiterreisen wollte.«
»Das hat er auch getan. Ich selbst hab das Tor aufgehalten, als die Kutsche des Inquisitors aus dem Hinterhof gerollt ist.« Weitschweifig erklärte er Sanno, dass Gäste, die im Löwen übernachtet hatten und in der Morgenfrühe weiterreisten, immer den Hinterausgang nahmen, weil um diese Stunde der Gasthof an der Vorderseite noch verriegelt und verrammelt war.
Sanno stöhnte auf – vor Zorn auf sich selbst und vor Ungeduld, weil der Büttel gar nicht mehr aufhören wollte, sich mit seinem nutzlosen Wissen großzutun.
»Ich bin jetzt seit fünfzehn Jahren in städtischen Diensten«, prahlte er, »mir entgeht nichts, was sich zwischen diesen Mauern abspielt.«
»Dann könnt Ihr mir bestimmt auch sagen, wohin der Monsignore vorhin aufgebrochen ist.«
Der Büttel verstummte, sichtlich verärgert. »Machst du dich über

mich lustig, du Wirrschopf? Das wird der Herr Inquisitor mir gerade erzählen, wohin seine hochgeheimen Pflichten ihn als Nächstes führen! Also sieh jetzt zu, dass du von hier verschwindest – bevor ich es mir anders überlege und dich doch noch in den Karzer stecke!«

Obwohl die Sonne erst knapp über den Dächern stand, war die Langgasse schon gesteckt voll mit Fußgängern und Reitern, Kutschen und Karren, die alle in Richtung Untermarkt strebten. Mühselig bahnte sich Sanno seinen Weg – für dieselbe Strecke, die er am Abend in wenigen Minuten zurückgelegt hatte, brauchte er jetzt eine kleine Ewigkeit.

Die ganze Stadt schien auf den Beinen zu sein, die Luft schwirrte vor Gerüchen und Gerüchten, Getrappel und Gelächter, vor Rufen und Räderrattern. So etwas hatte Sanno noch nie erlebt – an Markttagen ging es ja meist ziemlich hoch her, aber das hier war ein Getümmel. Und dabei hatte es vom Kirchturm gerade erst sechs Uhr geschlagen!

Die meisten Gesprächsfetzen, die er unterwegs auffing, drehten sich um alltägliche Angelegenheiten – die Bäuerin auf dem hoch beladenen Kuhwagen hoffte auf üppigen Absatz ihrer rotbackigen Äpfel und der bunten Schoten aus Neu-Indien, genannt Paprika, die sich wachsender Beliebtheit erfreuten. Zwei würdig einherschreitende Kaufleute in steifer Bürgertracht wetteiferten in Wehklagen über die unverschämte Beutelschneiderei, auf die sich immer mehr Städte verlegten. »Stellt Euch nur vor«, näselte der eine, »in Bamberg musste ich letzten Monat zweiundzwanzig Pfennig fürs Geleit zahlen – einfach nur dafür, dass man von einer Stadt zur anderen ziehen darf, ohne den Räubern preisgegeben zu sein!« – »Und wenn Ihr dann doch einmal Wegelagerern in die Hände fallt, hilft Euch der teure Geleitbrief herzlich wenig«, jammerte der andere Kaufherr. »Oder meint Ihr etwa, der Fürstbischof

schickt seine Soldaten aus, um Euch mitsamt Eurer Ladung kostbarer Tuche zu befreien?« – »Höchstens, wenn er den edlen Stoff gerade selber braucht – weil er seiner Mätresse eine neue Robe mit Dekolleté bis zum Nabel schneidern lassen will!«
Die Herren lachten freudlos, und Sanno machte, dass er an den beiden vorbeikam. Wenn von Nabeln die Rede war, zog sich ihm jedes Mal der Magen zusammen – es erinnerte ihn schmerzlich an die Wülste auf seinem Bauch, die er von dem schrecklichen Unglück zurückbehalten hatte.
Was sollte er jetzt nur machen? Zuerst einmal musste er irgendwie herausbekommen, wohin Monsignore Taurus heute früh gefahren war. Und dann musste er Keta überreden, dass sie mit der Eselskarre hinterherfuhren, eine andere Möglichkeit gab es ja gar nicht! Vater Lambert hatte ihm befohlen, den Brief unter allen Umständen dem Monsignore zu übergeben, also mussten sie der schwarzen Kutsche folgen, bis der hochgestellte Hexenjäger wieder irgendwo eine Rast einlegte.
Sanno schlängelte sich durch ein ganzes Dutzend zünftig gekleideter Zimmerleute hindurch und geriet neben zwei zerlumpte Männer mit sonnenverbrannten Gesichtern – offenbar reisende Knechte, der eine mit grauen Haaren, der andere allenfalls drei Jahre älter als Sanno selbst.
»Ich will dir was sagen, Toni«, ereiferte sich gerade der Ältere, der aussah, als ob er sich seit Wochen nicht mehr satt gegessen hätte. »Wenn wirklich dieser Herr Faust heute in die Stadt kommt, können wir lange nach einem Bauern suchen, der uns für die Ernte bei sich aufnimmt. Ich hab das schon einmal erlebt, das war letztes Jahr in Nürnberg – kaum ist der Magier auf dem Marktplatz aufgekreuzt, da sind sie alle schreiend zu ihm hingerannt. Als ob er Jesus Christus persönlich wäre – die Leute haben alles liegen und stehen gelassen und bloß noch mit offenen Mäulern über die Wunder gestaunt, die der Herr Faust ihnen vorge-

zaubert hat.« Er deutete in die Menge vor ihnen. »Du siehst ja, wie es jetzt schon hier zugeht – bestimmt sind die meisten von ihnen gekommen, um den Herrn Faust zu erleben.«
»Den würde ich auch gern sehen«, sagte Toni. Seine Kleidung bestand fast nur aus Flicken und Löchern, seine Augen glänzten vor Erregung. »Arbeit finden wir in den nächsten Tagen sowieso, Hubert – jetzt vor der Ernte empfangen uns die Bauern doch alle mit offenen Armen.«
»Umso schwieriger wird's dann wieder im Winter«, grummelte Hubert, »da können sie einen gar nicht schnell genug davonjagen, die herzlosen Speckschwarten!«
Ein Reiter auf schnaubendem Schimmel drängte sich durch die Menge, gekleidet in die himmelblaue Uniform der fürstlichen Kuriere. Sanno schaute ihm hinterher, für einen Augenblick überlegte er sogar, den Boten zu fragen, wie er Monsignore Taurus seinen Brief zukommen lassen könnte. Aber da war der Reiter schon fast wieder seinen Blicken entschwunden, und sowieso hätte der stolze Kurier ihn ja höchstens ausgelacht.
Als er sich umschaute, waren die beiden wandernden Knechte nicht mehr zu sehen. Faust?, dachte Sanno im Weitergehen – natürlich hatte auch er schon manche seltsame Geschichte über den viel beschrienen Magier gehört. Als Astrolog trat der junge Herr Faust auf, als Zauberer und Wunderheiler. Angeblich kannte er sich sogar mit der Alchimie aus, der teuflischen Kunst, aus Dreck Gold zu machen und winzige Menschlein, Homunkel genannt, im Laborglas zu erschaffen.
Sanno spürte, wie die Erregung, die in den Augen des jüngeren Knechts geglänzt hatte, auf ihn übersprang. Die Pfaffen hielten Faust für einen leibhaftigen Teufel, denn er verspottete den Klerus, und was er betrieb, war schwarze, verbotene Magie. Das Volk aber verehrte ihn wie einen Erlöser, denn er heilte die ärgsten Gebrechen durch bloßes Handauflegen und weissagte eine

Zukunft, in der die Fürsten von ihren Thronen stürzten und die Kirchenmänner auf ihren eigenen Scheiterhaufen brannten. Die Gelehrten wiederum, das hatte Sanno erst kürzlich wieder von Lambert gehört – die Astronomen und Naturforscher hassten Faust und beschimpften ihn als Scharlatan, da er auf den Marktplätzen Geheimnisse der Natur und ihres Schöpfers offenbarte, die nach ihrer Überzeugung das stille Halbdunkel der Studierstuben besser niemals verlassen hätten.

Ob der große Herr Faust auch für mich weissagen kann? Sannos Herz begann rascher zu pochen. Ob er für mich die Sterne befragen kann – nach der Zukunft meinethalben auch, aber vor allem nach meiner Vergangenheit?

»Und der Inquisitor?«, hörte er da neben sich ein junges Weib mit heller Stimme krähen. An ihrer Seite quälte sich ein beleibter Mann auf Krückstöcken dahin. »Wenn sich Faust in die Stadt wagt«, rief die Frau, »lässt Monsignore Tausendfuß ihn doch augenblicklich festsetzen!«

»Ach, Weib, kümmere dich lieber um Dinge, von denen du was verstehst.« Der dicke Mann blieb stehen und fuchtelte mit einer Krücke. »Du hast es doch gestern Abend im Gasthof selbst gehört – oder hättest es jedenfalls hören können, wenn du nicht wieder mal mit der Trine über die Garderobe der Fürstin getratscht hättest.« Die junge Frau zog einen Schmollmund. »Der Monsignore hat ja heute früh die Stadt verlassen«, fuhr ihr Gemahl fort. »Und ich würde mich nicht wundern, wenn Faust selbst den Hexenjäger durch eine schlau gefälschte Botschaft in die Irre gelockt hätte – eben damit er heute unbesorgt hier erscheinen kann!« Der dicke Mann stemmte seine Krücke wieder auf die Straße und schleppte sich weiter. »Ich jedenfalls werde alles daransetzen, damit er seine Hand auf mich legt und mich von meiner Krankheit heilt.«

»Da wird er aber eine ganze Handvoll Hände brauchen!« Die jun-

ge Gattin lachte laut und unbekümmert, und Sanno sah zu, dass er weiterkam.
Er hatte genug gehört, mehr als genug! Sein Entschluss stand fest – natürlich durften sie nicht dem Monsignore hinterherfahren, wie er vorhin noch geglaubt hatte, sondern mussten hier in der Stadt auf ihn warten. Denn wenn der Herr Faust wirklich heute nach Gelnhausen kam, dann würde ja auch Monsignore Taurus bestimmt auf schnellstem Weg hierher zurückkehren. Sogar Pater Rato hatte sich vor Kurzem von der Kanzel seines Bosbrunner Kirchleins herab über den »teuflischen Magier« ausgelassen und den Wunsch geäußert, dass diesem »Verführer des arglosen Volkes« bald das höllische Handwerk gelegt werden möge.
Und ob Faust den Monsignore nun durch eine List aus der Stadt gelockt hatte oder nicht – diese Gelegenheit konnte sich der Hexenjäger doch auf gar keinen Fall entgehen lassen. Bestimmt würden seine Spione ihn auf schnellstem Weg unterrichten, und spätestens heute Abend wäre die schwarze Kutsche mit den Goldbeschlägen wieder hier. Und diesmal würde er, Sanno, sich nicht wieder abweisen oder an der Nase herumführen lassen. Er würde so lange bitten und betteln und schmeicheln und flehen, bis der Sekretär Savorelli ihn zu seinem Herrn durchlassen würde. Und vorher, wenn alles sich ganz und gar glücklich fügte, konnte er sich vielleicht sogar noch vom Herrn Faust weissagen lassen, was in seiner Kindheit wirklich geschehen war.
Endlich war Sanno wieder beim Untermarkt angelangt, wo Keta ihn sicherlich schon sehnsüchtig erwartete. Ob der berühmte Magier und Astrolog bereit wäre, sich für seine Dienste mit einem Tiegel *Specificum Lamberti* bezahlen zu lassen? Aber was sollte der Wunderheiler mit einem Kräutertrank beginnen – wenn er doch durch die bloße Magie seiner Hand jede Krankheit zum Verschwinden brachte?
Während diese Gedanken wie Fieberbilder hinter Sannos Stirn

vorbeitanzten, hatte er auf einmal den Eindruck, dass er von jemandem beobachtet wurde. Es war kein beunruhigendes Gefühl, im Gegenteil – es war eher so wie in gewissen Wachträumen, die ihn manchmal umgaukelten. Angenehmen kleinen Fantasien, in denen er von jungen Frauen angelächelt wurde – liebreizenden Maiden, die Mutter Heidlinde ähnelten. Aber je älter Sanno wurde, desto klarer ließ ihr Lächeln erkennen, dass sie mehr als nur mütterliche Gefühle für ihn hegten.
Mittlerweile war die Menschenmenge so dicht gedrängt, dass er nur noch den Kopf hin und her drehen konnte. Von den Schultern abwärts saß er fest in einem Meer aus Menschenleibern. Sanno schaute sich nach allen Seiten um. Das Mädchen steckte ein paar Schritte vor ihm im Gedränge, sie stand halb zu ihm umgewandt, und jetzt schlug sie hastig den Blick nieder, aber zu spät – er hatte eben noch ihre Augen gesehen. Dunkelblau, leuchtend wie das Blau des Nordmeers, das in jeder von Vater Lamberts Geschichten vorkam. Ein schmales, blasses Gesicht, gerahmt von strohblonden Haaren, die sie zu Zöpfen geflochten trug. Und jetzt hob sie ihre Lider wieder und schaute ihn an, mit einem ganz leisen, wehmütigen Lächeln.
Sanno wurde ein wenig weich in den Knien. Im selben Moment erhielt er von hinten einen Stoß, die Menge schob sich weiter, durch das enge Öhr der Gassenmündung hinab auf den breiteren Marktplatz.
Auch der Untermarkt war freilich schwarz vor Menschen und Buden, Karren und Wagen, und Sanno musste mehrere Minuten lang kämpfen, damit er nicht auf den tieferen Teil des Platzes abgedrängt wurde. Als er Keta erblickt hatte, die mit mürrischem Gesicht hinter ihrer zum Verkaufsstand umgebauten Karre stand, schaute er sich abermals nach links und rechts um.
Aber wie er sich auch den Hals verdrehte, von dem Mädchen mit den Nordmeeraugen war weit und breit nichts mehr zu sehen.

11

Ziellos schoben sich Hunderte Schaulustiger durch die überfüllten Gassen, und mit jedem Schritt, jedem neuen Gerücht stieg die allgemeine Erregung noch weiter an. Sanno ließ sich mit der umherwogenden Menge treiben – bis zur Kinzig hinab, durch die ärmlichen Viertel hinter der Burg und dann plötzlich im Laufschritt wieder hinauf in die Oberstadt. Wie Keta auch geschimpft und gezetert hatte, er hatte sich nicht erweichen lassen. Heute musste die Magd das Specificum allein verkaufen, den Beutel voller Münzen gegen Diebe und gierige Wächter verteidigen – er selbst hatte Wichtigeres zu tun! Im alles entscheidenden Moment, wenn Faust seine Wunder vorführte und urplötzlich der Inquisitor erschien – dann musste er, Sanno, zur Stelle sein.

Angeblich war der große Magier längst in der Stadt. Mal hieß es, er werde beim höchsten Sonnenstand auf dem Obermarkt auftreten, kurz darauf – zur nämlichen Stunde unten am Schifftor. Man munkelte, dass sich der Boden auftun werde und der Teufelsbündler auf einem Glutstrahl emporgeritten käme. Wieder andere verkündeten mit Verschwörermiene: Um die Häscher von Monsignore Taurus zu foppen, werde der Herr Faust erst im allerletzten Augenblick die Stätte seines Erscheinens kundtun – und zwar mittels Gedankenübertragung! Wer reinen Herzens darauf brenne, seinen Wundern beizuwohnen, der werde im rechten Augenblick eine Stimme in seinem Kopf vernehmen, die ihm, hallend wie Gongschläge, den Weg weisen werde. Wer dagegen Übles gegen Faust im Schilde führe, in dessen Schädel würden tausend Teufel so schrecklich zu kreischen beginnen, dass der Unselige unverzüglich seinen Verstand verliere.

Wie alle anderen war auch Sanno längst in einem Zustand fiebriger Erregung. Unablässig lauschte er nach allen Seiten und versuchte herauszufinden, welches der Gerüchte um Fausts angebliches Auftauchen zumindest einen Hauch von Wahrscheinlichkeit verströmte. Er mischte sich in Gespräche ein, wurde belehrt oder ausgelacht, aber mit den meisten Antworten war wenig anzufangen. Wie Faust aussah, konnte ihm niemand erklären. Mal war er stämmig, mal hochgewachsen, hier trug er einen Spitzbart wie Vater Lambert, dort einen wallenden Vollbart wie der Kaiser Barbarossa, dem Gelnhausen die mächtige Burg und das Stadtprivileg verdankte.

Es waren eben alles nur Gerüchte, dachte Sanno schließlich, oder vielleicht hatte Herr Faust seine Pläne auch geändert, weil er es mit dem Inquisitor und seinen Gefolgsleuten lieber doch nicht aufnehmen wollte. Waren denn nicht verdächtig viele Stadtbüttel im Gedränge unterwegs? Und all die hageren Männer mit den schütteren Haarkränzen, deren Blicke ruhelos über die Menge streiften – wer konnte das anderes sein als die Mönche vom Orden der Hexenjäger, auch wenn sie ihre mit dem Strick gegürteten Kutten heute ausnahmsweise gegen Bürger- oder Bauerngewänder vertauscht hatten?

Doch dann, wie aus dem Nichts, der Ausruf: »Auf dem Obermarkt!« – und sofort spürte Sanno, dass es diesmal stimmte. Er hätte nicht einmal sagen können, ob er den Ruf tatsächlich gehört hatte oder ob er in seinem Kopf erklungen war, aber das spielte auch längst keine Rolle mehr: Wie Hunderte anderer, Jung oder Alt, Arm oder Reich, Bauer oder Krämer, Magd oder Handelsherr, rannte Sanno die steilen Gassen hinauf, so schnell seine Beine ihn trugen, so rasch das Gedränge es irgend erlaubte. Schon von Weitem sah er Faust ganz genau vor sich, wie die Leute ihn in atemlosen Ausrufen vor sein geistiges Auge malten – unter dem Petersturm auf einem Sockel stehend, im langen Umhang, ein noch junger Mann von so strahlender Schönheit, dass Männer wie Weiber bei seinem bloßen Anblick Schreie des Entzückens ausstießen.

»Er trägt ein Hemd aus Schwanenfedern«, behauptete einer, gerade als Sanno an ihm vorbeilief. »Und auf dem Rücken hat er gewaltige Schwanenflügel, mit denen fliegt er einfach davon, wenn Monsignore Tausendfuß ihn in die Zange nehmen will.« Der Sprecher deutete mit gestrecktem Arm zum Himmel empor, und Sanno glaubte ihm aufs Wort – aber ja, der Magier würde einfach davonfliegen, warum denn nicht? Dem Herrn Faust war doch offenbar alles möglich.

Als Sanno endlich auf dem Marktplatz ankam, war das Spektakel schon im Gang. Weithin sichtbar auf dem Sockel neben der Kirche stand ein hochgewachsener Mann mit blondem Haar und spitzem Bart, auf dem Kopf einen schimmernd grünen Hut mit Falkenfeder. Vom Schwanenhemd war unter seinem Umhang nichts zu sehen, aber gewiss bezweifelte niemand in der tausendköpfigen Menge, dass der herrliche Herr dort oben alles vermochte – Gold erschaffen, in die Zukunft schauen, mit seinen Händen heilen, und ganz bestimmt auch fliegen.

Sanno schlängelte sich noch ein paar Schritte weiter ins Gedränge hinein, aber gleich schon vergaß er, was er vorgehabt hatte. Wie versteinert blieb er stehen und starrte zu Herrn Faust hinüber. Er spürte die Macht, die von dem Magier ausging.

Herr Faust hob die Hände, malte einen Schnörkel in die Luft, und im nächsten Moment tanzten glühende Kugeln auf den Spitzen seiner beiden Zeigefinger. Er ließ seinen Blick über die Menge schweifen, und die Leute seufzten und stöhnten wie unter einer körperlichen Berührung – halb Streicheln, halb schmerzhafter Schlag. Er schüttelte seine Hände mit großer Gebärde, da stiegen die Kugeln zischend und Funken sprühend in den Himmel empor. Wie alle anderen legte Sanno seinen Kopf in den Nacken, um den Feuerbällen hinterherzusehen, und währenddessen begann Herr Faust mit schallender Stimme zu sprechen.

»Die Pfaffen prunken wie seit anderthalbtausend Jahren mit den

Wundern des Erlösers – als ob man ein Gottessohn sein müsste, um Wasser in Wein zu verwandeln oder trockenen Fußes einen See zu überqueren. Ich aber sage euch – solche Zauberei kann jeder lernen, wenn er wie ich die geheimen Schriften studiert und sich von den stinkenden Madensäcken auf den Fürstenthronen und Bischofssesseln nicht das Denken verbieten lässt!«

Die Leute ächzten und starrten, die Münder halb geöffnet, die Gesichter fiebrig rot. Hoch über ihnen stand der Magier auf dem Sockel, und seine Hände malten schnörkelreiche Figuren in die Luft. Währenddessen strich sein Blick unablässig über die Menge, ruhte hier für einen kurzen Moment, bohrte sich dort in ein Augenpaar, glitt dann langsam weiter, heiß und spitz wie Spieße im Schmiedefeuer.

Sanno fühlte sich immer unbehaglicher, je länger er eingekeilt in der Menge stand. Er kam sich vor wie ein gefangener Fisch, der mit Hunderten anderer Fische im Netz zappelt. Irgendetwas drängte ihn, sich noch näher an Faust heranzuschieben, doch genauso gebieterisch verspürte er den Drang zu fliehen, so viele Schritte wie überhaupt möglich zwischen sich und den unheimlichen Zauberer zu legen. Er wagte kaum noch, seinen Blick zu Herrn Faust zu erheben, es kam ihm so vor, als ob die ganze Gestalt dort oben aus Augen bestünde, mit großen Augen übersät wäre, wie die Flügel mancher Schmetterlinge, und als ob aus diesen Augen unzählige blendende Strahlen brächen, die den ganzen Platz, die ganze tausendköpfige Menge mit einem Netz aus Licht umfingen.

Hier und dort wurden Seufzer oder halb erstickte Schreie ausgestoßen – bestimmt von Leuten, die Fausts Blick durchbohrt hatte. Sanno machte einen matten Versuch, sich aus dem Gedränge wieder herauszuwühlen, aber er kam keinen Schritt mehr voran. Und dann vergaß er erneut alles andere – Faust begann wieder zu sprechen.

»Ihr sollt *glauben,* sagen die Pfaffen – glauben, dass Gott die Toten zum Leben erwecken kann, dass er aus Lehmbrocken Menschlein backen kann und andere Wunder mehr. Ich aber frage euch – warum soll ich mich damit begnügen, an die Wunder der Pfaffen zu *glauben,* wenn ich selbst viel größeren Zauber vollbringen kann?« Metallisch dröhnte seine Stimme über den Platz. »Wenn ihr schon beten wollt, ihr Pfaffengeschmeiß«, schrie er, »dann betet Herrn Faust an, denn er beherrscht alle Wunder eures Gottes und noch ein paar Dutzend mehr!«
Während dieser frevlerischen Reden warf Faust unablässig Gegenstände in die Luft, die sich vor den Augen der Zuschauer verwandelten – Lehmbälle wurden zu funkelnden Goldkugeln, ein Lumpentuch entfaltete sich im Flug und war plötzlich ein Huhn, das gackernd, mit unsicherem Flügelschlag, Fausts Kopf umkreiste. Schließlich stieg ein hölzernes Kruzifix, gemächlich um sich selbst rotierend, in die Höhe – und war auf einmal ein winziger Baum mit weggespreizten Ästen, an denen grünes Laub und rotbackige Äpfel prangten.
Der Paradiesbaum! Faust fing das Wundergebilde mit einer raschen Bewegung wieder auf, noch immer hing der Gottessohn daran, nur war er jetzt an einen Apfelbaum genagelt. Sanno verstand nicht einmal annähernd, was da vor ihrer aller Augen passierte. Aber er spürte ganz deutlich, dass es Faust vornehmlich um eines ging – die Pfaffen herauszufordern, den Klerus zu verhöhnen, den er mehr als alles auf der Welt zu hassen schien. Jesus Christus – gekreuzigt am Baum der verbotenen Frucht! Und er selbst, Faust, wollte fortan von den Pfaffen als Gottheit verehrt werden? Das klang nun wirklich mehr nach teuflischem Hochmut als nach der christlichen Demut, die auch Pater Rato an jedem Sonntag predigte.
Sanno schaute verstohlen nach links und rechts – diesen Spott würde sich Monsignore Taurus gewiss nicht lange gefallen las-

sen. Gleich musste doch der Hexenjäger auf dem Platz erscheinen, mit einem Gefolge bewaffneter Schergen, die sich auf den Teufelskerl stürzen, ihn fesseln, in den Kerker werfen würden – sofern Faust es nicht vorzog, durch die Lüfte zu entfliehen oder in einem Höllenspalt zu verschwinden.

Die Menge wurde immer unruhiger. Neben Sanno begann eine junge Frau zu schreien – mit verdrehten Augen warf sie die Arme empor, und ein irrsinniges Grinsen verzerrte ihr Gesicht, über das der Schweiß in Strömen lief. Überall auf dem Platz erklangen nun ähnliche Schreie, ein Heulen und Ächzen, dem unheimlicherweise überhaupt nicht anzuhören war, ob es sich um Angst- oder Schmerzensschreie handelte, um ein Japsen aus Lust, Grauen oder Ekstase.

»Euer Gott hat Kreaturen aus Dreck erschaffen?«, schrie Faust unter dem Petersturm. »Das will ich gerne glauben – denn ich selbst habe es Ihm nachgetan!« Plötzlich hielt er ein bauchiges Gefäß aus dunklem Glas in der Hand, das in der Nachmittagssonne unheilvoll funkelte. Faust hob es hoch empor, schwenkte es wie einen Weinkrug, sodass man den Inhalt weithin glucksen und schwappen hörte. Ein Korken verschloss den Hals der gläsernen Kanne – Faust riss ihn heraus, fuhr bis zum Handgelenk hinein, und als er die Hand wieder hervorzog, zappelte darin eine schimmernd bleiche Kreatur.

Gütiger Gott, dachte Sanno, was hat er da? Was ist das nur – ein Fisch? Ein Frosch? Um Himmels willen, was windet sich da in der Faust des Herrn Faust? Sanno vergaß beinahe zu atmen. Alle starrten auf das zappelnde Wesen, aus dessen Mund – oder Maul? – nun zirpende Klagelaute drangen. Die Kreatur war nicht länger als Sannos Hand, mit knochendünnen Beinchen, zum Erbarmen dürren Ärmchen, einem kümmerlich zerdrückten Rumpf, auf dem ein schauerliches Knollenköpfchen saß. Keinen Deut anders als bei den Wurzelmännchen, die Sanno in früheren

Jahren allherbstlich zusammen mit Keta gebastelt hatte – mit Stöckchen für Hals, Arme und Beine, einem dicken Strunk für den Körper und einem kleinen für den Kopf – nur dass die Kreatur in der Hand des Zauberers offenkundig lebte! Oder handelte es sich etwa um eine Fadenpuppe, die der Magier mit übermenschlichem Geschick an unsichtbaren Fäden bewegte?
Faust zog nun seinen Hut vom Kopf, drehte ihn um und setzte das nackte kleine Wesen hinein. Für einen Moment war es nicht mehr zu sehen, aber gleich schon kam eine winzige, knochenbleiche Hand zum Vorschein, dann eine zweite, die sich gleichfalls um die Krempe krallte, und so zog sich die Kreatur in die Höhe und stand aufrecht, zitternd vor Mühsal, in Fausts Hut!
Just in diesem Moment begannen die Glocken über dem Zauberer dröhnend zu läuten – anscheinend war der Glöckner auf den Petersturm hinaufgeschickt worden, um den Magier zumindest mundtot zu machen oder vielleicht auch, um Gottes unmittelbares Eingreifen zu erflehen.
Das Ergebnis war ein schrecklicher Wirrwarr. Die Glocken donnerten, die Leute schrien. »Die Schwarzkutten!«, brüllte irgendjemand, die Stimme überkippend vor Angst. Alle rannten durcheinander, versuchten den Platz zu verlassen, ehe die Hand eines Hexenjägers sich auf ihre Schulter legen konnte.
Auch Sanno mühte sich verzweifelt, aus der schreienden, drängelnden Menge wieder herauszukommen. Trotz des ungeheuren Lärms hörte er immer noch Fausts weithin schallende Stimme, aber zu verstehen war nichts mehr. Andere Männerstimmen mischten sich hinzu, grob und befehlsgewohnt. Das mussten die Büttel sein, von Monsignore Taurus ausgesandt, um Faust zu ergreifen.
Ich muss auch dort hinauf, dachte Sanno, koste es, was es wolle! Er würde Faust anbetteln, einen Blick in seine Vergangenheit zu tun, falls es sich trotz all dem Durcheinander noch ergab. Und

wenn der Inquisitor dort oben beim Sockel erscheinen würde, um seinen Widersacher höchstselbst zu verhaften, dann musste er erst recht zur Stelle sein, um Monsignore Taurus den Brief zu übergeben und ihm zu erklären, was letzte Nacht im Wald geschehen war. Im Moment allerdings fühlte sich Sanno durch Lärm und Gedränge, durch Fausts teuflische Reden und noch höllischere Wundertaten so benommen, dass er kaum einen verständlichen Satz hätte hervorstammeln können. Die bleiche Kreatur aus dem dunklen Glas, hatte der Magier die wirklich selbst erschaffen – ein winziges Wesen, nicht größer als Sannos Hand? Wie ganz und gar grauenvoll, dachte er, und trotzdem, oder gerade deswegen – ich muss hinauf zum Herrn Faust!
Sanno beschloss, sich von der Menge zum Rand des Obermarkts ziehen zu lassen, dort jedoch außen um die Peterskirche herumzulaufen, um sich von hinten her neuerlich dem Magier zu nähern. Aber er war noch nicht ganz in den Schatten der gewaltigen Kirche eingetaucht, als vom Turm her Schüsse knallten – anscheinend wurde auf Herrn Faust gefeuert, wenn nicht er selbst die Explosionen hervorgerufen hatte, was allerdings auch sehr gut möglich war.
Die Leute jedenfalls rannten jetzt alle schreiend davon, vom Marktplatz hinab in die untere Stadt, und Sanno wurde mitgerissen, wie verzweifelt er auch gegen den Strom der stampfenden, schwankenden, strauchelnden Leiber anzukämpfen versuchte. Im Nu waren sie am Gasthaus zum Löwen vorbei und in der Langgasse, wo das Gedränge noch sehr viel ärger war.
Sanno ergab sich in sein Schicksal – um jetzt doch noch zu Herrn Faust hinaufzugelangen, müsste er selbst ein Federhemd mit Schwanenflügeln besitzen. Aber er war wie alle anderen auf seine Füße und Beine angewiesen, also musste er Obacht geben, damit er nicht einfach niedergetrampelt wurde.
Die Glocken waren wieder verstummt, umso lauter knallten neu-

erlich Schüsse vom Obermarkt herab. Alles schrie durcheinander, und Sanno bekam schmerzhafte Püffe in den Rücken. Hinter ihm wurde geflucht und gezetert, aber es ging nun einmal nicht weiter, er konnte es doch auch nicht ändern! Schließlich konnte er sich ja nicht einfach in Luft auflösen, und selbst wenn – was hätte es den Dränglern in seinem Rücken genützt? Anscheinend war die ganze Langgasse, bis zum Untermarkt hinab, mit Leuten, Karren und Lasttieren vollgestopft wie ein Presssack mit Schweinswurst.

Sanno konnte kaum mehr Atem holen, so sehr drückte ihn die Menge zusammen. Mühsam drehte er seinen Kopf, und da plötzlich sah er wieder das Mädchen mit den blonden Zöpfen und den dunkelblauen Nordmeeraugen.

Sie stand zwei Schritte rechts von ihm, neben der Mündung einer schmalen Gasse, die steil abwärtsführte, zum tief gelegenen Uferviertel hinab. Durchdringend sah sie Sanno an, mit einem bittenden, schüchternen Lächeln. Aber das hatte er sich doch bestimmt nur eingebildet – warum sollte sie ihm denn zulächeln, einem ihr gänzlich Fremden?

Während er noch darüber nachdachte, hatte Sanno bereits begonnen, sich seitwärts durch die Menge zu drängeln. Ob sie ihn nun angelächelt hatte oder nicht – hier oben ging es sowieso keinen Schritt mehr voran, und in der schmalen Gasse dort drüben würde er zumindest nicht zwischen den Leuten zerquetscht werden.

Nach einem letzten Blick zu ihm wandte sich das Mädchen um, gerade als er sich zwischen zwei beleibten Bäuerinnen hindurchschlängelte. Dann endlich hatte er sich freigekämpft und eilte hinter ihren hüpfenden Zöpfen her, die abschüssige Gasse hinab, die kaum mehr war als ein Spalt zwischen den Häusern – der Boden mit Unrat übersät und der Himmel nur noch ein dünner blauer Strich hoch über ihm.

12

Sanno folgte dem Mädchen mit den Nordmeeraugen durch ein Gewirr aus Gassen und Treppen, im Zickzack immer tiefer hinab. »Warte doch«, rief er ihr einmal zu, aber so leise, dass sie ihn unmöglich hören konnte. Kurz darauf wandte sie dennoch den Kopf zu ihm zurück, und diesmal war kein Zweifel möglich – sie lächelte ihn an, scheu und auffordernd zugleich.

Was konnte sie nur von ihm wollen? Wohin wollte sie ihn führen? Es war nichts Ungewöhnliches, dass Schausteller oder Wahrsager versuchten, auf diese Weise Publikum zu ihren Buden zu locken – zumal wenn sie von der Obrigkeit an entlegene Orte abseits der belebten Märkte verbannt worden waren. Aber die halbwüchsigen Anpreiser, die an Markttagen zuhauf in der Oberstadt umherschweiften, waren normalerweise keine scheuen Maiden, sondern dreiste Burschen, die mit lautstarken Übertreibungen die Neugier der Leute zu wecken versuchten.

Und dennoch hatte Sanno das Gefühl, dass er genau das Richtige tat, indem er dem blonden Mädchen folgte. Auch wenn er kaum mehr laufen konnte vor Müdigkeit und auch wenn sie ihn scheinbar in die falsche Richtung führte – mit jedem Schritt weiter weg von Herrn Faust und Monsignore Taurus und ebenso von Keta, die ihn nachher bestimmt schrecklich ausschimpfen würde. Mittag war schon lange vorüber, seit sechs Uhr in der Frühe musste die alte Magd allein die Arbeit erledigen, die sie sonst zu zweit nur mit Mühe schafften. Aber heute interessierten sich wahrscheinlich sowieso nicht so viele Leute für ihren Heiltrank – die Stadt war ja buchstäblich von Herrn Faust verhext.

An das grässliche Geschöpf aus dem Glaskrug oder an das schaurige Gefühl, dass Fausts schiere Gegenwart in ihm hervorgerufen hatte, wollte Sanno jetzt allerdings lieber nicht denken. War es nicht sowieso alles nur Augentäuschung gewesen, durch irgendwelche Kunstgriffe hervorgerufene Illusion? Denn wie sollte es möglich sein, dass man durch bloßes Emporwerfen Dreck in Gold oder gar ein Kruzifix in einen winzigen Paradiesbaum verwandelte?

Nur ganz gedämpft noch drangen Laute aus der Oberstadt zu ihnen herab – Schreie, Rufe, ab und an leises Knallen wie von Schüssen. Je tiefer es hinunterging, desto fremder kam Sanno alles vor. In diesem Viertel war er niemals vorher gewesen – niedrige, windschiefe Häuschen, eher schon Hütten, manche halb verfallen, Steine und Lehm glitzernd vor Feuchtigkeit. Offenbar befanden sie sich im tiefsten Teil der Stadt, dem Uferviertel, das mehrmals im Jahr von der Kinzig überflutet wurde.

Einige Schritte hinter dem Mädchen trat Sanno schließlich aus dem Gewirr der Hütten und Gassen. Mehrfach hatte er versucht, zu ihr aufzuschließen, aber sie war flink wie ein Reh vorangelaufen und er schwerfällig hintendreingestolpert, hölzern vor Müdigkeit. Nun musste er für einen Moment geblendet die Augen schließen – vor ihm wölbte sich eine Holzbrücke über den Fluss, dahinter dehnte sich eine Wiese, an deren linker Seite ein stattliches Steinhaus stand.

Aber natürlich – das musste die Zehntscheune sein! Jetzt kannte sich Sanno wieder aus. Dort drüben lieferten die Bauern ihren Zehnten für den Fürsten ab, und immer an Markttagen bauten Gaukler, Wahrsagerinnen und Quacksalber, die keinen Zutritt zu den Marktplätzen erhielten, ihre Buden und Zelte hier unten an der Uferbleiche auf.

Das Mädchen stand schon auf der Brücke, eine Hand am Geländer, und als Sanno neben sie trat, lächelte sie ihn wieder schüchtern an. »Wie . . .«, begann er und musste sich erst die Kehle freiräuspern, »wie heißt du eigentlich?«

»Lunja.« Ihre Stimme war so zart wie ihre Gestalt, so hell wie ihre fast durchscheinende Haut.

Obwohl sie ihn nicht danach fragte, nannte auch er ihr seinen Namen. »Und wohin führst du mich, Lunja?«
»Du wirst schon sehen.« Aus der Nähe war das Blau ihrer Augen noch leuchtender. »Mit der zauberischen Hilfe von Meister Herbold.«
Damit eilte sie weiter, und Sanno stolperte neuerlich hinter ihr her. Also zu einem Magier brachte sie ihn? Nach den Darbietungen des Herrn Faust hatte er für heute eigentlich genug von sinnverwirrenden Zaubereien. Aber noch immer sagte ihm sein Gefühl, dass es richtig war, mit ihr zu gehen.
Sie überquerten die Brücke und folgten dem schlammigen Pfad hinunter zur Uferbleiche. Die Wiese federte unter den Füßen und schien bei jedem Schritt leise zu glucksen. Ein Meer von Buden und Zelten bedeckte die weite Fläche, aber anscheinend hatten nur wenige Schaulustige den Weg hierher gefunden.
Eine Seherin mit flammend roten Haaren legte, einsam in ihrer Bude hockend, mit trübseliger Miene die Karten für sich selbst. Zwei Gaukler begannen mit Keulen und Kugeln zu jonglieren, als Sanno und Lunja bei ihrem Wagen vorbeikamen, und Sanno nickte ihnen im Vorbeigehen anerkennend zu. Die Luft war schwer und dunstig. Die Kinzig bildete hier ein bauchiges C, das die Wiese auf drei Seiten umschloss. Selbst das Gesicht des dicken Mannes, der reglos auf einem Schemel neben seinem gewaltigen Wagen saß, schimmerte vor Schweiß.
Im Weitergehen schaute Sanno über die Schulter zurück, um herauszufinden, was der Wagen enthalten mochte – er war mit schwarzem Eisen beschlagen und sah aus wie ein Verlies auf Rädern. Selbst die schmalen Fenster an der Vorderseite waren mit Eisenstäben vergittert. »Was ist da drin?« Er blieb stehen und deutete auf den Wagen.
»Arme, bedauernswerte Geschöpfe.« Lunjas Stimme zitterte. »Ein Mädchen mit zwei Köpfen und zwei Brüder, die von hier bis hier zusammengewachsen sind.« Sie zeigte auf ihre Schulter,

dann auf ihre Mitte. »Und ein Mann, der aussieht wie ein Affe – mit einem dicken braunen Fell im Gesicht und am ganzen Leib, aber er kann sprechen. Und erst gestern habe ich gehört, wie er ... ach, der Arme ... Er hat herzzerreißend geweint!«
Sie konnte nicht weiterreden, Tränen schienen ihr die Kehle zu verschließen. »Die Brüder heißen Huck und Muck«, brachte sie schließlich hervor, »heute früh habe ich kurz mit ihnen gesprochen. Aber ihr Besitzer will das nicht, der dicke Mann dort – er heißt Godobar, und er jagt jeden fort, der ohne seine Erlaubnis mit ihnen redet.« Sie nahm Sannos Hand und zog ihn weiter. »Besser, wir bleiben nicht so lange hier stehen. Siehst du, wie Godobar uns anschaut?«
Sanno nickte. Ein Frösteln lief ihm zwischen den Schulterblättern hinab.
»Die Brüder sind nur wenig älter als ich – fünfzehn Jahre«, fuhr Lunja fort, »das Mädchen mit den zwei Köpfen ist etwas jünger – vielleicht zwölf oder dreizehn. Mit ihr habe ich noch nicht sprechen können, aber es ist ja offensichtlich, dass sie alle furchtbar unglücklich sind. Und wie könnte es auch anders sein? Der dicke Mann hält sie wie Tiere gefangen und stellt sie zur Schau.«
Sanno schaute in Lunjas Augen, die vor Tränen schwammen. Sie schüttelte den Kopf, ihr Mund zuckte. »Schon gut«, sagte er schnell, »denk nicht mehr dran. Wo ist denn nun dieser Magier, zu dem du mich bringen wolltest?«
Sie deutete auf ein unscheinbares kleines Zelt ein paar Schritte vor ihnen. Eigentlich war es nur ein wackliges Gestänge, behängt mit ausgeblichenen Lumpen. Auf einem Schild, das neben dem Eingang an einem Pflock hing, stand in roter Krakelschrift: *Wahrsager Herbold sieht dein geheimstes Seelenbild und malt es auf! Nur 1 ½ Pfennige.*
Lunja bückte sich und hob eine Plane empor. Mit einem mulmigen Gefühl folgte ihr Sanno ins Zelt.

Der Wahrsager Herbold war ein hochgewachsener Mann, beinahe so hünenhaft wie Vater Lambert, aber hager wie der Tod. Scharfe Falten überzogen sein Gesicht, kreuz und quer wie dürres Gezweig im Wald. Das schlohweiße Haar hing ihm bis auf die Schultern, die wie die ganze Gestalt mit einem schwarzen Umhang verhüllt waren. Weit vorgebeugt stand Herbold hinter einem Stehpult, dessen Ränder er mit knochigen Händen umklammert hielt. Seine Augen blickten so starr, dass Sanno zuerst glaubte, es wären Murmeln aus dunklem Glas.

»Setz dich dorthin.« Herbolds Stimme war nur ein raues Flüstern. Er deutete auf einen Schemel, und Sanno nahm zögernd Platz.

Im Zelt war es eng und düster wie in einem Erdloch. Vom Gestänge hingen Spiegel, Messingteller und andere schimmernde Dinge an Schnüren und Drähten herunter und sprenkelten die Düsternis mit ihrem Widerschein.

»Lunja erkennt Suchende wie dich an den Augen, am träumerischen Seelenblick.« Der Wahrsager kam um sein Stehpult herum und ging vor Sanno in die Knie. Für einen langen Moment hockte Herbold einfach da und starrte ihn so durchdringend an, dass Sanno ganz beklommen zumute wurde. »Wie heißt du, Junge?«

Wieder nannte Sanno seinen Namen. In seinem Rücken spürte er Lunja, die sich weiter hinten im Zelt mit irgendetwas zu schaffen machte, aber unter dem Blick des Wahrsagers war es ganz unmöglich, sich zu ihr umzudrehen.

»Und du willst dein geheimstes Seelenbild kennenlernen, Sanno?«

»Ja.« Er antwortete flüsternd, nur dieses eine Wörtchen. Im gleichen Moment begann sein Herz wie verrückt zu schlagen. Ja, das will ich, dachte er. Nichts lieber als das, seit so vielen Jahren schon.

Da zündete Herbold ein Kienholz an und hielt es in eine kleine Schüssel, aus der es sogleich in nebelgrauen Schwaden zu dampfen begann. Er stellte das Gefäß unter den Schemel, sodass Sanno vom aufsteigenden Qualm umwabert wurde. »Schau auf den Spiegel vor dir«, murmelte der Wahrsager. »Er bewirkt, dass deine Seele auf sich selbst gerichtet wird und dein Verstand in Schlummer fällt. Je mehr du dich in den Spiegel vertiefst, desto tiefer wirst du in dich selbst hineinsehen und mit desto größerer Klarheit.«

Sanno schaute in den trüben Spiegel, der zwischen den Schwaden ganz sachte hin und her schwang. Sein Geist wurde benommen, auch die Geräusche um ihn herum erklangen auf einmal viel langsamer. Dunkel wie ein Grollen aus der Erde drang das Gemurmel des Wahrsagers an sein Ohr. Von irgendwoher ertönte ein jammervoller Schrei – vielleicht von dem Verlieswagen, dachte er und vergaß im nächsten Moment, woran er eben gedacht hatte. Jetzt sah er nur noch bunte Dunstschleier vor sich, die dahinschwebten, wie Wolken über den Himmel ziehen. Sanno musste lächeln, so anmutig wehten die farbigen Schleier vor seinen Augen hin und her. Und dann lösten sie sich mit einem Mal auf, und dahinter kam ein schwarzes Loch zum Vorschein, das ihn mit unheimlicher Macht ansog. *Das ist gar kein Spiegel*, dachte er, *das ist ein Abgrund!* Verzweifelt versuchte er aufzustehen, davonzurennen, weg von dem schwarzen Loch, aber da fiel er schon, taumelte und stürzte kopfüber in den nachtfinsteren Schacht seiner eigenen Seele hinein.

Als Sanno zu sich kam, lag er auf seiner linken Seite am Boden, die Knie bis zur Brust heraufgezogen. Sein Kopf tat zum Zerspringen weh. Er versuchte einzuatmen, und seine Lunge zerplatzte beinahe in einem schrecklichen Hustenkrampf.

Eben beugte sich der Wahrsager über ihn hinweg und warf Hände voll Sand in die kleine Schüssel, um den Qualm, der immer noch von der Flüssigkeit aufstieg, zu ersticken. Währenddessen schlug Lunja die Plane im Eingang zur Seite, sodass frische Luft ins Zelt strömen konnte.

»Was für ein . . . Teufelszeug . . .« Sanno hustete und krächzte.

»Was habt Ihr . . . mir da . . . eingeflößt?« Mit einer Hand fühlte er über seinen schmerzenden Kopf, mit der anderen tastete er nach seiner Herztasche. Gott sei Dank, der Brief war noch da, ebenso der kleine Brustbeutel, den er auf Reisen immer bei sich trug, mit ein paar Pfennigen für den Notfall.

»Trink das hier, Sanno.« Lunja kauerte sich neben ihn, einen Becher mit dampfendem Inhalt in der Hand. »Misteltee – nimm einen Schluck, und dein Kopf wird wieder klar.«

Misstrauisch sah er sie an, doch ihr besorgtes Lächeln und das Leuchten ihrer Nordmeeraugen ließen jeden Argwohn rasch verfliegen. Unablässig spürte er den Blick des Wahrsagers auf sich. Herbold stand wieder hinter seinem Pult, in der Hand hielt er nun einen zusammengerollten Leinwandfetzen. Ob er darauf das Seelenbild gemalt hatte? Sanno konnte nicht daran denken oder zu dem Fetzen hinschielen, ohne dass sich ihm Hals und Magen zusammenzogen. Erst musste er ein wenig zu Kräften kommen, dann würde er sich das angebliche Seelenbild ansehen. Vielleicht war es ja sowieso nur ein betrügerisches Gekritzel.

Mühsam rappelte er sich auf. Seine Beine fühlten sich so wacklig an, dass er gleich wieder auf den Schemel sackte. In kleinen Schlucken trank er von dem heißen Gebräu, während Lunja neben ihm murmelte: »*Sicy cucuma – ucuma – cuma – uma – ma . . .*«

Verwundert sah er das Mädchen an. »Diesen Spruch kenne ich – Keta, unsere alte Magd, raunt ihn mindestens einmal am Tag. Aber nach ihrer Meinung hilft er nicht gegen Kopfweh, sondern bei Blutungen und offenen Wunden.«

Lunja hob die zierlichen Schultern unter dem hellen Leinenkleid. »Es kommt eben darauf an.« Sie lächelte unergründlich. Auf einmal kam sie Sanno gar nicht mehr so schüchtern vor wie vorhin oben in der Stadt.

»Genug getändelt.« Mit zwei raschen Schritten war der Wahrsager bei ihnen. Sein Umhang bauschte sich wie Falkengefieder,

seine Augen funkelten. »Hier ist dein Seelenbild, Junge – sieh es dir an und lass hören, was dir dazu einfällt.« Er entrollte den Leinwandfetzen und hielt ihn Sanno vor die Nase.
Der Becher fiel Sanno aus der Hand, aber Sanno nahm es kaum wahr. Sein Blick haftete auf dem Bild, das der Wahrsager mit knochigen Fingern vor ihm ausgespannt hielt. Es war nur eine grobe Skizze, mit Kohlestrichen auf den Tuchfetzen geworfen, doch unter Sannos Blick verwandelte sie sich, wurde zum Fenster in eine andere Welt, die ihm fremd und doch unheimlich vertraut schien.
Da war das Nordmeer, mit einer schmalen Landzunge, die weit in die See hinausleckte. Und hoch droben auf dieser Halbinsel, hart am Rand der Steilküste, stand ein düsteres Haus – abweisend wie eine Festung, von hohen Mauern umgeben, mit einem Dach, das so tief herabgezogen war wie der Hut eines Mannes, der sein Gesicht verbirgt.
In Sannos Kopf schwoll ein Tosen an, das Brausen der Brandung, die gegen die Felsküste klatschte, und das Singen der Möwen im Wind. Er presste sich die Faust auf den Mund, um nicht zu schreien. Auf dem Bild waren überhaupt keine Möwen, und doch hörte und sah er sie ganz deutlich vor sich – ihre plumpen Körper, die kräftigen Flügel, die Schnäbel, die sich öffneten und schlossen, während die Vögel über dem schäumenden Wasser kreisten. Sogar den salzigen Geruch der See spürte er in der Nase, und das Blau des Meeres leuchtete so hell, dass seine Augen sich zusammenzogen.
Über das Bild hinweg starrte ihn Herbold erwartungsvoll an, aber Sanno konnte seinen Blick einfach nicht von dem Seelenbild lösen. Er kannte dieses Haus, die Halbinsel, er war dort schon einmal gewesen, vor langer, langer Zeit. Das spürte er ganz deutlich, und ebenso klar fühlte er, dass dort etwas Schreckliches geschehen war. Aber was nur?

Er horchte in sich hinein, schaute in das Bild hinein, und sein Herz raste wie im ärgsten Angsttraum. Nein, er wollte es nicht wissen! Es war bestimmt etwas ganz und gar Grässliches – deshalb hatte ihm ja auch Vater Lambert nie davon erzählen wollen, und deshalb hatte seine Seele dieses Bild so sorgsam vor ihm versteckt. Und noch jetzt, da er ihr das Geheimnis mithilfe des Wahrsagers entrissen hatte, weigerte sie sich, ihm weitere Einzelheiten zu offenbaren. Weil es nicht gut für ihn war, weil er es nicht ertragen würde, noch tiefer in diesem Abgrund herumzuwühlen!
Längst hatten sich Sannos Augen mit Tränen gefüllt. Durch den Schleier hindurch sah er unverwandt das düstere Haus mit dem tief heruntergezogenen Dach an, und der Schrei in seinem Innern wurde lauter und lauter, vermischte sich mit dem irren Gekreische der Möwen und dem Brausen der Brandung tief unter der schroffen Felswand. Und mit dem Stampfen von Schritten und dem Schnarren befehlsgewohnter Stimmen unmittelbar vor Herbolds Zelt.
»Also hier hält er sich versteckt, als harmloser Wahrsager vermummt? Kommt heraus, Faust, Eure Maskerade ist durchschaut!«
Im Eingang erschien eine imposante Gestalt, so hager und hochgewachsen wie Herbold, jedoch in der schwarzen Kutte des Hexenjägers. Seine Lippen waren geschwungen und üppig wie bei einer Frau, seinen Kopf zierte ein burgunderroter Spitzhut mit geschwungener Krempe, der mit Juwelen übersät war. Hinter ihm standen zwei grimmig dreinblickende Büttel. Noch bevor Sanno halbwegs aus den Tiefen aufgetaucht war, in die das Seelenbild ihn hinabgeschleudert hatte, wusste er, dass dieser Mann niemand anderes als Monsignore Taurus war.
»Aber nein, edler Herr, Ihr irrt!« Herbold hatte sich aufgerichtet und zum Eingang hin umgewendet, das wieder zusammengerollte Bild in der Hand. Jetzt verbeugte er sich ein ums andere Mal in Richtung des Inquisitors. »Seht mich doch an, Euer Heiligkeit –

ich bin ja ein alter Mann mit weißen Haaren! Von Magie oder Sternenkunde verstehe ich weniger als nichts – ich bin nur ein Maler, der auf Leinwandfetzen kritzelt, was die werte Kundschaft ihm aus tiefstem Herzen offenbart.« Er entrollte abermals das Bild und wollte es dem Hexenjäger vor die Nase halten, aber Monsignore Taurus wehrte ihn mit einer ärgerlichen Handbewegung ab.

»Verschont mich mit diesen Narreteien. Wächter!« Er trat ins Zelt, und hinter ihm stürmten die beiden Büttel herein, die Säbel gezückt. »Bringt diesen Mann in den Kerker.« Der Hexenjäger deutete auf Herbold, den ein krampfhaftes Zittern überlief.

»Aber ich schwöre Euch, Euer Heiligkeit – ich bin ein frommer Mann, der sich nicht das Geringste hat zuschulden kommen lassen!« Die ganze hagere Gestalt des Wahrsagers schlotterte vor Angst. Als die Büttel ihn grob bei den Schultern packten, entglitt das Seelenbild seiner Hand, und Sanno beeilte sich, den Fetzen aufzufangen und unter sein Wams zu schieben.

»Das werden wir rasch herausfinden.« Der Hexenjäger maß Herbold mit einem Blick, der auch Sanno erschauern ließ. »Ihr werdet mir Euren wahren Namen zuschreien, noch bevor die Sonne untergeht. Ihr werdet mich anflehen, Euch diese alberne Maskerade zu verzeihen. Denn wer Ihr auch sein mögt – derjenige, als den Ihr Euch ausgebt, seid Ihr nicht. Für so etwas habe ich ein untrügliches Gespür.«

»Aber ich versichere Euch . . .«

»Bringt ihn weg.«

Einer der Büttel stieß Herbold die Faust in den Rücken, und er verstummte mit einem atemlosen Klagelaut. Dann schleppten sie den alten Mann davon.

Nun erst wandte sich der hochgestellte Hexenjäger Sanno und Lunja zu. Er musterte sie von oben bis unten und schien sich zu fragen, was sie mit dem vermeintlichen Teufelsbündler zu schaf-

fen hatten. Eben begannen sich die schwellend roten Lippen zu öffnen, da gab sich Sanno einen Ruck.
»Monsignore Taurus, bitte hört mich an. Was für ein Glück, dass ich Euch doch noch gefunden habe.« Er sprang vom Schemel auf und ging mit weichen Knien auf den Mönch zu, der ihn um zweifache Haupteslänge überragte. Sein Kopfweh war wundersamerweise wirklich verflogen, aber er fühlte sich am ganzen Leib zerschlagen und bis in sein Innerstes aufgewühlt. »Ich bin Sanno Lambert, der Sohn von Magister Lambertus aus dem Bosengrund«, fuhr er fort. »Mein Vater hat mir aufgetragen, Euch das hier zu übergeben.«
Mit bebender Hand nestelte er den Brief unter seinem Wams hervor. Durch das häufige Herausziehen und wieder Einstecken war er schon ein wenig unansehnlich geworden, aber das honiggelbe Siegel mit Lamberts Initialen war unversehrt. »Ich selbst war als Augenzeuge dabei«, fügte er hinzu, »ich meine – bei dem Vorfall, den mein Vater in diesem Brief schildert. Und ich flehe Euch an, schont die Müllersmagd Linda – sie trifft keine oder höchstens eine ganz winzige Schuld.«
Der Hexenjäger nahm den Brief mit ausdrucksloser Miene entgegen. Die Juwelen an seinem Hut funkelten wie ein ganzer Sternenhimmel. »Ist das der Junge aus dem Gasthof, Tomaso?« Er wandte sich zu einem weiteren Mann um, der anscheinend draußen vor dem Zelt stand, ihren Blicken verborgen.
Der Angesprochene trat durch den Spalt zwischen den Planen, und wieder blieb Sanno das Herz beinahe stehen, als ihn der Blick aus farblosen Augen traf. »Jawohl, Monsignore, das ist der Bursche«, sagte Savorelli mit heller Stimme. Ein höchst beunruhigendes Lächeln kräuselte seine schmalen Lippen. »Heute früh hat er sich offenbar verschlafen. Aber wunderbarerweise scheint er vorausgesehen zu haben, wo er Euch stattdessen antreffen kann.«
»Nun, es war wohl die himmlische Vorsehung, die seine Schritte

hierhergelenkt hat.« Monsignore Taurus gab den Brief weiter an seinen Sekretär. »Und wer bist du, blonde Maid?«

»Ich ... ich ... heiße Lunja.« Anscheinend wusste sie nicht weiter. Sie knetete ihre Hände ineinander und schaute Hilfe suchend von Monsignore Taurus zu Sanno. Schließlich konnte sie dem Hexenjäger nicht einfach so offenbaren, dass sie bis vor fünf Augenblicken in den Diensten des vermeintlichen Teufelsmagiers gestanden hatte.

»Lunja ist die neue Magd auf dem Gut meines Vaters.« Niemand war überraschter über diese Worte als Sanno selbst. Sie waren ihm plötzlich zugeflogen, keine Ahnung, woher – von Lunja, aus seinem Innern oder vielleicht sogar von dem Seelenbild, das er unablässig in seiner Brusttasche spürte, heiß und pochend wie ein zweites Herz.

»Nun gut, nun gut.« Die schweren Lider über den Augen des Monsignore waren jetzt fast zur Gänze geschlossen. Er wirkte schläfrig und uninteressiert – so als ob die Vernehmung halbwüchsiger Individuen unter seiner Würde wäre. »Wir werden die Zeilen deines Vaters lesen, Junge. Und mit Gottes Hilfe werden wir die richtigen Schlüsse daraus ziehen. Vorerst richte Magister Lambertus unseren Dank aus – wir wissen seine Hilfsbereitschaft sehr zu schätzen.« Er reichte Sanno seine rechte Hand, an der ein gewaltiger Rubin prangte.

Keta hätte ihr vorletztes Hemd für eine solche Gelegenheit hergegeben. Mehr als einmal hatte sie Sanno mit verzückter Miene vorgemalt, wie herrlich es sein musste, derartiger Gnade teilhaftig zu werden. ›Das bringt mindestens so viel Ablass wie eine Wallfahrt nach Rom, Junge!‹ Sanno hatte bereits seinen Kopf gesenkt, um den Ring des Hexenjägers zu küssen, als er Savorelli mit gedämpfter Stimme sagen hörte:

»Sollten wir die beiden nicht auch mitnehmen, damit sie im Kerker weitere Auskunft geben?«

Sanno verdrehte den Kopf nach links, um Lunja anzusehen. Ihre weit aufgerissenen Augen verrieten, dass sie das Gleiche gehört hatte wie er. Würde sich Monsignore Taurus der Meinung Savorellis anschließen? Lunja wollte es offenbar nicht darauf ankommen lassen – im nächsten Moment war sie bei der hinteren Zeltwand, riss die Plane empor und schlüpfte hindurch. Rasch berührte Sanno den Rubin mit seinen Lippen, dann fuhr er herum und folgte Lunja mit einem Sprung, die Arme vorgestreckt wie eine Katze.

Noch während er sich draußen aufrappelte, schaute er sich hastig nach allen Seiten um. Weitere Wächter oder Hexenjäger waren nicht zu sehen. Auch die beiden Mönche im Inneren des Zeltes machten keine Anstalten, ihnen zu folgen oder Alarm zu schlagen. Nur der dicke Mann saß immer noch dort drüben neben seinem schwarzen Kerkerwagen und schaute mit grimmiger Miene zu ihnen herüber.

Wieder wechselten Sanno und Lunja einen raschen Blick, dann rannten sie davon – am Verlieswagen vorbei, durch dessen Gitterfenster ihnen ein braun bepelztes Gesicht hinterhersah, über die glucksende Uferwiese und die Holzbrücke, die unter ihren Schritten polterte und dröhnte, lauter noch als der donnernde Herzschlag in Sannos Brust.

Auf der Flucht vor den Hexenjägern! Und in seiner Herztasche, wo er eben noch den Brief des Vaters verwahrt hatte, steckte jetzt das Seelenbild, das gemalte Fenster in eine andere, unheimlich vertraute Welt. Es war so schnell gegangen wie sonst nur in Träumen – und doch fühlte es sich tausendmal wahrer und wirklicher an als alles, was Sanno in den letzten acht Jahren widerfahren war. Seite an Seite mit Lunja rannte er durch Gassen, über Mauerstege und Treppen auf dem schnellsten Weg in die obere Stadt hinauf.

13

Um Himmels willen, beruhige dich, Keta. Schrei bitte wenigstens nicht so laut herum.«

Von Ketas Gezeter aufgeschreckt, blieben immer wieder Leute am Straßenrand stehen und schauten ihrem Wagen neugierig hinterher. Doch glücklicherweise lag der Untermarkt schon weit hinter ihnen, am Ende der Gasse zeichnete sich bereits das Haitzertor in der beginnenden Abenddämmerung ab.

»Ich soll mich beruhigen, Junge? Gütiger Gott!« Keta bekreuzigte sich ein ums andere Mal in rasender Hast. »Du lässt dich den ganzen Tag nicht blicken, und als du dann endlich kommst, bist du bleich wie der Tod und bringst vor Zittern und Keuchen kaum ein Wort hervor. Ohne eine Erklärung fängst du an, den Wagen zu packen und den Esel anzuschirren. Obwohl es in drei Stunden finstere Nacht ist, willst du heute noch zurück nach Hause fahren – und da soll ich mich nicht aufregen?«

»Schneller, Uda!« Sanno ließ die Peitsche schnalzen. Vielleicht würde Keta ja aufhören zu zetern, wenn er ihr einfach keine Antwort gab. »Du hast dich doch den ganzen Tag über ausgeruht, Uda – im Gegensatz zu mir!« Die Augen fielen ihm beinahe zu, mittlerweile war er so müde, dass er kaum mehr hätte sagen können, ob er wach war oder schon träumte. Aber gleichzeitig fühlte er sich noch immer innerlich so aufgewühlt, dass es in seinem Magen kribbelte und hinter seiner Stirn stürmte und sauste.

»Und als ob das alles nicht schon schrecklich genug wäre«, ereiferte sich die Magd aufs Neue, »verlangst du auch noch, diese dahergelaufene Trine mitzunehmen – mit zu Herrn Lamberts Gut! Allmächtiger Erlöser!«

Sanno brauchte sich nicht umzudrehen, um zu wissen, dass sich Keta wieder mindestens fünfmal am Stück bekreuzigte – wie immer, wenn sie den Herrn im Himmel um Beistand anrief. »Sie

heißt nicht Trine. Ich hab sie dir doch vorgestellt – ihr Name ist Lunja.«
Er lächelte dem Mädchen zu, das neben ihm auf der Kutschbank saß, mit zerzausten Zöpfen und rot gefleckten Wangen, aber Lunja schaute starr geradeaus. Nun ja, auch er selbst fühlte sich nicht gerade zuversichtlich oder gar heiter. Aber solange sie befürchten mussten, dass Monsignore Taurus und der fast noch unheimlichere kleine Sekretär sie suchen ließen, war es besser, sich möglichst unauffällig zu benehmen. Nur – wie sollte er das der alten Magd beibringen?
»Großer Gott im Himmel«, murmelte Keta, »bitte mach, dass der junge Herr Vernunft annimmt, damit wir in diesen sicheren Mauern schlafen dürfen und nicht in die Nacht hinausmüssen, wo Räuber und Wölfe, Geister und Teufel darauf lauern, uns ins Verderben zu ziehen. Amen.«
Aber es ging einfach nicht – sie konnten die Nacht nicht in Gelnhausen verbringen und morgen früh nach Aschaffenburg weiterfahren, wie es eigentlich vorgesehen war. Kein Wunder, dass Keta sich derart aufregte, denn Sanno konnte ihr ja auch nicht erklären, warum er so plötzlich alle ihre Pläne über den Haufen geworfen hatte. Natürlich hatte er mit keinem Sterbenswörtchen erwähnt, dass Lunja und er vor den Hexenjägern geflohen waren – oder dass sie sich zumindest höchst verdächtig benommen hatten, auch wenn Monsignore Taurus bisher seine Häscher nicht hinter ihnen her zu hetzen schien. Aber vielleicht hatte der Mönch mit der hageren Gestalt und den üppigen Weiberlippen ja auch einfach die Wächter an den Toren angewiesen, sie zu ergreifen, sobald sie die Stadt zu verlassen suchten? Nun, das würde sich in wenigen Augenblicken zeigen.
»Langsam, Uda – du rennst ja die Leute über den Haufen!«
Ausgerechnet jetzt, keine zehn Schritte vor dem Haitzertor, begann die Eselin zu traben. Sanno hatte seine liebe Mühe, das

störrische Tier zu zügeln. Am verrammelten Tor warteten zwei Kleinbauern mit ihren Karren, vor die sie in Ermangelung eines Lasttiers sich selbst geschirrt hatten. Hohläugig schauten sie sich zu dem leise klirrenden Eselswagen um. Niemand rang sich ein Gruß- oder Scherzwort ab, auch Sanno und Lunja schwiegen. Wer um diese Stunde, da die Sonne schon tief über dem Hexenturm schwebte, noch hinaus in den Wald musste, dem stand der Sinn nicht nach Scherz oder Plauderei.
Knarrend ging die Pfortentür im Torturm auf, und die gedrungene Gestalt eines Wächters erschien. Schon von Weitem erkannte Sanno, dass es wiederum der schmierige Herr Horstmar war. Ob er Lunja vorschlagen sollte, sich hinten auf dem Wagen zu verbergen? Aber unter der Plane, zwischen Steigen und Kutschbank bot sich kein Versteck, das argwöhnischen Blicken oder gar entschlossen stochernden Händen standhalten könnte. Und wenn Herr Horstmar sie bei einem Versuch, ihn zu hintergehen, ertappte – dann gnade ihnen Gott, dann würde er sie seine Willkür nur umso grausamer spüren lassen.
Für die beiden Kleinbauern hatte der Wächter bloß einen kurzen Blick und ein verachtungsvolles Grunzen – bei diesen Habenichtsen war sowieso nichts zu holen. Er stieß einen Torflügel auf und winkte sie hindurch, dann stellte er sich breitbeinig vor seiner Pforte auf und bedeutete Sanno, in den Torturm einzufahren.
»Kein Wort jetzt – bitte, Keta«, sagte Sanno über die Schulter. »Lass mich mit ihm reden.«
Die Magd gab ein unbestimmtes Brummen von sich, und Sanno beschloss, es als Zeichen ihres Einverständnisses auszulegen. Was blieb ihm auch anderes übrig? Eben hob Herr Horstmar seine schwarz behaarte Hand und legte sie auf Lunjas Arm.
Sanno verwünschte sich im Stillen – warum hatte er nicht daran gedacht, dass Lunja zu seiner Linken sitzen sollte, wenn sie das Stadttor passierten? Doch auch dafür war es jetzt zu spät.

Mit einem öligen Grinsen beugte sich Herr Horstmar über das Mädchen hinweg und hauchte ihm seinen übel riechenden Atem ins Gesicht. »Das Elixier hat gewirkt! Da trifft es sich gut, dass Er dieses frische Ding bei sich hat.« Seine zweite Hand löste sich vom Gürtel und legte sich um Lunjas Nacken. »Ich habe Anweisung, jeden, der die Stadt verlassen will, streng zu durchsuchen. Also folge mir, Maid – in die Wachstube!« Er machte Anstalten, sie von der Kutschbank zu zerren.
»Hört auf, ich bitte Euch!« Sanno hob beschwörend beide Hände. Sehr viel lieber hätte er sie um Herrn Horstmars Hals gelegt, aber das war alles andere als ratsam – der kräftig gebaute Wächter würde ihn mit einem einzigen Faustschlag vom Kutschbock prügeln. »Wenn Ihr mehr Elixier wünscht, Herr Horstmar – bitte sehr, wir haben noch einige Tiegel auf dem Wagen.«
Er wollte nach hinten greifen, durch das Loch in der Plane, aber Herr Horstmar gebot ihm mit einem Grunzen Einhalt. »Das Elixier hat gewirkt, sag ich. Mitkommen!«
Mit ausdrucksloser Miene sah Lunja zu ihm auf. »Gern komm ich mit Euch, Herr Wächter. Letzte Nacht träumte mir, ein Einhorn würde mich besuchen – das wart dann wohl Ihr?«
Diesmal klang Herrn Horstmars Grunzen geschmeichelt. »Gut möglich. Aber jetzt komm!«
»Wollt Ihr den Traum nicht erst zu Ende hören? Ich selbst war ein Krokodil – Ihr wisst doch, Herr Wächter, das sind diese Drachentiere, die im ägyptischen Nilschlamm leben. Das Einhorn neckte mich, und da biss ich mit meinem machtvoll gezähnten Rachen zu!«
»Uh! Ein unheilvoller Traum!« Herrn Horstmars Gesichtszüge erschlafften. Seine Hände lösten sich von Lunja, vorsichtshalber machte er sogar einen Schritt nach hinten, in Richtung seiner Wachpforte. »Wenn ich es recht bedenke, kann die Durchsuchung ausnahmsweise entfallen. Gehabt euch wohl!« Mit einer

matten Handbewegung wies er in Richtung des offenen Torflügels.
Sanno ließ die Peitsche über die zuckenden Ohren der Eselin tanzen. »Auf geht's, Uda. Nichts wie weg hier – bevor uns Herr Horstmar auf seinem Einhorn hinterhergeritten kommt!«
Seine Anspannung löste sich in Gelächter, und Lunja stimmte mit einem Kichern ein. Sogar die Alte hinten auf dem Wagen gab ein paar anerkennende Brummtöne von sich.
»Gut gemacht, Lunja!« Sanno lachte sie von der Seite her an. Ihre Augen blitzten, ihre Lippen zuckten vor Genugtuung und Heiterkeit. »Der arme Herr Horstmar – bestimmt verfolgt ihn das Krokodil bis in seine Träume!«
»Lass die lästerlichen Reden, Sanno – das Krokodil bedeutet den Teufel.«
Die alte Magd verstummte, um am Wagenrand Halt zu suchen, denn nun bogen sie auf die breite Talstraße ein, und Uda verfiel in Trab. Im Nu hatten sie die beiden Kleinbauern hinter sich gelassen, die schnaufend, mit tief gebeugten Rücken, ihre Karren zogen. Noch schwebte die Abendsonne klatschmohnrot über den Bergen, aber in gut zwei Stunden würde es Nacht werden. Doch wegen der Dunkelheit war Sanno nicht bange – sie hatten genügend Pechfackeln dabei, um sich durch den ganzen Spessart heimzuleuchten, und außerdem kannte Uda jedes Schlagloch, jede Spiralkurve ihres Weges im Schlaf. Für Räuber und Wegelagerer waren sie allerdings ein weithin wahrnehmbares Ziel, wenn sie mit brennenden Fackeln durch die Nacht fuhren. Zumindest aber ging von ihrer Karre kein gar so arges Klirren mehr aus, da Keta den Tag über etliche Dutzend Tiegel verkauft hatte. Fast die Hälfte der Steigen enthielt nur noch leeres Stroh, dafür war der Beutel, den sie ihm unter weiteren Scheltreden ausgehändigt hatte, prall mit Kupferstücken und sogar mit einigen kleinen Silbermünzen gefüllt.

»Das Krokodil ist der Satan«, ließ sich Keta nach geraumer Zeit wieder vernehmen, »das Einhorn dagegen ist unser Erlöser.« Sie bekreuzigte sich mehrfach. »Dein Traum bedeutet, Trine, dass du des Teufels bist! Und so eine schleppst du mit auf deines Vaters Hof, Sanno – eine Hexe?«

Sanno atmete tief durch. So machte er es häufig, um nicht gleich aufzubrausen, wenn Keta ihn wieder mal mit ihrem abergläubischen Gerede ärgerte.

Auch vom Wahrsager Herbold und von dem Seelenbild hatte er der Alten vorsichtshalber kein Wörtchen erzählt – er hatte ihr Lunja einfach als junge Magd vorgestellt, die er heute auf dem Markt kennengelernt habe. Er wolle Lambert bitten, Lunja als zweite Magd in seine Dienste zu nehmen, hatte er in möglichst beiläufigem Ton hinzugefügt – schließlich seien sie selbst und Cramsen nicht mehr die Jüngsten, und klage Keta nicht beinahe jeden Tag darüber, wie schwer ihr die Arbeit in Küche und Stall von der Hand gehe?

Keta hatte ihn nur angesehen, als ob er den Verstand verloren hätte. Fremde waren auf Lamberts Gut höchst ungern gesehen, und solange sie dort lebten, hatte der Vater niemals andere Knechte oder Mägde in Dienst genommen – nicht einmal vor zwei Jahren, als Cramsen nach einem Laborunfall wochenlang im Bett liegen und sich danach noch lange Zeit an Krücken voranschleppen musste.

»Sie heißt Lunja«, sagte er schließlich nur in friedlichem Ton. »Sei doch bitte so nett, Keta, und nenne sie bei ihrem richtigen Namen. Und den Traum hat sie sich doch nur ganz schnell ausgedacht, um den dreisten Herrn Horstmar abzukühlen. So war es doch, Lunja?«

Das Mädchen drehte sich zu der Alten herum und lächelte sie schüchtern an. »Sanno hat recht. Bitte, glaub mir, Keta, ich bin eine getaufte Christin wie du. Einer Hexe bin ich in meinem Leben noch nicht begegnet, und dass es Krokodile überhaupt gibt, weiß ich nur, weil ich bis vor Kurzem in den Diensten eines Traumdeuters war. Ein frommer und gelehrter Mann«, beeilte sie sich hinzuzufügen, »die Leute sind zu ihm gekommen, um ihm ihre Träume zu erzählen, und er hat sie ihnen streng nach der Bibel und dem *Physiologos* ausgelegt.«

Auch Sanno sah jetzt rasch nach hinten – Keta schaute immer noch zweifelnd, aber nicht mehr ganz so finster und abweisend drein. »Warum bist du denn nicht mehr in seinen Diensten?«, fragte sie. »Hat dich der fromme Herr davongejagt?«

Lunja schüttelte den Kopf. Über ihr Gesicht schien sich ein Schatten zu legen, so traurig sah sie auf einmal aus. »Er ist schon ein alter Mann, das Reisen von Markt zu Markt ist ihm immer beschwerlicher gefallen. Vor Kurzem hat er beschlossen, sich in sein Heimatdorf zurückzuziehen, wo er einen kleinen Hof besitzt – und so kam es, dass ich mich heute auf dem Gelnhäuser Markt nach einem neuen Brotherrn umsehen musste. Sanno hat zufällig mitbekommen, wie ich bei einem Großbauern um Arbeit nachgefragt habe, und da hat er mir erzählt, dass sein Vater für seinen Gutshof eine zweite Magd sucht.«

Diesmal war es an Keta, den Kopf zu schütteln. »Das mag ja alles so sein«, murmelte sie, »aber wie der Junge glauben kann, dass sein Vater diesem unsinnigen Plan zustimmt, wissen die Heiligen im Himmel!« Sie bekreuzigte sich abermals, doch fürs Erste schien sie ein wenig besänftigt. »Da hat sich der Bursche in ihre blauen Augen vergafft!«, hörte Sanno die Alte brummeln. »Und deshalb will er unbedingt bei Nacht und Nebel zurück nach Hause – um seinen Vater anzubetteln, dass sie auf dem Gut bleiben kann. Verrückter Kerl!«

Sanno wollte ihr schon widersprechen, es war ihm schrecklich unangenehm, dass die Alte in Lunjas Gegenwart solchen Unsinn schwatzte. Er war doch nicht verliebt in Lunja, er kannte sie ja

kaum! Wieder schielte er zu Lunja hinüber, sie hatte die Augen geschlossen und schien zu schlafen. So hatte sie jedenfalls nichts von dem Gebrabbel der alten Magd mitbekommen, Gott sei Dank.
Soll Keta doch glauben, was sie will, sagte sich Sanno. Zumindest schien sie jetzt nicht mehr zu argwöhnen, dass Lunja eine Hexe und mit dem Teufel im Bunde sei. Und wenn sie meinte, erraten zu haben, warum er so überstürzt zurück nach Hause wollte – umso besser!

14

Der wahre Grund für ihren hastigen Aufbruch war allerdings ein ganz anderer. Sanno musste jetzt endlich mit Vater Lambert darüber sprechen, was wirklich in seiner Kindheit vorgefallen war – nicht erst übermorgen oder in drei Tagen, sondern möglichst noch heute Nacht. Bevor sie vorhin losgefahren waren, hatte er im Schutz der Wagenplane noch einmal das Seelenbild aus seinem Wams gezogen und einen verstohlenen Blick darauf geworfen – mit dem gleichen Ergebnis wie bei Herbold im Zelt!
Wieder das Gefühl, als ob er durch ein weit offenes Fenster schaute, in eine fremde und doch unheimlich nahe Welt. Der Salzgeruch, das Brausen des Meeres, die kreischenden Möwen und das Haus, das düstere Haus! Herzrasen, wenn er sich nur ganz flüchtig vorzustellen versuchte, wie er durch das Tor in der hohen schwarzen Mauer trat . . . Oh gütiger Gott, was ist das dort, was nur? Mit zitternden Fingern hatte er den Fetzen wieder zusammengerollt und unter sein Gewand geschoben.
Eines stand jetzt jedenfalls fest: Lambertus hatte ihm etwas Wesentliches aus seiner Kindheit verschwiegen, und sosehr Sanno

weiterhin vor der verborgenen Wahrheit graute – er wollte nun wissen, was damals wirklich passiert war. Und aus irgendeinem Grund fühlte er sich den bevorstehenden Erschütterungen sehr viel eher gewachsen, wenn Lunja an seiner Seite war.

Eine schwarze Kutsche mit verhängten Fenstern kam ihnen entgegen, in so rasender Fahrt, dass den beiden Rappen der Schaum um die Nüstern flog. Sanno musste ausweichen und hatte seine liebe Mühe, Uda zu beruhigen, damit die verstörte Eselin sie nicht in den Bosbach hinunterzerrte.

Aber Lunja schien einen gesunden Schlaf zu haben, ebenso wie die Alte, die längst wieder unter der Plane schnarchte – als die Kutsche vorbeigedonnert war, seufzte das Mädchen neben ihm nur leise auf, ohne zu erwachen.

Sannos Gedanken kehrten zur Uferbleiche zurück, über deren glucksend nassen Boden er mit Lunja auf und davon gelaufen war. Hinter der Bude der Kartenlegerin mit den flammend roten Haaren hatten sie sich kurz verschnauft, und Lunja hatte ihm mit einem innigen Lächeln dafür gedankt, dass er Monsignore Taurus angelogen hatte, um sie vor dem schrecklichen Schicksal des Wahrsagers zu bewahren. Wer einmal in den Kerker des Inquisitors geworfen wurde, der kam kaum jemals mehr bei lebendigem Leib ans Tageslicht zurück – und falls doch, dann mit zertrümmerten Gliedern und einem Herzen voll Asche und Ruß.

Aber Sanno hatte ihren Dank mit einem Kopfschütteln abgewehrt. In Wirklichkeit war es doch gerade umgekehrt – er war dankbar, ja glücklich, weil Lunja eingewilligt hatte, mitzukommen zu Lamberts Gut. Aus heiterem Himmel hatte sie ihren Brotherrn verloren und stand mittellos auf der Straße. Aber Lunja ließ sich von ihrem Kummer wenig anmerken.

Bestimmt hat sie auch schon Arges mitgemacht, dachte Sanno nun, so allein, wie sie sich in jungen Jahren bereits durchschlagen muss. Er würde sie danach fragen, beschloss er, während er

den Karren zurück auf die Straße lenkte – später, bei einer besseren Gelegenheit. Wie glatt ihr aber vorhin die Lügenworte von den Lippen gekommen waren! Die Geschichte mit dem Traumdeuter und davor der Krokodilstraum – beides hatte sie sich im Handumdrehen ausgedacht, so als ob sie daran gewöhnt wäre, mit Lügen und erfundenen Geschichten zu jonglieren.
Verstohlen schaute er sie wieder von der Seite an, nun auch ein wenig befremdet, doch weit stärker war sein Gefühl der Dankbarkeit, weil Lunja bei ihm war. Auch wenn der Vater und Keta sich meist um ihn gekümmert hatten, war er doch in großer Einsamkeit auf dem Gutshof aufgewachsen, mit Wolfshund und Eselin als seinen einzigen Gefährten. Und umgab Lunja nicht ein ganz ähnlicher Hauch – der bittersüße Duft der Einsamkeit? Eine Welle der Zuneigung zu dem fremden Mädchen stieg in ihm auf.

Ehe es gänzlich Nacht geworden war, lenkte Sanno den Wagen unter eine alte Weide am Wegrand. »Brave Uda.« Er flüsterte es der Eselin ins Ohr, klopfte ihr die Flanke und hängte ihr dann den Futtersack um. Der Bosbach floss hier so nah neben dem Fahrweg, dass Uda nur den Hals recken musste, um ihre Schnauze ins kühle Wasser zu tauchen.
Sanno zog zwei Fackeln unter der Kutschbank hervor, schob die in Pech getränkten Stöcke beiderseits der Kutschbank in die rußgeschwärzten Halter und zündete sie mit einem Kienholz an. Lunja, die auf der Bank in sich zusammengesunken war, seufzte wieder leise auf, als die Fackel neben ihr zu qualmen begann. Aber anscheinend schlief sie weiter, und die alte Magd hinten im Wagen schnarchte ohnehin wieder so furchterregend, dass sich bestimmt kein Räuber in ihre Nähe wagen würde.
Für den Fall, dass sich dennoch irgendwelches Gesindel zu ihnen verirren würde, hatte die unermüdliche Magd mitten im Markttrubel sogar noch die nötige Zeit gefunden, die Arkebuse in-

stand zu setzen. Das Pulver war feucht geworden, wie sie ihm vorhin, schon am Rande des Schlafs, noch erklärt hatte. Also hatte Keta es in eine kleine Schale geschüttet, vom Nachbarstand eine Glasscherbe geliehen und den explosiven Staub seelenruhig darunter getrocknet.

Gute Alte, dachte Sanno, während er neben Uda am Ufer niederkniete. Was vom Herrn im Himmel oder von Lambertus kam, ihrem irdischen Gebieter, das genoss Ketas unbegrenztes Vertrauen. Sie würde nur ungläubig den Kopf schütteln, wenn ihr jemand erzählte, dass sie heute beinahe sich selbst in die Luft gesprengt hatte und den halben Untermarkt dazu. Niemals hätte der gütige Gott doch ein Gerät erschaffen und ebenso wenig hätte Lambertus ihr eine Waffe mitgegeben, mit der man versehentlich statt der teuflischen Widersacher sich selbst in Stücke fetzen konnte!

Sanno schöpfte Wasser in seine Hände und trank. Am Abendhimmel blinkten schon einige Sterne und sprenkelten den Bach mit blassen Tupfern. Noch konnte man jeden Baum, jeden Felsbrocken in zehn Schritt Entfernung leicht unterscheiden, aber nicht mehr lange, dann würden sie durch tiefe Finsternis fahren – in den Spessartschluchten wurde es ja selbst am Tag kaum jemals hell.

Er trocknete sich die Hände an den Hosenbeinen ab, dann zog er abermals das Seelenbild hervor. Neben ihm zermahlte die Eselin mit leisem Schmatzen Heu und Klee, aber sobald Sanno den Leinwandfetzen aufgerollt hatte, nahm er nur noch die Laute und Gerüche wahr, die durch das magische Fenster auf ihn einströmten.

Obwohl er das Haus auf der Felsküste von außen betrachtete, kam es ihm auf einmal so vor, als ob er dort *drinnen* wäre – hinter den hohen, abweisenden Mauern, in einem engen, lichtlosen Raum. Er hockt auf nacktem Steinboden, es ist so finster, als ob sein Kopf mit schwarzen Lappen umwickelt wäre. Mit angehaltenem Atem horcht er ins Dunkel, aber da ist nichts weiter zu hören – nur das Brausen der Wellen, die gegen die Felsküste klatschen, und die irren Schreie der Möwen, die bei Tag und Nacht über dem Wasser kreisen.

Im Innern des Hauses dagegen – kein Laut, kein Licht. Nur totenstille Finsternis, eine Nacht aus schwarzem Stein. Und dazu diese grässliche Angst, die ihm den Hals abschnürt, die sein Herz so wild klopfen lässt, als ob ihm gleich die Brust zerspringen müsste ...

Mit Gewalt riss sich Sanno aus dem Bann des Seelenbildes heraus. Sein Herz raste, sein Atem ging keuchend. Er saß im Schneidersitz am Uferrain, neben der angeschirrten Uda, deren Schnauze im Futtersack steckte. Die Dämmerung war weiter herabgesunken, die Fackeln flackerten im leichten Abendwind, und die tanzenden Flammen warfen blassrote Schatten über Weg und Gras.

Sanno schaute auf den halb zusammengerollten Tuchfetzen in seiner Hand, und er konnte sich nicht überwinden, ihn noch einmal auszubreiten. Am liebsten hätte er das Seelenbild in den Bosbach geworfen, dem kleinen Teufelssarg hinterdrein, aber auch das brachte er nicht über sich.

Ein böser Traum, dachte er, anders kann es doch gar nicht sein! Der Wahrsager Herbold hat mir mit seinem Zauberdampf die Erinnerung an einen Angsttraum entlockt, den ich vor vielen Jahren einmal geträumt haben mag. Aber mit dem, was in den Jahren vor dem Kutschunglück wirklich passiert ist, hat dieser Traum überhaupt nichts zu tun!

Wie um sich vor einem bösen Zauber zu schützen, beschwor er in seinem Innern das Haus seiner Kindheit herauf, wie Lambert es ihm so häufig geschildert hatte. Den hellen, freundlichen Salon, in dem er mit den Eltern bei den Mahlzeiten am Tisch sitzt oder am Abend vor dem flackernden Kaminfeuer. Den von Sonnenlicht übergossenen Garten mit der blumengesäumten Veranda, von der aus man das Meer in einiger Entfernung schimmern sieht. Das gütige Lächeln von Mutter Heidlinde, die Sanno bei der Hand nimmt und vor die kleinen Ölgemälde führt, die kindliche Heilige in erbaulichen Szenen zeigen. Das Jesuskind, strahlend vor Liebe, auf dem Arm der Jungfrau Maria. Der heilige Johannes, wie er als kleiner Knabe, im rauen Gewand aus Kamelhaar, in die Wildnis zieht, um dort mit den Vöglein zu spielen und sich vom Honigtau der Blumen zu nähren. »Die Menschen sind gut, Sanno«, sagt Mutter Heidlinde in seinem Kopf, »und Gottes Schöpfung ist ein herrlicher Garten, in dem alle Lebewesen singend und jubilierend die Liebe und Weisheit des Schöpfers preisen.«

Dort bin ich aufgewachsen, dachte Sanno, in unserem hellen, friedlichen Haus, unter den liebevollen Augen von Mutter Heidlinde. In dem finsteren Bau an jener Steilküste kann ich niemals gewesen sein, meine Eltern hätten es doch gar nicht zugelassen – und gar noch eingesperrt, mir selbst und meiner Angst überlassen in jenem lichtlosen Raum!

Er dachte es wieder und wieder – ein Traum, keine wirkliche Erinnerung, ein Traum, nur ein Traum. Und er wusste, dass es nicht stimmte, dass er sich selbst zu belügen versuchte. Dass er dort gewesen war, in dem finsteren Haus über dem Nordmeer. Dass es der gleichen Sphäre angehörte wie die Schreie, die ihn so häufig bei Nacht aufschrecken ließen. Die grässlichen Kinderschreie, das Wimmern wie aus irrsinniger Angst.

Doch, doch, ich muss dort gewesen sein, dachte Sanno nun. Der Salzgeruch, das Möwenkreischen, die herzzersprengende Angst – es fühlt sich gänzlich anders an als alles, was mir je widerfahren ist. Hundertmal wirklicher als jede Traumerinnerung, tausendmal näher als alle Geschichten aus der Kindheit, die Vater Lambert mir jemals erzählt hat. Lebendiger, bedrängender auch als jeder Augenblick auf Lamberts Gut. Ich spüre es ganz deutlich, auch wenn ich alles darum geben würde, dass es nicht so wäre. Dass ich nie dort gewesen wäre, in dieser grauenvollen Welt zwischen Traum und Tag.

Sein Blick verschwamm, in seiner Kehle klumpte sich ein Schrei. Sanno presste sich die Faust auf den Mund und machte ganz fest die Augen zu.

Da fühlte er die Hand auf seiner Schulter, sachte wie ein Hauch. Er fuhr nicht zusammen, musste sich keinen Moment lang besinnen. »Lunja«, murmelte er. Auch wenn er bewusst gar nicht an sie gedacht hatte, in seinem Innern hatte er doch die ganze Zeit gespürt, dass sie in seiner Nähe war.

Sie kauerte sich neben ihm ins Gras. »Das Bild von Meister Herbold.« Auch ihre Stimme war nur ein zarter Hauch, ein kaum hörbares Wispern. Er öffnete die Augen und schaute sie an. »Hat er es gefunden, Sanno«, flüsterte Lunja, »dein geheimstes Seelenbild?«

Er nickte nur, wortlos, noch immer war seine Kehle verschnürt, noch immer konnte er nicht aufhören, sie anzusehen. Ihre weiße, fast durchsichtige Feenstirn, das leuchtende Blau ihrer Augen – die auf einmal ganz weit wurden, und für einen Moment zerfloss ihr Gesicht in Entsetzen und bekümmertem Mitgefühl. Oder hatte er sich das wieder nur eingebildet, gefoppt durch die Tränen in seinen Augen und durch das Schattenspiel der Fackeln in der nun rasch herabsinkenden Nacht? Im nächsten Moment schaute Lunja schon wieder wie gewöhnlich drein – mit einem scheuen Lächeln, hinter dem sich, wie er ja mittlerweile wusste, Entschlossenheit und Willenskraft verbargen.

»Keine schöne Erinnerung, oder?« Sie legte ihre kühle kleine Hand auf seinen rechten Arm.

Mit der Linken rollte Sanno das Seelenbild zusammen und schob es unter sein Wams. »Sogar ziemlich schrecklich.« Für einen Mo-

ment schloss er wieder die Augen und war erleichtert, als nicht aufs Neue das Kreischen der Möwen und das Klatschen der Brandung in seinem Kopf erklangen. »Aber eigentlich kann es gar keine wirkliche Erinnerung sein – nichts, was ich tatsächlich mal erlebt habe.«
Er machte die Augen wieder auf. Lunja schaute ihn nur stumm an, sie schien zu erwarten, dass er weiter über das Seelenbild redete. Doch Sanno nahm ihre Hand in die seine und zog sie hoch. »Wir müssen weiter.«

Sanno hatte gehofft, dass sie nun ein wenig von sich selbst erzählen würde, aber die längste Zeit blieb Lunja wortkarg. In eine Decke gegen die Nachtkühle gehüllt, saß sie neben ihm auf der Kutschbank und antwortete nur einsilbig auf seine Fragen. Manchmal bekam er auch gar keine Antwort, so als ob sie mitten im Gespräch eingeschlafen wäre. Dabei schien sie viel wacher zu sein als Sanno, der immer wieder gegen den Schlaf ankämpfen musste – in angespannter Haltung saß sie neben ihm und sah starr hinaus in die vom Fackellicht notdürftig beleuchtete Nacht.
Ob sie sich wegen Meister Herbold sorge, fragte Sanno einmal, und zu seinem Erstaunen schüttelte sie den Kopf. »Im ersten Schrecken habe ich ja das Schlimmste für ihn befürchtet«, sagte sie. »Aber Herbold weiß sich schon zu helfen.«
Diese Worte verwunderten Sanno, doch er fragte nicht weiter nach. Wen Monsignore Taurus und sein Sekretär Savorelli einmal in ihre Gewalt gebracht hatten, den ließen sie bestimmt nicht so leicht wieder ziehen. Aber für Lunja war es wohl tröstlicher, sich vorzustellen, dass Meister Herbold mit einem blauen Auge davonkommen würde.
Wie lange sie mit dem alten Wahrsager schon durch die Lande gezogen sei, fragte er stattdessen, und wie sie überhaupt zu ihm gekommen sei?

Lunja zuckte mit den Schultern. »Ich rede nicht gern darüber.« Sie kaute an ihrer Unterlippe und schwieg.
Der Weg wurde immer steiler, der Abgrund zu ihrer Rechten tiefer – nun ging es ernstlich in den Spessart hinauf. In der Ferne erklang leises Wolfsgeheule, dieser schleifende, langsam ansteigende Klagelaut, der auf dem höchsten Ton unvermittelt abbrach, nur um Augenblicke später aufs Neue anzuheben. Sanno hatte sich nie daran gewöhnen können, auch diesmal ließ ihn das wölfische Jaulen erschauern.
»Ich war noch ein Kind«, sagte Lunja kurz darauf. Sie sprach so leise, dass es im Räderrattern beinahe unterging. »Acht oder neun Jahre alt – ich weiß es nicht mehr so genau. Meine Eltern besaßen einen kleinen Hof in der Heide, ein paar Schafe, ein baufälliges Haus, eben genug, um nicht zu verhungern. Ich war das jüngste von sieben Geschwistern – vier Jungen, drei Mädchen, ich weiß auch noch alle ihre Namen. Aber wozu sie jetzt aufzählen – sie sind alle tot.«
Wieder verstummte sie, und diesmal schwieg sie so lange, dass Sanno sich schon fragte, ob er ihre Worte im Halbschlaf geträumt hatte. Langsam, mit zähem Gleichmaß zog Uda den Wagen durch eine steile Rechtskehre, und mit jedem Schritt der Eselin wurde es finsterer. Schroff ragte zu ihrer Linken die Bergwand auf, mit Efeu und Moosbärten bedeckt. Über dem Weg wölbten sich die Tannen, ihre Wipfel verflochten sich wie zum Dach eines rußschwarzen Kirchenschiffs.
»Räuber«, fuhr Lunja schließlich mit leiser Stimme fort, »es muss eine ganze Bande gewesen sein. Sie überfielen uns mitten in der Nacht. Meine Mutter versuchte uns Kinder noch rasch zu verstecken – in Schränken, unter der Treppe, zwei meiner Brüder sogar in der Jauchegrube. Aber sie haben uns alle gefunden, jeden Einzelnen von uns – ich selbst habe alles von Anfang bis Ende mit angesehen. Ich saß in einer steinernen Truhe neben unserem

Hofbrunnen, durch eine Ritze sah ich, wie die Räuber unser Haus ansteckten, wie sie meine Eltern und Geschwister herbeizerrten und einen nach dem anderen . . . einen nach dem anderen . . .«
Wieder ein langes Schweigen, und diesmal hoffte Sanno, dass Lunja den angefangenen Satz niemals zu Ende sprechen würde. Verzweifelt überlegte er, was er jetzt sagen könnte, um sie zu trösten oder wenigstens abzulenken von ihren schrecklichen Erinnerungen, aber alle Floskeln, die ihm in den Sinn kamen, klangen in seinen eigenen Ohren hohl.
»Tage darauf ist der Wahrsager vorbeigekommen«, flüsterte Lunja Ewigkeiten später, »mit einer Eselskarre, ganz ähnlich wie diese hier. Er hat in den Trümmern unseres Hauses herumgewühlt, aus denen immer noch Rauch aufstieg. Ich habe ihn lange beobachtet, und immer wenn ich mir einen Ruck geben und ihm endlich ein Zeichen machen wollte, hat es mir wieder die Kehle zugeschnürt. Er sieht doch ganz friedlich aus, habe ich mir eingeredet, er wird dir bestimmt nichts Arges tun. Aber erst, als er schon wieder auf seine Karre gestiegen war und davonfahren wollte, habe ich mich überwunden und um Hilfe geschrien. Ich war halbtot vor Hunger und Durst, und auch wenn ich noch ein kleines Kind war, wusste ich doch – wenn der Mann jetzt einfach davonfährt, werde ich sterben. Der Deckel der steinernen Bank über mir war viel zu schwer für mich. Und selbst wenn es mir irgendwie gelungen wäre, mich aus dieser Falle zu befreien – wie hätte ich mich allein durchschlagen sollen, ein hilfloses kleines Mädchen in der Wildnis?«
»Gütiger Gott«, murmelte Sanno. Seine Hände krampften sich um die Zügel. »Wie furchtbar das alles für dich gewesen sein muss.«
Wieder gab ihm Lunja keine Antwort. Im Fackelschein sah sie beinahe wie eine Puppe aus, so starr saß sie neben ihm und bewegte sich nur, wenn die Karre durch ein Schlagloch fuhr und ihr einen Stoß versetzte.

»Und seit damals ziehst du mit dem Wahrsager durchs Land?«, fragte Sanno.
Sie drehte ihm ihr Gesicht zu und hob wieder die Schultern, wie es anscheinend ihrer Gewohnheit entsprach. »Meister Herbold hat mich nicht schlecht behandelt. Immer war er mürrisch, von morgens bis abends musste ich für ihn arbeiten – kochen, waschen und flicken, auf den Märkten einkaufen und Kundschaft herbeischleppen für seine Seelenmalerei. Und ein wahrer Geizkragen ist der Herr Wahrsager obendrein.«
Wieder erschien das scheue Lächeln und ließ ihre Augen leuchten. »Aber er hat mich niemals geschlagen oder misshandelt. Und jeden Morgen, an dem ich auf seinem Karren oder in seinem lumpigen Zelt aufgewacht bin, habe ich mir gesagt, dass ich ohne seinen Beistand in der Steintruhe gestorben wäre. Er hat mein Leben gerettet, also stand ich in seiner Schuld und hatte kein Recht, ihn im Stich zu lassen oder mich wegen irgendetwas zu beklagen.«
Das Wolfsgeheule kam näher, und der Weg wurde so steinig, dass Sanno seine liebe Mühe hatte, den Wagen zwischen schädelgroßen Geröllbrocken und knietiefen Schlaglöchern hindurchzulenken.
Er war dankbar, dass er auf diese Weise zumindest für den Moment um eine Antwort herumkam. Was die arme Lunja in ihrem Leben schon alles mitgemacht hatte – und sie trug es mit einer Stärke und Demut, die Sanno ganz einfach bewundernswert fand.
Zu ihrer Rechten wurde der Bosbach zum Wasserfall, der sich donnernd in die Schlucht ergoss. Nicht weit von hier waren sie gestern von den beiden Räubern überfallen worden. Davon würde er Lunja natürlich nichts erzählen.
Mitternacht musste längst vorüber sein. Die Eselin kämpfte sich das steilste Wegstück hinauf, hinter dem der vertraute Bosengrund begann – eine Hochebene, bedeckt mit Dickicht und Tan-

nenwäldern, mitten darin Lamberts Gut. Und da kam Sanno unversehens ein Gedanke, der ihm immer besser gefiel, je länger er ihm nachhing.
Monsignore Taurus hatte von der himmlischen Vorsehung gesprochen, die seine, Sannos, Schritte ins Zelt des Wahrsagers gelenkt hatte. Und allem Anschein nach hatte der hochgestellte Hexenjäger ganz recht vermutet, wenn auch in anderem Sinn, als ihm wohl vorgeschwebt war. Denn der Herr im Himmel, dachte Sanno und machte verstohlen ein Kreuzzeichen, hat mir mit dem Seelenbild nicht nur einen Zugang in jene andere Welt geöffnet – mit Lunja hat Er mir überdies eine Gefährtin auf meinem Weg zu den schwärzesten Schrecknissen meiner Seele gesandt. »Dafür«, murmelte Sanno, »danke ich dir von Herzen, gütiger Gott. Amen.«

15

Schon von Weitem begrüßte sie Rumar mit hellem Gebell, das seine Wiedersehensfreude verriet. Laternenschein schimmerte durch die Reihen hoher Tannen, die das Gutshaus vom Fahrweg schieden.
Sanno hatte erwartet, dass Cramsen und Lambert tief und fest schliefen oder dass sie unten im Laborkeller zugange wären – so oder so hätte es bedeutet, dass er lauthals rufen oder sich auf andere Weise bemerkbar machen müsste, damit ihnen das Tor geöffnet würde. Denn allein Vater Lambert besaß die Schlüsselgewalt über Haus und Hof.
Aber nun brannte dort drinnen sogar noch ein Licht, obwohl es bald schon ein Uhr in der Nacht sein musste. Und zu seinem Erstaunen kam der alte Cramsen auch gleich angeschlurft, als er

die Eselskarre herbeirattern hörte. Durch das Schmiedegitter des Gutstors, das wohl drei Meter hoch und oben mit pfeilspitzen Dornen gesichert war, spähte er zu ihnen hinaus, eine blakende Laterne in der hoch erhobenen Hand. »Ihr seid das?« Seine Augen weiteten sich vor Verblüffung. »Was ist denn passiert, Sanno? Und wer ist die Maid neben dir?«

»Willst du uns nicht erst mal einlassen, Cramsen?« Die Beunruhigung des Alten war fast körperlich zu spüren. Was hatte er an ihrer statt erwartet? »Das Mädchen heißt Lunja«, fügte Sanno hinzu, brach aber gleich wieder ab – der Alte hielt sich eine Hand ans Ohr, offenbar hatte er kein Wort verstanden.

Das war auch kein Wunder, denn neben ihm tobte der Wolfshund. Rumar versuchte, am Gitter hochzuspringen, seine Schnauze hindurchzuzwängen, mit den Pfoten den armdicken Riegel wegzuschlagen, wobei er unablässig bellte und fiepte.

»Still, Rumar!« Cramsen versetzte ihm einen Tritt, und der Hund schlich winselnd aus dem Lichtkreis der Laterne. »Wieder spähte der Alte zu ihnen hinaus. »Fremde darf ich nicht einlassen, das weißt du so gut wie ich.«

Durch das Gelärme war auch Keta aus dem Schlaf gerissen worden. Hinter der löchrigen Plane erschien ihr rundes Gesicht wie ein Runzelmond mit grauen Strahlen. »Ich hab's dir gesagt, Sanno – die Trine bringt dir nur Ärger.«

»Sie heißt Lunja! Dann hol eben Vater Lambert, Cramsen. Aber mach schnell, ich bitte dich – wir sind halb tot vor Müdigkeit.«

Murrend ließ Cramsen die Laterne sinken. Einen Moment lang stand er einfach so da, wie versteinert vor Angst oder Ratlosigkeit. Dann wandte er sich um und schlurfte über den weiten Hof auf das Gutshaus zu.

»Ich wäre wohl besser nicht mitgekommen.« Die Fackel neben Lunja flackerte noch einmal auf und erlosch. »Dein Vater wird dich ausschimpfen, Sanno, weil du mich mitgebracht hast.«

Sanno zog die Schultern hoch. »Er wird schimpfen und grollen«, stimmte er zu, »aber dann wird er dir ein Bett im Gesindehaus anweisen lassen – zumindest für heute Nacht. Und morgen sehen wir weiter.«

Es klang überzeugter, als ihm selbst zumute war. Sanno spürte schon, wie der düstere Bann des Vaters sich wieder auf ihn legen wollte, und sein Herz wurde bang, wenn er an den Zusammenstoß dachte, der ihnen beiden nun unweigerlich bevorstand. Viel zu lange habe ich gezögert, die Auseinandersetzung hinausgeschoben, dachte Sanno – aus Feigheit, aber auch, weil vom Vater immer diese stumme Mahnung ausgegangen ist: *Frag nicht nach!*

Kaum war Cramsen im Haus verschwunden, da begann Rumar wieder am Hoftor zu toben. Sanno sprang von der Kutschbank und dehnte seine Glieder, die von der langen Reise ganz gefühllos geworden waren. »Komm her zu mir, Rumar, na komm schon.« Er kauerte sich vor das Gitter und streckte seinen Arm hindurch. »Bist ja ein Guter, Rumar.«

Der Hund leckte ihm fiepend die Hand, und für einen Moment sah Sanno wieder den Affenmann vor sich, der durch sein Gitterfenster im Kerkerwagen hinter ihnen hergeschaut hatte. Sein Name war Larian, vorhin hatte ihm Lunja das Wenige erzählt, das sie von seinem traurigen Schicksal wusste. Er war ein noch junger Mann von dreiundzwanzig Jahren, und als Kind hatte er wie ein ganz gewöhnlicher Knabe ausgesehen, mit glatter, heller Menschenhaut. Kurz nach seinem sechzehnten Geburtstag war das Verhängnis über ihn gekommen – plötzlich war ihm überall ein Tierfell gewachsen, erst im Gesicht, dann nach und nach am ganzen Körper, bis er von oben bis unten mit dickem Affenhaar bewachsen war.

»Nur ruhig, Rumar, gleich kommt Cramsen und macht uns auf.« Der Wolfshund ließ von Sannos Hand ab, doch stattdessen schnappte er knurrend nach den Eisenstäben, als ob er das Schmiedegitter durchbeißen wollte. Sanno hörte, wie seine Zähne mit dumpfem Klacken gegen die Metallstäbe schlugen. Früher hatte er sich häufig vorgestellt, dass Rumar ein verwunschener Mensch wäre, die Seele eines Knaben, die durch einen schrecklichen Zauber in den Körper eines Wolfshundes gebannt worden war.

Mit einem Krachen flog jetzt die Haustür auf, und Vater Lambert trat hinaus auf den Hof, ein Riese in Stiefeln und dunklem Umhang. In der Rechten trug er eine Fackel, in der Linken den gewaltigen Schlüsselbund. Mit langen Schritten eilte er zum Tor, die Kapuze übergeworfen, sodass von seinem Antlitz nur die funkelnden Augen und die eishelle Spitze des Kinnbarts zu sehen waren. So ungestüm stieß er den spannenlangen Schlüssel ins Schloss, dass das Gitter erbebte, dann drehte sich kreischend Eisen in Eisen, und Cramsen, der unterdessen auch wieder herbeigeschlurft war, zog die schweren Torflügel auf.

Sanno lächelte Lunja von der Seite an. Er hob eine Augenbraue, um ihr zu bedeuten, dass doch alles nach ihren Wünschen verlief. Aber das Herz schlug ihm bis zum Hals, als er den Karren an Vater Lambert vorbei in den Hof lenkte, und seine Hände zitterten so arg, dass sie kaum die Zügel zu halten vermochten.

»Du enttäuschst mich, Sanno. Wie kommst du dazu, meine Gebote zu missachten? Wir können keine Fremden auf dem Gut dulden, das weißt du – die Welt ist voller Diebe, die darauf brennen, meine Rezeptur zu entwenden, und voller Neider, die auf eine Gelegenheit warten, mich bei der Obrigkeit anzuschwärzen. Haben wir nicht erst gestern noch darüber gesprochen?«

»Ja, Vater.« Sanno senkte den Kopf. »Ihr habt recht, ich habe gegen Eure Gebote verstoßen, aber lasst mich erklären, bitte – Lunja war in großer Not!«

»Lunja – das ist die Maid, die du mitgebracht hast?«

»So ist es, Vater.«

Lambert hatte nicht einmal gestattet, dass Lunja für eine rasche Nachtvesper das Gutshaus betrat. Er hatte Keta befohlen, der Fremden im Gesindehaus ein Lager anzuweisen und dafür zu sorgen, dass sie ihre Kammer nicht vor der Morgendämmerung verließ.

»Sie wäre von den Hexenjägern verhaftet worden«, fuhr Sanno mit unsicherer Stimme fort, »genauso wie ihr Brotherr, ein Wahrsager namens Herbold, den Monsignore Taurus verdächtigt hat, mit dem Teufel im Bunde zu sein. Und da habe ich eben ein wenig geflunkert und behauptet, dass Lunja als Magd auf unserem Gutshof arbeiten würde. Und Meister Herbold ist auch ganz bestimmt kein Hexer, und eigentlich hat Monsignore Taurus auch gar nicht ihn gesucht, sondern den Herrn Faust . . .«

Seine Gedanken und Worte wurden immer verworrener, zumindest kam es Sanno so vor. Stumm hörte Vater Lambert ihm zu, mit einem Schweigen, das mit jedem Augenblick bedrohlicher wurde. Der Vater saß auf seinem mit Schnitzereien verzierten Lehnstuhl, die Arme vor der breiten Brust verschränkt, und seine Miene war so finster, wie Sanno ihn niemals vorher gesehen hatte. Und dabei war er auf den heikelsten Punkt noch gar nicht zu sprechen gekommen, auf das Seelenbild! Wie ein ertappter Sünder stand Sanno vor dem väterlichen Richter in der Halle und wagte nicht, sich gleichfalls hinzusetzen, dabei war er so müde, dass Lambert mitsamt Tisch und Stühlen vor ihm leise hin und her zu schwanken schien.

Endlich brach der Vater sein Schweigen. »Du hast also den Monsignore in Gelnhausen angetroffen und ihm meinen Brief überreicht?« Er fragte es in einem Ton, als ob er Sanno bei einem weiteren Verstoß ertappt hätte – dabei hatte Lambert ihn doch eigens deshalb auf geradem Weg nach Gelnhausen geschickt! Oder etwa nicht? Sanno wusste immer weniger, was er denken sollte und woher Lamberts finsterer Zorn rührte.

»Es war nicht leicht, Vater«, antwortete er, »aber ich habe es geschafft, Euren Befehl auszuführen. Gestern Abend im Gasthof konnte ich den hochgestellten Hexenjäger nicht mehr antreffen – er war schon zu Bett gegangen, und Ihr hattet mir doch befohlen, ihm den Brief nur persönlich auszuhändigen. Deshalb bin ich heute den ganzen Tag in den Gassen herumgelaufen.«
Über das kleine Missgeschick, dass er auf den Stufen vor dem Gasthof eingeschlafen war, beschloss Sanno ebenso hurtig hinwegzuhuschen wie über den Verlust des Teufelssargs. Die ganze Sache war auch so schon vertrackt genug! Und in seiner gegenwärtigen Stimmung würde der Vater sich sonst so lange bei all diesen Einzelheiten aufhalten, dass sich für ihn bis zum Morgendämmer keine Gelegenheit ergäbe, das Seelenbild hervorzuziehen.
»Der Herr Faust sollte in der Stadt auftreten«, fuhr Sanno fort, »und da dachte ich mir, dass sich dort über kurz oder lang auch Monsignore Taurus wieder einstellen müsste. Und so war es auch – wenngleich ich mit dem Hexenjäger schließlich im Zelt jenes Malers zusammengetroffen bin, in dessen Diensten Lunja . . .«
Mit einer sägenden Handbewegung schnitt ihm der Vater das Wort ab. »Was sind das denn für wirre Lügengeschichten. Eben war es noch ein Wahrsager, jetzt soll er plötzlich ein Maler sein?«
»So ist es, Vater.« Sanno spürte, wie ihm das Blut aus dem Gesicht wich. So bleich musste er mit einem Mal geworden sein, dass selbst der Vater für einen Moment seinen Zorn vergaß.
»Was hast du denn, Junge?«
»Dieser Meister Herbold . . . Er malt die geheimsten Seelenbilder der Leute, die zu ihm kommen.« Mit einer Hand suchte Sanno Halt an einer Stuhllehne, mit der anderen zog er den Tuchfetzen hervor. »Lunja hat mich zu ihm gebracht – sie sagen, sie hätten

an meinem Blick erkannt, dass ich für Herbolds Kunst empfänglich wäre. Und nur aus diesem Grund habe ich auch gegen Euer zweites Gebot verstoßen, Vater, und bin heute schon zurückgekehrt.« Er entrollte das Seelenbild und hielt es so, dass Lambert die Kohlezeichnung sehen konnte.

Die Wirkung war ungeheuerlich – Lambert sprang von seinem Stuhl auf, so wild, dass Sanno zurückfuhr. Der Vater starrte auf das Seelenbild, auch sein Gesicht war leichenfahl geworden. Doch im nächsten Moment schon ging eine rätselhafte Verwandlung mit ihm vor – er fuhr sich über Stirn und Wangen, und als er die Hand wieder sinken ließ, zeigten seine Züge ein beiläufiges Lächeln.

»Nun gut, eine weitere Erinnerung, Sanno. Ich freue mich für dich, dass dein Gedächtnis jetzt wirklich wiederzukehren scheint. Aber du hattest trotzdem kein Recht, meine Befehle zu missachten. Du weißt, wie gefährlich es ist, in finsterer Nacht durch den Wald zu fahren. Wie leicht hättet ihr Räubern in die Hände fallen können, und wie leicht hätte die Karre umstürzen können – mit Dutzenden Tiegeln darauf, die ihr eigentlich in Aschaffenburg verkaufen solltet!«

»Aber dieses Bild, Vater«, rief Sanno aus, »es ändert doch alles!« Wie konnte der Vater jetzt von drohenden Achsbrüchen oder von entgangenen Einkünften auf irgendeinem Marktplatz reden – wo es für ihn, Sanno, doch um buchstäblich alles ging, um Lüge oder Wahrheit, um das Grauen am tiefsten Grund seiner Seele! »Ich erinnere mich jetzt, Vater«, sagte er in beschwörendem Ton, »dass ich wirklich in diesem Haus gewesen sein muss – und dass mir dort etwas Schreckliches widerfahren ist!«

»Etwas Schreckliches? Nun, das lässt sich leider nicht leugnen, Sanno.« Der Vater deutete auf das Bild, das Sanno noch immer ausgespannt vor seine Brust hielt wie ein Banner. Einen Moment lang schien er sich zu besinnen, seine Miene verdüsterte sich, dann kehrte das Lächeln zurück. »Es ist das Haus, in dem der Medikus und ich um dein Leben gerungen haben, in den Tagen und Wochen nach dem Unglück.«

»Aber Ihr habt es nie erwähnt, Vater. Und habt Ihr nicht immer erzählt, dass Ihr und der Medikus mich in einer kleinen Fischerkate direkt am Nordmeer umsorgt hättet?«

Von der schmalen Tür her, die zu den Laborkellern hinunterführte, erklang ein dumpfes Rumpeln und Rumoren. »Der gute Cramsen«, sagte Lambert, »er werkelt allein dort unten, dabei sind die Bottiche für seine alten Arme viel zu schwer. Ich muss hinab, Sanno, allein kommt er nicht voran.« Er legte ihm eine Hand auf die Schulter. »Geh zu Bett, Junge, wir sprechen morgen weiter, und glaub mir – alles, was dich jetzt bekümmern mag, wird sich morgen so leicht und vollkommen aufklären, wie Nebel in der Sonne verfliegt.«

Erschöpft nickte Sanno. »Ja, Vater, und eine gute Nacht.«

Stumm sah Lambert zu, wie Sanno das Seelenbild wieder zusammenrollte und in seine Herztasche schob. Dann wandte er sich um und polterte im nächsten Moment schon die Kellertreppe hinab.

Sanno schaute ihm hinterher, auf seiner Schulter spürte er noch die schwere väterliche Hand. Ob das wirklich schon die ganze Erklärung für den namenlosen Schrecken war, der für ihn von dem Seelenbild ausging – dass er nach dem Kutschunglück in diesem düsteren Haus gelegen hatte, mit dem Tod ringend, von Wundschmerzen und kindlichen Ängsten gequält?

Vergeblich versuchte Sanno einen klaren Gedanken zu fassen. Nach den Strapazen und Aufregungen der letzten Tage und Nächte konnte er sich kaum mehr auf den Beinen halten. In seinem Kopf sauste es, und jede Faser seines Körpers vibrierte vor Müdigkeit.

Kurz überlegte er, ob er noch rasch zu Lunja hinüberhuschen

und ihr eine gute Nacht wünschen sollte. Wie gern hätte er vor dem Schlafen noch einmal ihr scheues Lächeln gesehen und das Leuchten ihrer Nordmeeraugen. Aber bestimmt schlief Lunja schon tief und fest, und vielleicht wäre es ihr auch gar nicht recht, wenn er so im Dunkeln in ihre Kammer geschlichen käme.
Von der Bosbrunner Kapelle her hatte es schon vor geraumer Zeit zwei Uhr geschlagen – höchste Zeit für ein paar Stunden Schlaf. Morgen in aller Frühe würde er mit dem Vater reden, dachte Sanno, während er in seiner Dachkammer unter die Decke kroch. Der Vater musste ihm rückhaltlos alles erzählen, was damals in dem düsteren Haus vorgefallen war. Und er musste erlauben, dass Lunja bei ihnen blieb. Er muss einfach!, dachte Sanno und schlief im nächsten Augenblick ein.

16

In stockdunkler Nacht schreckte Sanno hoch, mit hämmerndem Herzschlag. Da waren sie wieder – die angstvollen Kinderschreie. Lambert hat gelogen, gelogen, dachte er und verstand gar nicht gleich, was das bedeuten sollte – der Vater hat gelogen, gelogen! Mit einem Zittern fuhr der angestaute Atem aus seinem Hals.
Lambert hat gelogen, gelogen! Unaufhörlich hallten die immergleichen Wörter durch seinen Kopf. Gelogen, gelogen! Bis es nur noch ein Silbengeklingel hinter seiner Stirn war, leiernder Kindergesang, der sich mit den Schreien draußen im Wald vermischte. Gelogen, der Vater hat gelogen – Lambert hat gelogen, gelogen!
Er konnte höchstens eine Stunde geschlafen haben, vielleicht noch weniger – er sah es am Stand des Mondes, der noch immer

vor seinem Fenster über den Tannen schwebte. Die Schreie, die Schreie. Sanno warf seine Decke zur Seite und stand auf.
Gelogen, gelogen. Er schlich zum Fenster, kniete sich auf die Truhe und beugte sich weit hinaus. Ganz allmählich wurden die Schreie leiser. Sein Herzschlag beruhigte sich. Die Nachtkühle erfrischte seine fiebrig heiße Stirn. Klamm klebte ihm das Schlafhemd auf der Haut. Er zog es über den Kopf und ließ sich die bloße Brust von der milden Brise kühlen.
Er spürte es so deutlich, wie er nie zuvor irgendetwas empfunden hatte – die Schreie und der düstere Bau an der Steilküste gehörten zusammen. Er musste sie *damals* vernommen haben – als er auf dem nackten Steinboden in jenem vollkommen finsteren Raum gesessen hatte, und seit damals hallten die Schreie immer wieder vom Grund seiner Seele zu ihm empor.
Ihr habt mich angelogen, Vater Lambertus – warum? Wenn in jenem Haus einfach der Medikus gewohnt hat, der zusammen mit Euch um mein Leben gekämpft hat – woher dann diese kindlichen Schreie, von denen das ganze Gemäuer widerhallte? Was soll das denn für ein Medikus sein, dachte Sanno – der in seiner Behausung Dutzende kleiner Kinder in Todesangst versetzt?
Gelogen, gelogen, Vater Lambert – aber warum nur, warum?
Natürlich konnte er ganz leicht nachprüfen, ob die Schreie tatsächlich aus dem Haus an der Steilküste gedrungen waren. Er musste nur das Seelenbild unter seinem Gewand hervorholen, das auf dem Schemel neben seiner Bettstatt lag, und sich abermals durch das magische Fenster in jene Welt hineinziehen lassen.
Aber in diesem Moment fehlte Sanno der nötige Mut. Nicht jetzt, dachte er. Nicht gerade zu dieser finsteren Nachtstunde, während die Schreie in seinem Innern kaum erst verklungen waren und ihm der Angstschweiß noch auf der Haut klebte.
Er tappte zu seinem Bett zurück und warf Hemd, Wams und Plu-

derhose über, hakte seinen Gürtel mit dem Hirschhornmesser zu und schlüpfte in seine Flechtsandalen. Leise zog er die Tür auf und lauschte nach draußen.

Alles dunkel und still. Und an Schlaf war sowieso wieder mal nicht zu denken – zumindest nicht für ihn. Er würde die Gelegenheit nutzen und in den Keller hinabsteigen, beschloss Sanno. Er musste doch zumindest einmal nachschauen, wie es Linda und Josepha erging. Ob Lambert die bedauernswerten Frauen immer noch in dem engen Verschlag hinter den Laborkellern gefangen hielt – oder ob er sie doch in ein bequemeres Gefängnis umquartiert hatte. So oder so war es höchste Zeit, dass er sich in den Laborräumen einmal ein wenig umsah. Gut möglich, dass er dort ein paar Antworten finden würde.

Sanno hatte einen Fuß schon auf die Schwelle gesetzt, als er noch einmal umkehrte. Vielleicht würde er unten im Keller auf Lambert treffen, der ja nicht selten die halbe Nacht im Labor herumkramte, oder der Vater würde ihm, von seinem Rumoren aufgestört, in die Katakomben folgen und ihn zur Rede stellen. Da war es besser, wenn er für alle Fälle das Seelenbild bei sich hatte, genauso wie den Beutel voller Münzen vom Gelnhäuser Markt, den er Lambert vor lauter Durcheinander noch gar nicht übergeben hatte. Sanno schob den Leinwandfetzen in seine Herztasche, hängte sich den Beutel um den Hals und schlich die leise knarrende Treppe hinab.

Ausdrücklich verboten hatte der Vater ihm nie, die Laborräume zu betreten, allerdings hatte es dazu auch bislang keinen Grund gegeben. Sanno graute es vor den Verliesen unter der Erde. Schon bei dem Gedanken, dort jetzt hinabzusteigen, brach ihm aufs Neue der Schweiß aus. Und trotzdem musste es sein. Wenn der Vater wirklich etwas vor ihm verbarg, dann doch am ehesten dort unten!

Die enge Wendeltreppe hinab zum Keller – Herzklopfen und das unbehagliche Gefühl, als ob die Wände bei jedem Schritt noch näher an ihn heranrückten. Als ob sie nicht einfach aus modrigem Stein und einer stockfleckigen Kalkschicht bestünden, sondern das alles hier auf wenig geheure Weise lebte. Die Mauern schwitzten Feuchtigkeit aus, das Kerzenflämmchen flackerte, obwohl Sanno es mit der Hand beschirmte, und dieses gleichmäßige Dröhnen – das konnte doch unmöglich sein eigenes Blut sein, das in seinen Ohren donnerte, wie der Bosbach durch die Waldschlucht toste?
Schließlich hatte er die Treppe hinter sich und stand in dem schmalen Gang zu den Laborräumen. Doch hier war es noch ärger – die Decke so niedrig, dass er unwillkürlich den Kopf einzog, und die Mauernischen voller Schwärze, aus der ihn Augen anzufunkeln schienen. Auf weichen Beinen ging Sanno weiter, drehte sich immer wieder um, leuchtete in jede Nische hinein, und da war überhaupt nichts. Nur Spinnweb und Schatten oder allenfalls eine rostige Forke, von deren blanken Eisenspitzen das Funkeln ausgegangen war.
Die Tür zum vorderen Laborraum. Zu seinem Erstaunen war der Riegel nicht vorgeschoben, das schwere Türblatt nur angelehnt. Also waren die beiden Frauen nicht mehr dort hinten eingesperrt? Natürlich genügte es, nur den hintersten Raum selbst zu verrammeln, aber Sanno hatte ja vorgestern ganz genau gehört, wie Riegel um Riegel ins Eisen gekracht war, nachdem Cramsen die Frauen in ihre Zelle gebracht hatte. Vorsichtig, um kein Knarren hervorzurufen, zog er die Tür auf, trat auf die Schwelle und leuchtete mit der Kerze hinein.
Aus dem dunklen Raum schlug ihm der beißende Geruch entgegen, den er schon früher, bei seinen seltenen Besuchen in Lamberts Unterwelt, wahrgenommen hatte. Besonders in Vollmondnächten, wenn die Heilkraft der Pflanzen am größten war, hatte

die alte Keta alle Hände voll zu tun, um in Garten und Wald zu pflücken und zu sammeln, zu suchen und zu ernten, was der Vater für sein Specificum benötigte. Dutzende Kräuter und Blüten, Wurzeln und Ranken kochte, sott und destillierte er hier Woche um Woche, und der Duft von Mistel und Melisse, Alraune, Männerlieb und all den anderen Pflanzen hatte sich für immer zu jenem eigenartigen Geruch vermischt, der Nase und Kehle reizte. Sanno unterdrückte ein Niesen, während er über die Schwelle trat, sorgsam bemüht, nicht versehentlich einen Bottich oder ein Glasgefäß anzustoßen. In einer Wandhalterung entdeckte er eine halb heruntergebrannte Fackel, rang kurz mit sich, ob er es wagen sollte, und zündete sie schließlich mit dem Kerzenflämmchen an. Den Rest seiner dürftigen Talgkerze würde er sich für den Rückweg aufheben – er blies sie aus und schob sie in seine Gürteltasche.

Die auflodernde Fackel brachte die Schatten des gewaltigen Ofens an der rechten Wand und der daneben gestapelten Bottiche zum Tanzen. Einige Augenblicke stand Sanno ganz still da, blinzelte ins Licht und lauschte. Vom Gang her nicht der geringste Laut. Er horchte zur schwarzen Tür hin, die zu den hinteren Laborräumen führte – auch von dort war nicht der leiseste Seufzer zu hören. Das besagte allerdings wenig – die Tür war aus armdickem Eichenholz, mit Leder bespannt und mit Eisenbändern beschlagen.

Durch den Spalt ganz oben in der linken Längswand drang ein dünner Strom frischer Luft herein, vermengt mit einer allerersten Ahnung von Morgengrauen. Aber in diesem Moment nahm Sanno dies alles kaum wahr. Er starrte die Tür drei Schritte vor ihm an, die schwarzen Lederhäute, die in mehreren Schichten daraufgenagelt waren, die handbreiten Eisenbänder, den klobigen Riegel. Der Geruch des Specificums würgte ihn in der Kehle, oder war es die Angst, die ihm den Hals hochkroch?

Lambert hatte ihm erzählt, dass er die Kellerräume genauso, wie sie heute aussahen, vom früheren Besitzer des Gutes übernommen habe, einem Junker namens Waldenstein. Mitsamt den gewaltigen Öfen in den vorderen Kellerräumen und den mottenzerfressenen Lederhäuten, den übertrieben dicken Beschlägen und Riegeln an den inneren Türen. Wahrscheinlich gehe die ganze Einrichtung sogar noch auf die Sippe des Ritters Hademar zurück, hatte Lambert erklärt, die hier unten wohl tatsächlich noch Gefangene eingekerkert habe – auf frischer Tat ertappte Wilderer oder vielleicht auch unschuldige Reisende, die man um Lösegeld erpresste.

Das alles schoss Sanno durch den Kopf, während er die schwarze Tür betrachtete. Natürlich wurden hier unten seit Ewigkeiten keine Gefangenen mehr eingekerkert – abgesehen von Josepha und Linda, aber das war schließlich etwas ganz anderes. Warum also flößte ihm die Tür einen solchen Schrecken ein? Warum hatte er auf einmal den Eindruck, als ob er völlig nackt und hilflos hier stünde? Wieso richtete sich der Flaum in seinem Nacken und zwischen seinen Schulterblättern auf, und warum bekam er am ganzen Körper eine Gänsehaut?

Sanno legte seine Rechte auf das Messer an seinem Gürtel. Er schluckte krampfhaft, ohne die Tür aus dem Auge zu lassen. Er würde jetzt dort hinübergehen, sagte er sich, den Riegel aufschieben und den dahintergelegenen Laborraum betreten. Schließlich war er kein feiger Kindskopf, der sich von Schatten und Gespensterangst in die Flucht jagen ließ.

Während er auf die Tür zuging, bekreuzigte er sich mehrfach, in rascher Folge, wie er es so oft bei Keta gesehen hatte. Zur Sicherheit murmelte er auch noch einen der magischen Sprüche, die er sich gleichfalls bei der Alten abgelauscht hatte – »*saisa, laisa, relaisa*«. Ob die Formel hier wirklich passte, war ein wenig zweifelhaft, aber auch Keta nahm es damit nicht immer so ganz genau.

Der gleiche Spruch, der einmal gegen böse Träume schützte, half ein anderes Mal gegen Vergesslichkeit.
Sanno legte seine linke Hand auf den Riegel und drückte dagegen. Er ließ sich überraschend leicht bewegen, und er gab nicht das leiseste Quietschen von sich, als Sanno ihn beiseiteschob. Ganz offensichtlich war der Riegel erst vor Kurzem geölt worden.
Die schwere Tür, durch Alter und Feuchtigkeit verzogen, glitt von selbst mit einem leisen Knarren auf. Sanno wandte sich um und nahm die Fackel von der Wand. Wie ein Flammenschwert hielt er den lodernden Stock vor sich, als er über die Schwelle in den zweiten Laborraum trat.
Es war eher ein Saal als ein einfacher Raum – mit einer hohen Gewölbedecke und zahlreichen Wandnischen, die allesamt mit Regalen und Schränken gefüllt waren. Lange Tische standen kreuz und quer auf dem Steinboden, an der hinteren Wand erhoben sich gleich drei gewaltige Öfen, auf denen ein halbes Dutzend Bottiche standen.
Sanno machte einige Schritte in den Saal hinein und schaute sich nach allen Seiten um. Was hatte er erwartet, was befürchtet? Er wusste es selbst nicht recht. Jedenfalls nicht einen so säuberlich aufgeräumten riesigen Kellerraum, der ganz offensichtlich nur die langweiligen Gerätschaften enthielt, die Lambert für die Zubereitung des immer gleichen Specificums und allenfalls für seine Experimente zur Gewinnung eines noch besseren Heilelixiers benötigte.
Ernüchtert ging Sanno tiefer in den Kellersaal. Im Vorbeigehen zündete er eine weitere Fackel an, die an der Wand unter den Luftschlitzen in einem Eisenbügel steckte. Und dann erst bemerkte er, dass die Tür zum hintersten Kellerraum weit offenstand.
Mit ein paar raschen Schritten war er dort und leuchtete in den

Verschlag hinein. Von der alten Josepha und von Linda keine Spur. Nicht mal ein vergessener Lumpen oder Brotkanten deutete darauf hin, dass hier in jüngster Zeit Gefangene geschmachtet hatten. Aber es war der richtige Raum, er täuschte sich bestimmt nicht – als Sanno unter den Luftschlitz trat und seinen Kopf in den Nacken legte, konnte er den unteren Teil der Büsche sehen, vor denen er sich vorgestern da oben in den Schmutz gekauert hatte, und sogar noch das von seinen Händen und Knien in den Schlamm gedrückte Gras.

Und jetzt – nichts mehr. Der ganze kleine Raum so kahl, als ob er gerade eben erst geleert worden wäre. Sanno hielt die Fackel tiefer. Diese halb getrocknete Lache im Winkel – war das bloßes Wasser, mit dem Cramsen den Boden gescheuert haben mochte, oder etwa ...?

Plötzlich hörte er ein Rumpeln – angespannt lauschte Sanno zu den vorderen Räumen hinaus. Gütiger Himmel, was ist das? Ein Rumoren von oben, Schritte im Haus? Sanno hielt die Luft an und erstarrte. Erst als er zu ersticken meinte, atmete er leise stöhnend aus. Nein, er musste sich getäuscht haben. Jetzt war oben wieder alles still. Und immer noch war es ja beinahe Nacht, alle waren spät zu Bett gegangen und schliefen bestimmt tief und fest.

Alle – auch Lunja. Er musste lächeln, als er sie vor sich sah, ihre blauen Nordmeeraugen, die helle Feenhaut. Lunja mit dem scheuen Lächeln, hinter dem sie Willenskraft und Überlebenslist verbarg.

Er verließ den Verschlag, ohne noch einmal nachzusehen, was es mit der Lache auf sich hatte. Im Grunde wollte er jetzt nur noch weg von hier, die Katakomben mit ihren üblen Gerüchen und den scheußlichen Einbildungen, die sie in ihm auslösten, hinter sich lassen, so rasch wie irgend möglich! Was hatte er sich nur dabei gedacht, als er beschlossen hatte, mitten in der Nacht hier

herunterzuschleichen? Sanno verstand sich selbst nicht mehr. Was sollte Vater Lambert hier unten schon Geheimnisvolles aufbewahren?
Nun ja, dachte er dann, ein wenig konnte er sich ja noch umschauen – nur so, damit er sich später nichts vorzuwerfen brauchte. Halbherzig streunte er in dem Saal voller Schränke und Tische, Regale und Öfen herum. Zog hier eine Lade auf, schaute dort in Kisten und Kästen. Auf die eigenartigsten Gerätschaften stieß er – Glasgefäße, die wie Frauenbrüste geformt waren, in schwarzes Leder gebundene, offenbar uralte Schwarten, gefüllt mit unverständlichen Formeln und Sentenzen, und schließlich eine Lade, die lediglich zwei honiggelb schimmernde Halbkugeln und zwei Stäbchen von der gleichen Art und Farbe enthielt.
Er nahm die sonderbaren Dinge heraus. Die Halbkugeln waren glatt und gleichmäßig geformt, aneinandergelegt, glichen sie einem goldenen Apfel. Die Stäbchen sahen aus wie winzige Rohrflöten, kurz wie der Finger eines kleinen Knaben. In den Halbkugeln gab es Aussparungen an den abgeflachten Seiten, und die Stöckchen passten genau dort hinein. Aber wofür sollte dies alles gut sein?
Plötzlich spürte Sanno wieder dieses Würgen in der Kehle und ein Brennen in den Augen. Er machte sie zu und bewegte die golden glänzenden Dinge in seinen Händen hin und her. Holpriges Herzrasen und abermals der ekelhafte Eindruck, dass er nackt und hilflos wäre, ein ganz kleines Kind, bis zum Zerspringen angefüllt mit Grauen und Angst.
Sanno öffnete die Augen. Noch einen Moment länger, und ich hätte geschrien, dachte er – geschrien, gewinselt, mit überkippender Stimme meine Angst aus mir herausgekreischt wie die kleinen Kinder aus der Welt zwischen Traum und Tag. Wie die winzigen Häftlinge aus dem düsteren Haus über dem Nordmeer. Dem Haus, das *nicht* jenem Medikus gehört hat, was immer es

damit auf sich haben mag. Denn Ihr habt mich belogen, Vater, gelogen habt Ihr, gelogen, Vater Lambertus – warum nur, warum?
Es war die gleiche Frage, mit der er vorhin aus dem Schlaf geschreckt war. Ich bin keinen Schritt weitergekommen, sagte sich Sanno müde, mein Besuch in Lamberts Unterwelt war ganz und gar umsonst. Er würde zurück in seine Kammer gehen und zumindest noch eine oder zwei Stunden schlafen, um sich für seine Unterredung mit dem Vater zu stärken.
In diesem Moment hörte Sanno wieder dumpfes Rumoren von oben, kein Zweifel diesmal – Schritte auf dem Hof, Hufklappern, Räderrattern vom Eselsweg her, gedämpfte Rufe. Was hatte das zu bedeuten?
Ohne recht zu bemerken, was er da machte, schob er die Halbkugeln und Stäbchen in seine Gürteltasche. Dann löschte er die Fackel im Laborsaal und eilte in den vorderen Raum, wo er die erste Leuchte in ihre Halterung zurücksteckte und sorgfältig löschte. Erst da wurde Sanno bewusst, dass sich in den beißenden Gestank von den Bottichen her ein ganz anderer, stechender Geruch gemischt hatte – Feuer!
Er rannte in den Gang hinaus, und nun hörte er es auch – das Prasseln und Fauchen von Flammen, während ihm die Kellertreppe hinab bereits Qualm in dunklen Schwaden entgegenwaberte.

17

Die Halle in Flammen! Orangerote Feuerzungen schlängelten sich über den Steinboden, leckten an Schränken und Truhen, fraßen sich an Stuhl- und Tischbeinen hoch.
Aber wie war das möglich, wodurch war das Feuer ausgebro-

chen? Sannos Blicke jagten im glühenden, zuckenden Halbdunkel umher – die Fenster zerborsten, die Läden davor zersplittert, wie von Äxten zerfetzt. Durch scharfzackige Breschen glotzte der Mond, und dann flog ein brennender Klumpen zu ihm in die Halle herein! Ein klobiger Knüppel, aus dem Flammen krochen, umwabert von schwarzem Qualm.

Brennendes Pech! Das hier war kein Unglücksfall – jemand warf Brandfackeln in ihr Haus!

Eine ganze Salve lodernder Pechknüppel flog nun durch die Fenster herein. Draußen auf dem Hof johlten Männerstimmen.

»Feuer!«, schrie Sanno. Eine Brandfackel kollerte vor seine Füße. »Zu Hilfe, Vater, es brennt!« Rauch quoll empor und nahm ihm den Atem. Seine Schreie erstickten in kläglichem Husten.

Er musste hinauf – den Vater wecken, ihn retten, zu Hilfe rufen – irgendetwas tun! Eine weitere Brandfackel krachte neben Sanno in einen Schrank, und im nächsten Moment stand das ganze riesige Eichenmöbel in Flammen. Er rannte weiter, zur Treppe nach oben, bemerkte im Augenwinkel die Schatten und fuhr herum.

Die Silhouetten plumper Gestalten in den geborstenen Fenstern – zwei, drei, vier und dort drüben noch weitere Kerle – zottige Köpfe über bärenhaften Leibern. »Wo ist der Teufelsjunge?«, brüllte eine Stimme vom Hof her, doch da hatte sich Sanno wohl verhört.

Die Flammen prasselten und fauchten, krachend stürzte der Eichenschrank zusammen. Das Feuer machte einen furchtbaren Lärm, noch viel lauter war das Tosen seines eigenen Blutes. Sanno rannte die Treppe hinauf, hustend, stolpernd, am ganzen Leib zitternd.

Die Tür zu Lamberts Gemächern war verrammelt. Er hämmerte mit den Fäusten dagegen. »Vater, bitte – es brennt!« Manchmal, wenn ihn der Schlaf hartnäckig floh, nahm der Vater einen Betäubungstrunk zu sich. Bestimmt hatte er auch diese Nacht einige

Tropfen der Essenz, die bleiernen Schlaf brachte, in seinen Becher gemischt, wie so häufig nach großen Aufregungen. Also ist es meine Schuld, dachte Sanno, wenn der Vater von den Flammen versehrt wird – schließlich habe ich ihn durch das Seelenbild derart aufgestört! »Vater Lambert, um Himmels willen, macht auf!«

Die Flammen krochen bereits die Treppe empor. Sanno hörte sie fauchen und roch den brandigen Odem des furchtbaren Drachens, der hinter ihm herschlich und binnen Kurzem das ganze Haus auffressen würde, wenn Vater Lambert nicht endlich zu sich kam.

Mit der Schulter warf er sich gegen die Tür – ah, verdammt, tat das weh! Wo waren überhaupt Keta und Cramsen? Womöglich schliefen sie noch drüben im Gesindehaus und hatten von dem Angriff gar nichts gemerkt? Und was war mit Lunja – oh gütiger Gott, dachte Sanno, ihr darf nichts passiert sein! Mit verdoppelter Wucht warf er sich gegen die Tür. Nichts! Nur sein Arm schmerzte, als ob er bis auf die Knochen zerquetscht worden wäre.

Da riss Sanno sein Messer heraus und hieb die Klinge in den Spalt zwischen Türblatt und Leibung. Die Spitze brach mit einem hässlichen, trockenen Knacken – es schmerzte ihn mehr als die Quetschung an der Schulter, aber das Schloss gab endlich, endlich nach. Die Tür flog auf, und ein riesengroßer fiebrig roter Wulst quoll hervor, eine Drachenzunge aus reinem Feuer, die fauchend auf ihn zuschoss.

Sanno konnte gerade noch sein Messer packen, sich zur Seite werfen, konnte eben noch sehen, dass die ganze Zimmerflucht dort drinnen in Flammen stand. Ein einziger Höllenofen, die Bibliothek, das Studierzimmer, auch das zuhinterst gelegene Schlafgemach, wo der Vater wohl immer noch in seinem Bett lag – vom bleiernen Betäubungsschlaf hinübergerissen in den Feuertod.

Aber das kann nicht sein, das darf nicht geschehen sein! Sanno lag am Boden, wie er sich vor der hervorquellenden Brunst zur Seite geworfen hatte – halb schon auf der Stiege zu seiner Kammer hinauf. Aus Lamberts Gemächern schossen unablässig weitere Feuerzungen hervor. Unten musste ohnehin längst alles in Flammen stehen, auch die Treppe in die Halle hinab war nur noch ein Höllenschacht voll fauchendem, mit tausend roten und blauen Zungen die Wände emporleckendem Tod.

So blieb ihm keine Wahl – er musste in seine Kammer hinauf, sich über das Dach nach draußen retten und den uralten Weinstock hinab, der an der südlichen Seitenwand des Gutshauses emporwuchs.

Im Nu war er die Stufen hinauf, in seiner Kammer, auf der Truhe, kauerte schon auf der Fensterbank, balancierte im nächsten Moment draußen über den First. Schwindelgefühl kannte Sanno nicht, je höher hinauf es ging, desto wohler fühlte er sich, schwerelos wie Herbstlaub im Wind.

Mit großen Schritten lief er auf dem Dach entlang zur Seitenwand. Duckte sich hin und schaute, mit einem Fuß schon nach einer Astgabel im Weinstock tastend, noch einmal zu seiner Kammer zurück.

Eben züngelten die ersten Flammen aus seiner Fensterluke, im nächsten Augenblick flogen ringsherum die Schieferschindeln in einem Wirbel empor. Nur einen Wimpernschlag später brannte schon das halbe Dach des riesigen Hauses, das Jahrhunderte überstanden hatte, Kriege, Seuchen, Überfälle – bis in den Morgenhimmel schlugen die Flammen empor, es sah aus wie ein gigantischer roter Drache, der durch den Dachstuhl gebrochen war, sein schreckliches Haupt emporwarf und sein Maul aufriss zu einem alles verheerenden Schrei.

Den Weinstock war Sanno mehr hinuntergefallen als -geklettert. Unten blieb er für einen Moment hinter der Hausecke hocken,

lauschte zum Hof hin und wartete, dass sein rasender Herzschlag, sein keuchender Atem sich beruhigten. Seine Hände und Fußknöchel waren von der rauen Rinde aufgeschürft, aber sonst schien alles heil geblieben. Während Vater Lambert . . .
Oh gütiger Gott, lass es nicht wahr sein. Bestimmt war Lambert doch noch rechtzeitig erwacht, sagte sich Sanno, und hatte sich in Sicherheit gebracht, anders konnte es gar nicht sein!
Aber sein Gewissen widersprach ihm mit leiser, unbeirrbarer Stimme – nein, Sanno, wegen dir ist der Vater nun tot.
Dann will ich auch sterben, dachte er, und das Herz wurde ihm so schwer, als ob er einen Bleiklumpen in seiner Brust trüge. Wenn der Vater wegen mir gestorben ist, will ich auch nicht länger am Leben sein.
Er rappelte sich auf, auch seine Beine fühlten sich bleiern an. Mit schweren Schritten trottete er um die Hausecke herum – Flammen schlugen aus allen Fenstern, die ganze Vorderseite des Gutshauses brannte lichterloh. Der Hof war so hell erleuchtet wie von der Mittagssonne und so leer, als ob kein einziger Mordgeselle hier jemals eingedrungen wäre. Weit und breit keine Spur von den Pferden und Kutschen, die Sanno vorhin vom Keller aus gehört hatte, so wenig wie von den zottigen Gestalten, die durch die geborstenen Fenster ins Gutshaus geklettert waren.
Aber er hatte das alles doch mit eigenen Augen und Ohren gesehen und gehört! Verstört schlich Sanno zum Gesindehaus hinüber.
Schon von Weitem sah er den dunklen Körper, der dort reglos vor der Tür lag. Er kauerte sich daneben, fuhr ihm mit der Hand über das Fell. »Rumar.« Der Wolfshund zuckte mit keiner Pfote. Noch bevor Sanno die klebrige Nässe an seinem Hals ertastet hatte, wusste er, dass der Hund nicht mehr lebte.
»Mein lieber Freund.« Sanno flüsterte es, und seine Tränen tropften hinab und vermischten sich mit dem Blut aus Rumars aufge-

schlitzter Kehle. »In meinem Kopf ist alles wirr«, flüsterte Sanno und streichelte unablässig über das wollige Fell. »Was geschieht hier und was war *damals* – bitte hilf mir, Rumar, alter Gefährte, ein letztes Mal!«
Aber der Wolfshund lag so kalt und reglos da wie die Wildschweine und Marder, die der alte Cramsen in früheren Jahren, als seine Hände noch beweglicher waren, ausgeweidet und mit Stroh ausgestopft hatte.
Sanno fuhr sich mit dem Handrücken über die Augen, doch immer wieder kamen neue Tränen nach. »Du sollst ein schönes Grab bekommen, das verspreche ich dir, Rumar«, flüsterte er. »Gedulde dich nur noch ein wenig. Mein guter, lieber Freund!«
Schließlich stand er auf, stieg mit zittrigen Beinen über den Hund hinweg und wollte eben ins Gesindehaus hinein, als er wieder die Hand auf seiner Schulter spürte, ganz zart und sacht. Er fuhr herum zu ihr. »Lunja«, stammelte er, »zumindest du!«
»Psst, Sanno, kein Wort!« Sie wisperte so leise, dass er es fast nur von ihren Lippen las. Ganz kurz legte sie ihre kühle kleine Hand auf seinen Mund. Er nickte ihr mit großen Augen zu. »Nicht da hinein«, flüsterte sie. »Sie sind alle dort drin. Die beiden Alten haben sie im Schlaf überrascht. Wir müssen weg, Sanno!« Sie nahm seine Hand und wollte ihn hinter sich herziehen.
»Warte!«, sagte er – so laut, dass er selbst erschrak. »Warte«, wiederholte er viel leiser. Argwohn kroch in ihm hoch, bitter wie Gift. »Wie konntest du ihnen entkommen? Hatte Keta dich nicht sogar da oben eingesperrt?« Er deutete zum Dach des Gesindehauses empor.
Lunja trat so dicht neben ihn, dass er ihren schlanken Leib an seiner Seite fühlte. Ihr Atem fuhr warm über sein Ohr. »Ich habe sie kommen hören – seit *damals* habe ich einen leichten Schlaf. Ich bin übers Dach hinaus und habe mich im Stall versteckt. Von dort aus habe ich alles gesehen – wie sie drüben ins Haus sind, alles

angezündet haben und dann hier herübergekommen sind. Aber jetzt lass uns gehen, Sanno – bevor sie uns doch noch finden!«
Er sah die Angst in ihren Augen, spürte ihr krampfhaftes Zittern, als sie ihn abermals bei der Hand nahm. Aber ich muss Rumar begraben, dachte er. Und ohne Uda können wir doch sowieso nicht von hier weg!
Da wurde drinnen im Gesindehaus eine Tür aufgestoßen, und eine grobe Stimme brüllte: »Der Teufelsjunge – da ist er ja!«
Lunja zerrte an seiner Hand, und diesmal sträubte er sich nicht einen Augenblick. Teufelsjunge! Wie ein Donnerschlag hallte das Wort in ihm nach. Seite an Seite liefen sie über den Hof, im Zickzack zwischen brennenden Balken, die vom Dachstuhl herabgestürzt waren, und geborstenen Schindeln, die wie Steinschlag vor der rußschwarzen Fassade herniederprasselten.
»Da drüben rennt er!« Ein Schuss knallte, ein zweiter – im nächsten Moment waren sie um das Haus herum und rannten auf das hintere Tor zu. Sanno riss es auf, dahinter begann schon der dichte Wald.
»Da draußen kenne ich mich aus«, keuchte er. »Im Wald kommt man nur zu Fuß voran, und wer den Weg nicht weiß, verirrt sich rettungslos.«
Hinter ihnen war das Stampfen von Schritten zu hören. Stimmen schrien durcheinander, Eisen klirrte, so als ob Säbel oder Schwerter aus Scheiden führen.
»Aber wohin geht es denn da?«, fragte Lunja.
Sanno tastete nach seiner Herztasche. »Komm mit mir, zum Nordmeer, Lunja – dorthin, wo alles begonnen hat.«
Er fasste Lunjas Hand fester. Hinter ihnen fauchten die Flammen, schrien die Verfolger. In seinem Inneren echote wie für immer der unheimliche, unbegreifliche Ausruf: Teufelsjunge! So rasch es Dunkelheit und Dickicht erlaubten, rannten Sanno und Lunja in den Wald hinein.

Zweiter Teil:
Die Flucht

18

Wenn die Last auf seinen Schultern zu schwer wurde, lief er einfach auf seinen Händen weiter. Wollten die qualvollen Gedanken nicht aufhören, seinen Kopf zu zermartern, dann übte er sich in seiner jüngsten Gaukelei – ließ Lunjas nebelgraues Tuch von ihrem Hals verschwinden, und ehe sie den Verlust bemerkte, flatterte es ein paar Schritte vor ihnen an einem Zweig. Drohte sich der Boden unter seinen Füßen zu öffnen, zu dem höllenschwarzen Schacht seiner ärgsten Träume, so kletterte er katzenflink an einem Baum empor und hangelte sich von Wipfel zu Wipfel.

»Komm runter!«, schrie Lunja dann. Die Hände auf die Hüften gestemmt, den Kopf weit in den Nacken gelegt, stand sie puppenklein dort unten auf dem Teppich aus Moos, Laub und Reisig und schaute zu ihm herauf. Sie formte ihre Hände zu einem Trichter, legte sie um ihren Mund. »Du wirst dir das Genick brechen, Sanno!«

»Eher bricht mir das Herz!«, rief er zurück, aber so leise, dass nur Eichhörnchen und Amseln ringsherum in den Bäumen ihn hörten.

Mein Herz aus Staub, mein Ascheherz. Mein Herz wie ein hohler Apfel, vom Wurm meiner ärgsten Träume zernagt.

»Komm runter«, schrie Lunja, »oder ich geh keinen Schritt weiter mit dir!«

Da kletterte er den schlanken Tannenstamm hinab, so hurtig, als

ob es eine Leiter wäre. Atemlos fiel er vor ihr auf die Knie, rang die Hände zu ihr empor, legte sein Gesicht in Falten der Zerknirschtheit. »Edles Fräulein, ich fleh Euch an – verlasst mich nicht!«
Und da konnte sie ihm nicht länger böse sein, sichtlich gegen ihren Willen, und ihre bange, düstere Miene wich lächelndem Sonnenschein. »Ich hab so Angst, dich zu verlieren, Sanno«, murmelte sie und wurde sogar ein wenig rot. »Und dann noch durch so einen Leichtsinn, so einen kindsköpfigen Schabernack!«
Er schaute noch reuiger. »Wenn ich erst mein ganzes Gedächtnis wieder hab«, sagte er, »vielleicht hält es mich dann auch leichter auf der Erde? Zumindest wenn ich unterwegs war, weg von Lamberts Gut, hab ich mich fast immer so gefühlt . . .« Er schlackerte mit Armen und Beinen wie ein Gliedermann aus Holz und Fäden. »Oder eben so . . .« Er deutete zu den Baumwipfeln hinauf. »So halt- und schwerelos wie eine Lumpenpuppe, in die Vater Lambert das Stroh seiner Geschichten hineingestopft hat. Und dadurch ist in mir alles immer enger geworden, bis ich selbst da drin gar keinen Platz mehr hatte.«
Er sprang in die Höhe, drehte sich mit gespreizten Armen und Beinen wie eine Windmühle in der Luft. Auf den Händen kam er schließlich wieder zum Stehen und wanderte um sie herum, schlenkerte mit den Beinen und wackelte mit den Zehen. Lachend sah ihm Lunja bei seinen Gaukelsprüngen zu. Seit ihrer ersten Nacht im Wald trug sie ihre Haare nicht mehr zu Zöpfen geflochten, sondern zu einer flachsblonden Schnecke verschlungen, die sie manchmal unter dem nebelgrauen Tuch verbarg. Dann wirkten ihre Augen noch größer, ihr Gesicht noch zerbrechlicher, feenhafter.
»Aber was hast du denn da, Sanno«, sagte sie auf einmal – in diesem Ton unendlichen Mitleids, den er überhaupt nicht mochte.
»Gar nichts hab ich da.« Er ließ sich rücklings ins Laub fallen, stopfte hastig sein Hemd zurück unter den Gürtel.

»Ist das von dem Kutschunglück?«, fragte Lunja – mit einem Gesicht, als ob sie ihn gleich in die Arme nehmen und trösten wollte wie ein kleines Kind.

»Kann sein.« Er zog auch sein Wams so tief wie möglich herab. »Lass uns von was anderem reden.« Plötzlich das Gefühl, als ob ein Schmerz von ganz weit unten in ihm emporkriechen wollte.

Lunja kauerte sich neben ihm auf den Boden. Er sah zu ihr empor, in ihre Augen, die er niemals anschauen konnte, ohne zugleich das leuchtende Nordmeer zu sehen.

»Es ist ja nicht so, dass ich mich gar nicht erinnern würde – im Gegenteil«, sagte er und bemühte sich um einen leichteren, beiläufigen Ton. »An unser Haus, an Mutter Heidlinde, wie sie mir Geschichten von Kinderheiligen erzählt oder wie ich an ihrer Hand durch den Blumengarten gehe. Ich sehe das alles ganz genau vor mir – Mutters Lächeln, die Sonne auf unserer Veranda und wie ich neben ihr auf der Holzbank sitze, an sie geschmiegt, und wir zusammen hinausschauen aufs Meer.« Lunja lächelte auf ihn herunter, und Sanno runzelte die Stirn, weil er sich jetzt nicht ablenken lassen wollte. »Aber es fühlt sich eben ganz anders an als alles, woran ich mich allein und von selbst erinnern kann – ohne Vater Lamberts Geschichten.«

Ihr Lächeln wirkte nun eine Spur bekümmerter. »Du meinst – das Haus an der Steilküste?«

Selbst ihre Augen schienen sich zu verdüstern. Ganz kurz sah er den festungsartigen Bau vor sich – die Schartenfenster, die hohen Mauern, das tief heruntergezogene Dach. »Ja, vielleicht«, murmelte er. »Ich weiß nicht.«

Seit sie vor vier Tagen von Lamberts Gut geflohen waren, hatte Sanno in jeder Nacht von dem Haus über der Felsküste geträumt. Ungreifbar nebelhafte Träume, die seine Seele gefrieren ließen. Er hockt auf dem nackten Boden in jenem Haus, alles ist so finster, als ob seine Augen verbunden wären. Und dazu die Schreie, das Wimmern, und dann irgendwann geht unendlich langsam eine Tür auf. Ein strichdünner Lichtstrahl in der Finsternis, der ganz langsam breiter wird, sodass sich um ihn herum verschwommene Schatten abzeichnen. Auch die Gestalt auf der Schwelle, die so qualvoll langsam die Tür aufschiebt, nimmt nach und nach Konturen an – ein Umhang, eine Kapuze, das Funkeln von Augen. Aber bevor Sanno irgendetwas wirklich erkennen kann, bevor die Schatten sich zu Dingen verdicken, der Schemen im Türspalt sein Gesicht zeigt, schreckt er jedes Mal aus dem Traum auf, und das Herz schlägt ihm so rasend in der Brust wie ein gefangener Vogel . . .

Weg mit den Träumen, dachte Sanno – er wollte nichts davon wissen, nicht jetzt. Sie würden hinauf zum Nordmeer wandern, und dort würde sich dann schon herausstellen, was damals wirklich passiert war. Auch das Seelenbild hatte Sanno seit Tagen nicht mehr hervorgeholt. Sie hatten schließlich drängendere Sorgen!

Ihre Mägen knurrten bei Tag und Nacht. Wenn er sich so leicht fühlte wie ein Faden Morgendunst, dann lag das wohl einfach daran, dass sie seit vier Tagen nichts als Beeren und Wurzeln gegessen hatten. Vor Kurzem noch, wenn Sanno mit dem Eselskarren auf der Straße einen hohlwangigen Burschen überholt hatte – die Augen glänzend vor Hunger und so abgemagert, dass ihm die Rippen unter dem Lumpenhemd hervorstachen –, dann hatte er dem armen Kameraden manchmal ein Kupferstück zugeworfen, genug für eine Schale Suppe und einen Kanten Brot. Aber ihre jetzige Lage war ja kaum weniger arg. Er hatte zwar einen ganzen Beutel voller Münzen bei sich, darunter sogar etliche Weißpfennige, doch da war weit und breit niemand, bei dem sie auch nur ein Stück halb verschimmelten Weichkäse kaufen könnten.

»Woran denkst du, Sanno?« Lunja setzte sich neben ihm ins

Laub, rutschte hin und her, bis sie einen bequemen Platz gefunden hatte.
»Daran, wie gern ich jetzt gepökeltes Schweinefleisch essen würde. Presskopf und Kuhkäse und Berge, Berge aus frischem Brot.« Er schloss die Augen. »Und daran, wie schnell plötzlich alles vorbei war, in Flammen aufgegangen und aus. Weißt du, Lunja, ich hab mir das früher manchmal vorgestellt, wenn ich durch unser Hintertor hinaus in den Wald gelaufen bin – dass mein Leben auf dem Gutshof nur ein Traum wäre.« Er blinzelte durch die Wimpern zu ihr hoch. »Dass ich eigentlich ganz woanders leben würde, und diese ganze Geisterwelt – mit Vater Lambert, Rumar, Keta, allem eben – würde verschwinden, wenn es mir nur endlich gelingen würde, aus dem Traum zu erwachen.«
Sie gab ihm keine Antwort, nicht mit Worten, aber das war auch nicht nötig. Wie gerne wäre er einfach so liegen geblieben, auf dieser Lichtung, siebzig Meilen tief im Spessart, so nah bei Lunja, dass er die Wärme ihres Körpers neben sich spürte. Aber sie mussten sich sputen, damit sie die Wildnis hinter sich brachten, ehe ihre Kräfte sie gänzlich verließen. Die Gewänder schlotterten ihnen schon um die knochigen Leiber – deshalb war ihm ja vorhin auch das verflixte Hemd unter dem Gürtel hervorgerutscht!
Die Hitze stieg ihm in die Wangen. Wie Lunja auf seinen Bauch gestarrt hatte, während er auf den Händen vor ihr stand, Hemd und Wams bis unters Kinn gerutscht. Bisher hatte er immer sorgsam darauf geachtet, dass sie die grässlichen Wülste auf seinem Leib nicht zu sehen bekam. Sie würde ihn sonst doch verabscheuen oder, schlimmer noch, bemitleiden – und so war es ja auch gekommen, durch einen einzigen Augenblick der Unachtsamkeit!
Fieberhaft überlegte er, wie er dieses Bild in ihrem Gedächtnis wieder auslöschen könnte. Schließlich sprang er auf, zog die gol-

denen Halbkugeln und Stäbchen aus seinem Gürtel hervor und fing an, damit zu jonglieren.
»Was hast du da?«, fragte sie. »Was sind das für seltsame Sachen, Sanno – die funkeln ja wie Gold!«
»Ich weiß nicht.« Er ließ die glitzernden Dinger durch die Luft wirbeln – die beiden Stäbchen in seiner linken, die halben Bälle in der rechten Hand. Vereinzelte Sonnenstrahlen drangen durch das Geäst über ihnen und ließen sie honiggelb erglühen. »Ich hab's in Lamberts Keller gefunden«, sagte er und fing eine Halbkugel mit der Linken, einen Stab mit der Rechten auf.
Wenn er diese Dinge in die Hand nahm, kam es ihm immer vor, als müsste ihm im allernächsten Augenblick alles wieder einfallen, was damals, im Haus an der Steilküste, geschehen war. Aber gleichzeitig erhoben sich, dunkel und runzelhäutig wie Fledermäuse, tief in ihm Angst und Grauen, und dann musste er die goldfarbenen Dinge rasch wieder in seinen Gürtel schieben, damit er ihr unheimliches Glühen nicht mehr sah und seine Finger die warme Glätte der Halbkugeln und Stäbchen nicht mehr fühlten. »Wir müssen weiter«, sagte er, ließ die Dinge zurück in seine Hände fallen und verstaute sie in der Gürteltasche.
Als er aufblickte, sah ihn Lunja wieder so voller Mitgefühl, voll untröstlicher Trauer an, dass er einen Klumpen in der Kehle spürte. Was hast du, wollte er fragen, aber er brachte keinen Ton hervor.
Im nächsten Moment war der Spuk vorbei. Lunja legte ihre Hand in die seine. »Wie geschickt du bist, Sanno«, sagte sie und lächelte ihn an, dass ihm das Herz wieder ganz warm und leicht wurde.
»Mit ein bisschen Glück«, sagte er, »haben wir morgen Mittag den Wald hinter uns.«

Doch es schien ihm ein zwiespältiges Glück, den Schutz des Waldes zu verlassen. Der Spessart war Sanno vertraut, seine

Schluchten, Dickichte und schroffen Kuppen, auch wenn er sich niemals vorher so weit von Lamberts Gut entfernt hatte. Er war es gewöhnt, sich auf Pfaden im Wald zu bewegen, die das ungeübte Auge nicht einmal bemerken würde. Auf Wolfswegen, Luchsspuren, die unfehlbar zu Bach oder Quelle führten und stets weit entfernt von menschlichen Ansiedlungen verliefen.
Ob die Mordgesellen, die das Gut überfallen hatten, ihnen weiter in den Wald gefolgt waren? Ob sie womöglich noch immer nach ihnen suchten? Anfangs hatten Sanno und Lunja noch ihre Flüche und stampfenden Schritte durchs Dickicht hallen gehört, einmal sogar einen blindlings abgefeuerten Schuss. Aber schon nach kurzer Zeit war es hinter ihnen still geworden – die Männer waren anscheinend zum Gut zurückgekehrt, jedenfalls hatten sie seitdem von den Mordgesellen nichts mehr bemerkt.
Die einzigen Gefahren, die ihnen hier draußen drohten, waren Vogelfreie und wilde Tiere, und selbst die schienen an einer so mageren Beute nicht interessiert. Am zweiten Tag waren sie auf einen klapperdürren Alten in Lumpen gestoßen, der bei ihrem Anblick die Flucht ergriffen hatte. Nachts hatten sie immer wieder das Geheule von Wölfen gehört, aber in all der Zeit waren sie weder Bären noch Wölfen begegnet. Um die Reviere von Wildschweinhorden, die an dem aufgewühlten Boden leicht zu erkennen waren, hatten sie einen großen Bogen gemacht, und der Luchs, der einmal mitten am Tag auf einer Lichtung vor ihnen stand, hatte zwar Furcht einflößend gefaucht, sich dann aber in die Büsche geschlagen.
Doch morgen würden sie den Wald hinter sich lassen und in eine Welt voll unbekannter Gefahren gelangen, eine Welt, in der Sanno nie zuvor gewesen war. Mehr als einmal hatte er früher vor dem Kupferstich in Lamberts Studierzimmer gestanden, auf dem die ganze heimatliche Landschaft wundersamerweise Platz gefunden hatte – mit dem sich ringelnden Riesenwurm des Main-

stroms im Süden und den ungeheuren Waldmassen von Spessart und Vogelsberg darüber. Wenn sie nicht gänzlich in die Irre gegangen waren, würden sie morgen das Fuldatal erreichen, und dort unten mussten sie auch auf Bauernhöfe und Weiler treffen, wo man ihnen für zwei Kupferstücke eine Mahlzeit und vielleicht sogar ein Nachtlager gewähren würde. Aber falls dort im freien Gelände ihre Verfolger auf sie warteten, wären Lunja und er ihnen so hilflos ausgeliefert wie Reh und Hase bei der Treibjagd.

Ihre Verfolger – immer wieder grübelte Sanno darüber nach, von wem jene Mörder und Brandschatzer wohl ausgesandt worden waren. Doch bisher hatte er noch keine Antwort gefunden, die ihn länger als ein paar Augenblicke überzeugte.

Natürlich war es immer noch möglich, dass es sich einfach um Räuber handelte, die das Gut des Magisters Lambertus überfallen hatten, um Gold und Silber zu erbeuten oder ein Lösegeld zu erpressen. Aber Diebe und Räuber würden doch nicht alles massakrieren und niederbrennen, sodass ihnen Leichen und rußgeschwärzte Steine als einzige Beute blieben. Nein, zu diesem Schluss kam Sanno jedes Mal aufs Neue – so rücksichtslos gingen nur gedungene Mordbrenner vor, die ihren Schandlohn von unsichtbaren Hintermännern erhielten.

Und vor allem aber – sie hatten ja offensichtlich auf ihn, Sanno, Jagd gemacht! Doch aus welchem Grund nur? Und warum hatten sie ihn ›Teufelsjunge‹ genannt – weil sie glaubten, dass Lambert ein Satansbündler sei? Natürlich, mit dem Vater hing das alles bestimmt auch zusammen, aber Sanno spürte, dass ein tieferes, schrecklicheres Geheimnis dahintersteckte.

Immer wieder fragte er sich auch, ob vielleicht Monsignore Taurus die Mordgesellen ausgeschickt hatte. Aber das ergab ja erst recht keinen Sinn – der mächtige Hexenjäger konnte sie doch einfach ergreifen und in den Kerker werfen lassen, er brauchte sich doch nicht solcher Handlanger zu bedienen! Doch dann wie-

der sah Sanno den unheimlichen Savorelli vor sich, mit der Gestalt eines Knaben, der hellen Stimme, dem durchbohrenden Blick aus farblosen Augen, und da schien ihm alles möglich – sogar dass der Sekretär auf eigene Faust, mithilfe von gesetzlosen Mordgesellen, Jagd auf Individuen machte, die seinen Argwohn erregt hatten.
Aber warum sollte Savorelli mich verdächtigen?, dachte Sanno im nächsten Moment. Und wenn er sich wieder einmal lange und vollkommen ergebnislos den Kopf zergrübelt hatte, dann sagte er sich: Wenn wir nur erst das Haus am Nordmeer gefunden haben, wird sich schon alles aufklären.
Es war ein tröstlicher Gedanke, beruhigend auch deshalb, weil sie noch Wochen und Wochen unterwegs sein würden, bis sie auch nur einen Schimmer des Nordmeers am Horizont zu sehen bekämen. Denn manchmal dachte Sanno, dass er lieber gar nicht wissen wollte, was es mit dem argen Geheimnis am Grund seiner Seele auf sich hatte. Dass er und Lunja doch einfach hier im Wald bleiben könnten, sich eine Hütte bauen und für den Rest ihres Lebens in der Wildnis zusammenleben.
Doch mit dem Schlaf kamen die argen Träume wieder, Nacht für Nacht. Das Haus über dem Meer, das schwarze Verlies, die Schreie. Die Tür, die ganz langsam aufgleitet, der magere Lichtstrahl, der unendlich langsam breiter wird. Der Schemen in der Tür, die Schatten im Raum, die ganz allmählich Gestalt annehmen – und dann fuhr er mit einem Wimmern aus dem Schlaf, sein Hemd klamm vor kaltem Schweiß, und das Herz hämmerte ihm bis hinauf in die Schläfen. Sein Herz aus Staub, sein Ascheherz. Und so jede, jede Nacht. Und Lunja, die ihn in ihren Armen wiegte und ihm Trostlaute ins Ohr summte, und er schämte sich so schrecklich, und noch viel schrecklicher war die Angst, die grauenhafte Angst in jeder Faser seines Körpers und seiner Seele.

»Sch, sch«, machte Lunja dann, »alles wird gut, mein liebster Freund.«

19

Die Sonne wieder auf der Haut zu spüren, nach den langen Tagen im Waldesdunkel, war ein unglaublich gutes Gefühl. Im hellen Licht, in der Weite des Flusstals kam Sanno alles gleich viel leichter vor, weniger bedrückend und unheimlich.

Die Bäuerin beäugte sie durch eine Luke im Hoftor. Es war ein Hof wie eine kleine Festung, mit vier Steinhäusern im Karree. Reiche Bauern, hatte Lunja gesagt, als sie oben am Waldrand standen und auf das Tal hinabschauten. Bestimmt waren ihre Räucherkammern voll mit köstlichen Würsten. Die Frage war allerdings, ob sie ein so abgerissenes Pärchen über die Schwelle lassen würden.

»Wir wollen nichts geschenkt haben«, sagte Lunja nun zur Bäuerin, deren rotbackig rundes Gesicht die Luke ausfüllte. Sie mochte dreißig Jahre alt sein oder wenig darüber, ihre Augen blickten prüfend, doch nicht unfreundlich auf die beiden Fremden vor ihrem Tor.

»Ich bitte dich, gute Frau«, ergriff Sanno das Wort, »verkauf uns für zwei Pfennige einen Laib Brot und ein Stück Speck. Gib uns dazu noch ein Nachtlager und erlaube uns, an deinem Brunnen den Staub von der Haut zu waschen, dann sollst du diese Kupferstücke bekommen.« Er zog die Münzen hervor, die er noch im Wald aus seinem Brustbeutel geklaubt hatte.

Die Bäuerin wich zurück, mit einem Ächzen ging die Luke wieder zu. Kurz darauf erklang lautes Kreischen wie von Eisen, das sich an Eisen reibt. Nicht weniger als drei Riegel wuchtete sie beisei-

te, dann schwang das Tor einen Spaltbreit auf, und Sanno und Lunja schlüpften hindurch.
Drinnen war es düster wie in einer Schlucht. Hinter der Bäuerin, die ein grünes Gewand mit rostroten Säumen trug, standen drei Männer aufgereiht im Hof. Ein Alter ohne Zähne, auf die Mistforke gestützt, ein gedrungener Mann in den Dreißigern, mit feisten Backen und einem Bauch, der sein Wams beinahe sprengte – das war bestimmt der Bauer, dachte Sanno, und der Alte daneben sein Vater. Der Dritte war ein junger Bursche, kaum älter als Sanno, sicherlich der Knecht – ein hochgewachsener Kerl mit roten Haaren und muskelbepackten Armen, der Sanno und Lunja lauernd musterte, dann wie ertappt wegsah.
Die Frau machte das Tor gleich wieder zu und stieß Riegel um Riegel ins Eisen. »Eine Nacht in der Scheune«, sagte der Bauer, »ein Kanten Brot und ein Stück Speck für jeden von euch. Dahinten am Brunnen könnt ihr euch waschen – aber gezahlt wird im Voraus.«
Schwerfällig rollten die Wörter aus seinem Mund. Hurtiger war seine Hand – sie ballte sich zur Faust, schoss auf Sanno zu, sprang vor seiner Nase wieder auf. Der Alte lachte meckernd. Sanno zwang sich zu einem Lächeln, als er die drei Kupferstücke auf die wohlgepolsterte Handfläche fallen ließ.
Ein Gefängnis, dachte er und spähte nach links und rechts. Rings herum Steinwände, verriegelte Türen, die Fenster mit Holzläden verrammelt. Aber die Bauern würden ihnen nichts Arges tun, sagte er sich dann. Es waren wohlhabende Leute, keine halb verhungerten Einödhäusler, die vielleicht in ihrer Verzweiflung unschuldige Wanderer überfallen würden. Und außerdem – dass er einen ganzen Beutel voller Münzen unter seinem Gewand trug, sah man ihm bestimmt nicht an. Sein Wams und seine Hose waren schmutzig und von Dornen und Zweigen durchlöchert, und Lunjas Kleid sah nicht besser aus.

Stumm folgten sie der Bäuerin zur Scheune, dem Steinhaus an der hinteren Schmalseite des Karrees. Als sie am Brunnen vorbeikamen, deutete die Frau in den Schacht hinab und sah kurz zu ihnen zurück. »Einen Eimer voll für jeden von euch.«
Sanno nickte ihr zu, immer noch mit einem freundlichen Lächeln. Sogar mit dem Wasser geizten diese Leute, aber im Augenblick war es ihm gleich. Sie würden im weichen Heu schlafen, und vorher würden sie sich den Bauch mit frischem Brot und geräucherter Schwarte füllen. Schon bei dem Gedanken daran glaubte er den Speck zu riechen, und sein Magen begann zu knurren.
»Die Speise bringe ich euch gleich rüber.« An der Scheunentür wandte sich die Bäuerin wieder zu ihnen um. Der Anflug eines Lächelns huschte über ihr rundes Gesicht. Sie stieß die Tür auf, und eine Wolke Heuduft wehte ihnen entgegen.
»Vielen Dank für alles«, sagte Sanno, als er an ihr vorbeiging. Doch ihr Lächeln kehrte nicht zurück, auch der Blick ihrer eng stehenden Augen schien ihm auf einmal weniger freundlich als vorhin am Tor.

Das Brot war so hart, dass es sich kaum zerbeißen ließ. Wieder und wieder schlug Sanno seine Zähne hinein, und wenn endlich ein Happen mit lautem Krachen herunterbrach, zerfiel er im Mund zu nadelspitzen Krümeln. Auch beim Speck hatten die Bauern übel geknausert – anstelle der fetttriefenden Schwarte, deren Duft Sanno schon in der Nase gekitzelt hatte, bekamen sie jeder einen schmalen Streifen, der wie ein Lederriemen aussah und nur wenig besser schmeckte. Doch wie um ihren Geiz wiedergutzumachen, hatte die Bäuerin ihnen noch einen Krug hellen Wein ins Heu gestellt, der sauer wie Essig schmeckte, Sanno jedoch rasch in den Kopf stieg.
Als sie fertig gevespert hatten, waren sie beide in heiterer Stim-

mung. Alles würde gut werden, das glaubte Sanno jetzt auch. Er bewarf Lunja mit Stroh, und sie schlug ihm mit ihrer kleinen Faust kichernd gegen den Arm. Wie hatte er nur wünschen können, dass sie noch möglichst lange oder sogar für immer im Schutz des Waldes bleiben würden? Hier draußen im lichten Tal war es doch ein ganz anderes Leben.

Indessen sank auch hier im Fuldatal der Abend herab, in der Scheune wurde es allmählich düster. »Wir müssen hinaus«, sagte Lunja, »bevor es ganz dunkel ist – sonst fallen wir noch in den Brunnen!«

Sie lachte ihn an, aber das Lächeln gefror Sanno im Gesicht. Seine heitere Laune war plötzlich wie weggeblasen. Hinaus zum Brunnen, den Staub von der Haut waschen, dachte er. Was ist schon dabei? Für jeden anderen Burschen war es die harmloseste Sache von der Welt, vor fremden Augen sein Hemd über den Kopf zu ziehen. Doch wie stets, wenn ihm die Narben auf seinem Bauch einfielen, wurde Sanno flau zumute. Draußen im Wald hatte er immer leicht darauf achten können, dass im rechten Moment ein Busch oder Baumstamm ihn vor Lunjas Blicken verbarg. Aber hier – am Brunnen in einem Hof, der noch dazu von vier Häusern mit zahllosen Fensterluken umringt war? Von einem Moment zum anderen kam Sanno sich wie verwandelt vor, so als wäre er plötzlich ein ganz kleines Kind – nackt, hilflos, jeder Grausamkeit ausgesetzt.

»Gehen wir.« Er sprang auf und spürte ein leichtes Sausen im Kopf. Wein zu trinken war er nicht gewöhnt, zu Hause hatte er ein paar Mal von Lamberts Rotem probiert, aber es hatte ihm so wenig geschmeckt wie das dünne Bier, von dem Cramsen an jedem Abend einen Krug voll schlürfte. Auch Vater Lambert hatte dem Wein nur selten zugesprochen, doch ein paar Mal hatte Sanno mit angesehen, wie der Vater sich bis zur Besinnungslosigkeit betrunken hatte. Dumpf und düster hatte er auf seinem

Lehnstuhl in der Halle gesessen und abwechselnd dröhnend gelacht und vor Zorn geschrien – unverständliche Flüche, eigentlich nur ein sinnloses Lallen. Und doch hatte Sanno vor Angst gezittert, so als ob mit dem Wein, den der Vater maßlos in sich hineingoss, ein ganz anderer Lambertus erwacht wäre – ein grollender, boshafter Dämon.

»Jemand beobachtet uns«, flüsterte Lunja draußen am Brunnen, und Sanno stimmte ihr mit einem Nicken zu. Erleichtert, weil er sich die lauernden Augen irgendwo hinter den Fensterläden nicht nur eingebildet hatte, und mehr noch, weil sie beide sich nach einem raschen Blick einig waren – so schnell wie möglich in die Scheune zurück.

Er pumpte einen Blecheimer voll Wasser, zog ihn herauf und wuchtete das zerbeulte Gefäß auf den Brunnenrand. Lunja schöpfte die Schale ihrer Hände voll, trank einige Schlucke und spritzte sich den Rest ins Gesicht. »Schüttest du mir den Eimer über den Kopf?«

Tropfnass stand sie gleich darauf vor ihm, mit einem verlegenen Lächeln unter den Strähnen ihrer Haare, die ihr wie Seeranken auf Gesicht und Schultern klebten. Ihr magerer Leib zeichnete sich unter dem durchgeweichten Leinenkleid ab.

Sanno schlug die Augen nieder. Das Blut rauschte ihm ein wenig in den Ohren, und seine Wangen waren heiß geworden – ein verwirrendes, aber keineswegs ein unangenehmes Gefühl. Rasch ließ er den Eimer wieder an der rasselnden Kette hinab, und dann fiel ihm sein Traum von Mutter Heidlinde im Brunnen ein – sie sitzt dort unten fest, und als er sie herausziehen will, reißt sie mit aller Kraft an seiner Hand, und er fällt kopfüber in den Schacht hinunter, ein niemals endender Sturz.

Mit der Erinnerung kroch auch die irrsinnige Angst wieder in ihm hoch, die er jedes Mal bei diesem Traum empfand. »Geh schon rein – bitte, Lunja«, sagte er. Von seiner angenehmen Verwirrung

war wenig übrig geblieben, und der klägliche Rest zerfiel unter Lunjas Blick.
»Wie du willst.« Sie wischte sich ein paar Tropfen vom Gesicht, verschwand dann in der Scheune.
Sanno schaute ihr hinterher, für einen Moment wie gelähmt von Trauer, Schmerz, Zorn auf sich selbst. »Mein liebster Freund« hatte sie ihm schon mehr als einmal bei Nacht ins Ohr gesummt, und auch er hatte sie lieber als alle Menschen, denen er je wirklich begegnet war. Aber diesen mitleidigen Blick konnte er nicht ertragen – es schnitt ihm immer mitten durchs Herz! Und nährte jedes Mal seinen Argwohn, dass Lunja eine schreckliche Wahrheit über ihn wüsste – zu grauenhaft, um ihn einzuweihen, und so grässlich, dass sie immer wieder, in den ungeeignetsten Momenten, daran denken musste. Und dann wurde ihr Blick immer so mitleidvoll, dass es ihm den Hals zukrampfte!
Mit gewaltigen Stößen pumpte Sanno nun den Eimer voll. Was er sich da nur wieder eingebildet hatte, tadelte er sich. Was konnte denn Lunja über ihn wissen, das nicht er selbst ihr erzählt hatte? Natürlich, sie litt mit ihm, weil sie ihn mochte und weil er auf so schreckliche Weise seinen Vater verloren hatte. Weil er auf der Suche nach seiner Vergangenheit war und weil er nachts von argen Träumen geplagt wurde – aber das war auch schon alles!
Er zog den Eimer wieder herauf, setzte das Gefäß auf den Brunnenrand und musste keuchend innehalten. Hatte da nicht jemand hämisch aufgelacht? Er sah sich um, konnte aber keinen verborgenen Späher entdecken. Bestimmt war es der rothaarige Knecht, der sich auf die Lauer gelegt hatte, um der fremden Maid zuzusehen, wie sie sich am Brunnen wusch!
Sanno knirschte mit den Zähnen. Rasch tat er es Lunja nach – trank ein wenig Brunnenwasser, säuberte sich dann Gesicht und Hände, warf sein Wams über dem Hemd ab und goss sich das restliche Wasser über den Kopf.

Wenn seine Haare tropfnass anlagen, war im hellen Sonnenschein selbst der Wulst auf der Mitte seines Schädels zu sehen. Doch mittlerweile war es fast schon dunkle Nacht. Sanno setzte den Eimer ab und schnitt für alle Fälle eine Grimasse in Richtung der gegenüberliegenden Fenster. Dann eilte er, sein Wams in der Hand, zurück in die Scheune.

Die Tür ließ sich von innen nicht verriegeln. Er bettete sich neben Lunja ins Heu und legte seinen Arm um ihre Schultern. Sie waren beide triefend nass und fröstelten in der Abendkühle, aber das würde vorübergehen.

»Schlaf gut«, flüsterte sie.

»Dir auch eine gute Nacht.« Seine freie Hand lag auf dem Griff seines Hirschhornmessers im Heu. Die Spitze war im Spalt von Lamberts Tür abgebrochen, aber es war immer noch eine gefährliche Waffe. Falls der Knecht wagen würde, sich im Schutz der Nacht an Lunja heranzumachen, würde er Sannos Messer zu kosten bekommen.

Gegen arge Träume half allerdings auch kein Hirschhorndolch. Mit offenen Augen lag Sanno da, das schlafende Mädchen in seinem Arm, und starrte in die Dunkelheit.

Irgendwann musste Sanno doch noch eingeschlummert sein. Er erwachte, als etwas Hartes, Tastendes seinen Gürtel berührte – eine Hand, ein kleines Tier? Er erstarrte, wagte sich nicht zu bewegen, öffnete nur seine Lider einen winzigen Spalt.

Hinter dem Gitter seiner Wimpern erblickte er eine flackernde Kerze, die am Boden neben einer riesenhaften Gestalt klebte. Obwohl der Mann zusammengekauert vor ihm hockte, sah er gewaltig aus, ein Brocken in ausgeblichenen Lumpen, mit fuchsrotem Haar.

Natürlich war es nicht Lambert, wie er im ersten Moment geglaubt hatte, sondern der kaum weniger riesenhafte Knecht. Mit

Bewegungen wie ein Schlafwandler nestelte er an Sannos Gürtel, zog ihm das Hemd aus der Hose und schob seine Hände darunter. Wie gelähmt lag Sanno vor ihm – wenn er merkt, dass ich wach bin, durchfuhr es ihn, zerquetscht der Kerl mich wie eine Laus.

Aber was hatte der Knecht denn um Himmels willen mit ihm vor? Wollte er sich eigentlich an Lunja heranmachen, die zusammengerollt neben Sanno im Stroh lag, und hatte sich im dürftigen Licht nur getäuscht? Oder hatte er es auf Sannos Brustbeutel voller Münzen abgesehen?

Die Augen des Knechts funkelten, sein leise keuchender Atem strich über Sannos Wange, die schwielig harten Hände tasteten auf seinem Bauch herum. Holperten über den Wirrwarr holziger Wülste, und da hielt es Sanno nicht länger aus. In seiner Rechten lag noch immer das Messer, verborgen in Dunkelheit und Heu. Die Hände krochen weiter an ihm empor, eine lag auf seiner Brust, die andere wollte sich eben um seine Kehle schließen. Da riss Sanno die Klinge hoch und stieß sie dem Knecht mit verzweifelter Wucht ins Bein.

Er spürte den federnden Rückstoß, als das schartige Ende der Klinge von der harten Muskelmasse abzuprallen drohte, doch gleich darauf fuhr das Messer bis zum Schaft in weiches Fleisch. Der Knecht stöhnte auf, wild zuckten seine Hände unter Sannos Hemd herum. Zerfetzten den mürben Hemdstoff, rissen am Riemen des Brustbeutels, und klirrend ergoss sich ein Strom von Münzen ins Heu.

»Was willst du von mir?«, keuchte Sanno. Mit einem Ruck zog er das Messer zurück. Der Knecht starrte ihn an, im Schein der Kerze wirkten seine Augen mit einem Mal glasig. Wieder stöhnte er auf, aber so unterdrückt, als ob er trotz allem den Schlaf seiner Herrschaft nicht stören wollte.

Mit einer fahrigen Bewegung zog der riesenhafte Bursche nun

seine Hände von Sanno zurück. Krampfte sie stattdessen um seinen Oberschenkel, der die Maße eines jungen Eichstamms besaß. Auf den Ellbogen schob sich Sanno ein wenig von ihm zurück – weg von dem kauernden Riesen, dessen Hosenbein sich rot verfärbte.

»Verbinden, sonst stirbt er!«, wisperte es neben ihm. Ungewiss, wie lange Lunja schon wach war, wie viel sie mit angesehen hatte. Ihr Gesicht war bleich, die Augen noch größer, noch leuchtender als sonst. Sie riss sich das Tuch vom Hals und machte Sanno ein Zeichen – zusammen wanden und knoteten sie das nebelgraue Linnen so eng wie irgend möglich um das Bein des Burschen.

»Was wolltest du von mir?«, fragte Sanno noch einmal, über den Burschen gebeugt, doch eine Antwort bekam er nicht. Mittlerweile lag der Knecht rücklings im Heu, und nur die Bewegungen seines Brustkorbs und gelegentliches Stöhnen bewiesen, dass er noch lebte. »Ging es dir hierum?«, fragte Sanno. Er hatte eine Handvoll Münzen aus dem Heu aufgesammelt und zurück in seinen Brustbeutel geschoben, den er sich eben am notdürftig verknoteten Riemen um den Hals band. »Na sag schon – wolltest du mein Geld?«

Er musste das jetzt unbedingt wissen, der Knecht musste ihnen auf der Stelle gestehen, ob er sie einfach hatte ausrauben wollen, weil er gestern die Kupferstücke in Sannos Hand gesehen hatte – oder ob es um etwas ganz anderes ging. Ob er unter Sannos Hemd herumgetastet hatte, um ihm den Beutel vom Hals zu schneiden – oder um nachzuprüfen, ob Sannos Nabelgegend mit einem Wirrwarr von Narben übersät war. Ob er auf eigene Faust gehandelt hatte – oder im Auftrag von Hintermännern, die denjenigen belohnen würden, der den Burschen mit dem zernarbten Bauch ausfindig machte. Den Teufelsjungen.

Aber der Knecht gab keine Antwort, wie Sanno ihn auch schüttel-

te und wie oft er auch mit heiserem Flüstern seine Fragen wiederholte.
»Lass ihn«, raunte Lunja schließlich. »Er ist ja kaum mehr bei Bewusstsein. Wahrscheinlich wird er durchkommen, aber er wird fortan wohl humpeln.« Erschrocken sah Sanno sie an, im nächsten Moment beugte sie sich vor und blies die Kerze aus. »Was auch immer er von uns wollte«, flüsterte Lunja im Dunkeln, »er ist für sein Leben gestraft. Komm jetzt, Sanno.«

20

Gefangen zwischen Tag und Traum – so kam Sanno selbst sich nun vor. Bei Tag auf der Flucht vor gesichtslosen Verfolgern, in den Nächten von immer ärgeren Träumen heimgesucht.
Nach dem Zusammenstoß mit dem Knecht hatten sie nicht gewagt, auch nur einen Tag länger unter freiem Himmel zu bleiben, noch in derselben Nacht waren sie zurück in den Wald geflohen. Um sich immer weiter nach Norden durchzuschlagen, brauchten sie keine Straßen und Karten, dafür genügten ihnen die Wildpfade in den Wäldern und Sonne oder Abendstern, um nicht in die Irre zu gehen.
Im dürftigen Licht, das die Baumwipfel durchdrang, wanderten sie immer vom ersten Morgengrauen bis zum Anbruch der Nacht. Sie durchquerten Schluchten, erklommen Hügel, überwanden schroffe Berge.
Abends vor dem Schlafen hob Sanno kleine Fallgruben aus, bedeckte die Mulden mit Laub und Reisig, und wenn sie viel Glück hatten, fand sich morgens ein Karnickel darin, das er mit abgewandten Augen erschlug.
Dort im Bauernhof waren sie keine zufälligen Opfer räuberischer

Gier geworden, davon war Sanno mittlerweile überzeugt. Die Verfolger waren immer noch hinter ihm her. Sie hatten ausgestreut, dass sie einen Burschen mit Narben auf Bauch und Schädel suchten, und bestimmt hatten sie eine Belohnung für denjenigen ausgelobt, der den ›Teufelsjungen‹ ausfindig machte. Aber warum nur, aus welchem unbegreiflichen Grund? Wer waren diese Leute, und was wollten sie gerade von ihm? Darauf fand er einfach keine Antwort, wie sehr er sich auch den Kopf zermarterte.
Er hatte sich sogar überwunden und Lunja einen Blick unter sein Hemd werfen lassen, das nach dem Kampf mit dem Knecht ohnehin jämmerlich zerrissen war. Es war ihm schrecklich peinlich gewesen – und dann noch tausendmal ärger, als Lunja ihn wieder mit diesem unendlich mitleidvollen Blick angesehen hatte. Doch auf seine Frage, warum sie ihn so sonderbar anschaue, hatte sie nur stumm den Kopf geschüttelt, mit Tränen in den Augen.
»Vielleicht hängt es ja auch mit Meister Herbold zusammen«, überlegte er. »Hast du denn nicht mitbekommen, was er mich damals gefragt hat – in eurem Zelt? Oder was ich unter seinem magischen Bann geantwortet habe – wie er überhaupt dazu gekommen ist, das Bild von der Nordmeerküste zu malen?«
Wieder hob Lunja die Schultern. »Herbold hat nie geduldet, dass ich zuhöre. Wenn er die Leute befragt und nach ihren Anweisungen gemalt hat, war ich meistens gar nicht im Zelt, schon wegen der Zauberdämpfe – man wird ja ganz benommen davon.«
»Aber als ich zu mir gekommen bin, warst du im Zelt!«
»Na, weil Herbold mir ein Zeichen gegeben hat – wie immer, wenn die Sitzung beendet war. Ich musste doch frische Luft hereinlassen und schauen, dass die Kunden wieder sicher auf ihren Beinen stehen konnten, wenn sie uns verließen.«
Natürlich konnte sich alles genauso abgespielt haben, und dennoch kroch abermals Argwohn in Sanno empor. So wie damals, als das Gutshaus von den Mordbrennern überfallen worden und

Lunja vorher aus ihrer Kammer entwichen war – weil sie verdächtige Geräusche gehört hatte oder um den Mordgesellen das Tor zu öffnen? Schon der bloße Gedanke zerriss ihm fast das Herz. Wie konnte er sie nur derart verdächtigen? Er kam sich wie der schlimmste Verräter vor. Da suchte er doch bloß wieder mal einen Sündenbock – damit sein Gewissen endlich aufhörte, ihm vorzuwerfen, dass er an Lamberts Tod mindestens mitschuldig war!

Und trotzdem, trotzdem, raunte eine Stimme in Sannos Kopf. Was wäre denn, wenn Lunja gelogen, dich von Anfang an angelogen hätte – wenn der Drahtzieher, der die Mordgesellen ausgesandt hat, niemand anderes als Meister Herbold wäre und Lunja damals wie heute seine willfährige Gehilfin? Wenn sie sogar auf irgendeine Weise mit ihrem Meister verabredet hätte, ihn, Sanno, genau zu jenem Bauernhof zu führen, damit der Knecht ihn im Schlaf überfallen konnte?

Aber das kann doch überhaupt nicht sein, sagte sich Sanno gleich darauf. Wir wandern ja seit Wochen mutterseelenallein durch den Wald – wie könnte Lunja denn da mit den Verfolgern in Verbindung treten! Nein, auf diese Weise kam er auch keinen Schritt weiter. Und er spürte doch auch, klarer als jemals irgendetwas, dass Lunja ihn nie hintergehen würde.

Trotzdem war es mehr als sonderbar, dass sich all diese folgenschweren Geschehnisse an einem einzigen Tag ereignet hatten – dass er Lunja begegnet, ihr zu Herbolds Zelt gefolgt, mit dem Seelenbild zum Gut zurückgeeilt war und die Mordbrenner in derselben Nacht noch Lamberts Haus überfallen, alles niedergebrannt und ausgelöscht hatten. Nein, das konnte kein bloßer Zufall sein, dachte Sanno, es musste irgendeine Verbindung zwischen Herbold, dem Seelenbild und den Mordgesellen geben. Aber welche Verbindung, das blieb ein unlösbares Rätsel, so lange er auch darüber grübelte.

Beinahe an jedem Abend, wenn sie an ihrem kleinen Feuer saßen – mit ein paar Wurzeln und Beeren und ganz selten einem Fleischhappen gegen das ärgste Magenknurren –, zog Sanno nun wieder das Seelenbild hervor.

Er hatte Lunja erzählt, dass Herbolds Kohlezeichnung für ihn wie ein Fenster in jene andere Welt war. Auch sie hatte daraufhin lange und aufmerksam das Bild angesehen, ihm aber schließlich mit einem Schulterzucken den Fetzen zurückgegeben. »Für mich sind es nur ein paar Striche mit dem Kohlestift«, sagte sie. »Ich sehe das Haus, und ich erkenne, dass es ein düsterer Bau sein muss. Aber sonst?« Sie lächelte das scheue Lächeln, mit dem sie ihn damals in Gelnhausen zu Herbolds Zelt gelockt hatte. »Es ist *dein* Seelenbild, Sanno. Nur du kannst spüren, was es unter der Oberfläche noch enthält. So hat es Meister Herbold immer erklärt.«

Wieder entrollte er das Tuch und schaute durch das magische Fenster, und diesmal riss es ihn förmlich in das Haus an der Felsenküste hinein.

Der lichtlose Raum – er sitzt wieder darin, auf dem kalten Steinboden, und er spürt seine Angst, näher, bedrängender als jemals vorher. Er ist noch ganz klein, höchstens vier, fünf Jahre, auch das erkennt er auf einmal ganz klar. Zitternd und wimmernd hockt er da auf dem Boden, nur mit einem dünnen Hemd auf dem winzigen Leib, und kann sich kaum rühren vor irrsinniger Angst. Und dann geht wieder, unendlich langsam, die Tür auf.

Zuerst ist es nur ein dünner Strich aus Licht, der von der Tür quer durchs Zimmer kriecht, weit von ihm entfernt. Aber die Tür gleitet ganz langsam weiter auf, der Strich wird zum Fächer aus Licht, der sich mit unsäglichem Zögern öffnet. Der Schemen auf der Schwelle nimmt allmählich Gestalt an – die Falten seines Umhangs, die Höhlenform der Kapuze, darin das Funkeln der Augen

und der helle Schimmer von Zähnen. Der Mann in der Tür lacht! Er lacht lautlos auf seinen kleinen Gefangenen hinab – oder fletscht er drohend die Zähne?
Das Herz raste Sanno schon wieder in der Brust, aber er zwang sich, weiter auf das Seelenbild zu schauen. Das Wimmern und Winseln wird lauter, wird zum Schreien und Kreischen aus unzähligen Kinderkehlen. Es dringt aus dem Raum hinter der Tür, in der die Gestalt mit dem Umhang steht, aber auch er selbst schreit jetzt, schreit und kreischt mit überkippender Stimme, denn nun sieht er, sieht zum ersten Mal, was die Finsternis seines Kerkers bisher vor ihm verborgen hat.
Den riesengroßen Ofen an der Wand, darauf ein gewaltiger brodelnder Bottich. Auf dem Boden daneben ein Wirrwarr aus hingeworfenen Kinderkleidern. Und an der Mauer darüber ein Gemälde in starken, glänzenden Farben – ein riesiger roter Drache, der sein Haupt zum Himmel erhebt, und aus seinem weit aufgerissenen Maul springt eine Garbe aus Flammen und Glut.

Lange Stunden lag Sanno in der Nacht darauf wach, und seine Gedanken waren bei Vater Lambert. Bittere, wehmutsvolle Gedanken – wie traurig, dachte er, dass ich mit dem Vater niemals vertrauter geworden bin. Und lag es denn wirklich nur an ihm? Lambertus war ein düsterer, schroffer Mann, aber er hat sich doch immer geduldig um mich bemüht. Meinen Geist gefördert, meine Seele umhegt – warum bin ich ihm trotzdem stets mit Argwohn begegnet, warum konnte ich in meinem Innersten niemals glauben, dass er es wirklich gut mit mir meint?
Da war fast immer dieses Gefühl: Vater Lambert lügt! Und es hat mich ja auch nicht getrogen, dachte Sanno, der Vater hat etwas Grässliches vor mir verborgen, all die Jahre auf seinem Gut. Aber hatte er nicht recht damit? Hat er nicht einfach aus Liebe zu mir gelogen und das Schreckliche vor mir verhüllt – um mich vor ei-

ner Wahrheit zu bewahren, die über meine Kräfte gehen, mich in Verzweiflung stürzen, vielleicht gar in den Irrsinn treiben würde?
Sanno spürte nun ein heißes Brennen in Augen und Kehle. Oh Vater, lieber Vater, dachte er – gebt mir ein Zeichen, dass Ihr noch am Leben seid! Sagt mir, was ich jetzt tun soll, Lambertus – weiter hinauf zum Nordmeer ziehen? Was erwartet mich dort? Was war damals, in jenem schwarzen Haus, in dem höllenfinsteren Raum mit dem Ofen, dem Bottich? Wo waren die Kinder, denen die Kleider gehörten? Bitte, Vater, sagt mir – was ist dort geschehen?
Schluchzer schüttelten seine Schultern, die Lunja sacht umfasst hielt. »Sch, sch, mein liebster Freund.«

21

Mehr als einen Monat lang wanderten sie im Wald umher. Ihre Kleidung wurde immer zerlumpter und löchriger, ihre Wangen und Mägen noch hohler. Endlich gelangten sie eines Tages zu einem Forsthaus tief im Thüringer Wald. Die Fenster waren mit Blumen geschmückt, und alles sah friedlich und einladend aus. Wenn sie nicht sehr bald etwas Nahrhafteres als Beeren und Wurzeln zu essen bekämen, würden sie hungers sterben. Da fassten sie sich ein Herz und klopften an die Tür.
Die Försterin begrüßte sie freundlich, bat sie herein und tischte ihnen gleich eine ganze Platte mit köstlich duftendem Rehbraten auf. Sie stellte auch einen Krug roten Wein auf den Tisch, der verführerisch im Sonnenlicht funkelte, aber Sanno und Lunja lehnten dankend ab. Damals im Bauernhof hatte der saure Wein ihre Köpfe benebelt, so etwas sollte ihnen nie wieder geschehen.

Solange sie auf der Flucht waren, mussten sie wachsam bleiben, selbst im Schlaf.
Sie erzählten der Försterin, dass sie Geschwister seien, Kinder fahrender Krämer aus dem Würzburgischen. Zusammen mit den Eltern seien sie auf dem Weg nach Erfurt gewesen, aber nicht weit hinter Fulda hätten Wegelagerer sie überfallen, ihren Eselskarren ausgeraubt, Mutter und Vater verschleppt.
»Armes, junges Blut«, seufzte die Försterin. »Was für gottlose Zeiten!«
»Wenn Ihr ein paar alte Lappen für uns hättet, gute Frau«, bat Lunja mit ihrem schüchternsten Lächeln, »Ihr seht ja, unsere Gewänder bestehen fast nur noch aus Löchern.«
Der größte Teil von Sannos Münzen war damals in der Scheune zurückgeblieben, ausgestreut in Stroh und Heu. Nun zählte er seine vorletzten Pfennige auf den Tisch, doch die Försterin wollte nichts davon wissen. Sie sollten ihre Kupferstücke behalten und lieber eine Kerze für ihre Eltern anzünden lassen, wenn sie in Erfurt angekommen wären.
Nach diesen Worten eilte sie aus dem Zimmer, dessen Wände mit Geweihen von Hirsch und Rehbock gespickt waren. Das Kruzifix mit dem Heiland nahm sich zwischen all den Tiertotenköpfen sonderbar aus.
Sanno und Lunja lächelten sich an. Auch ohne Rotwein hatte das üppige Essen sie schläfrig gemacht. Aber sie mussten auf der Hut bleiben, dachte er. Die Frau schien ja hilfsbereit und arglos, aber der Förster, der irgendwo im Wald unterwegs war und jederzeit heimkehren konnte, mochte aus anderem Holz geschnitzt sein.
Die Försterin kam mit einem ganzen Arm voller Kleidungsstücke zurück, alle tannengrün und schon auf den ersten Blick viel zu groß. Es seien abgelegte Sachen von ihrem früheren Gehilfen, erklärte sie mit einem entschuldigenden Lächeln – »der arme Ignaz, Gott hab ihn selig, wurde zu Himmelfahrt von Vogelfreien

massakriert – beim Holzschlagen unter der Heidenkuppe, nur ein paar Meilen von hier.«
Die Försterin bekreuzigte sich. Lunja war ein wenig bleich geworden, und auch Sanno erschrak.
Hastig fuhr er in die grünen Gewänder hinein, während die Försterin beim Fenster stand und mit einem Lächeln nach draußen schaute. Der Forstgehilfe schien ein Hüne gewesen zu sein – sie ertranken fast in den riesigen Hosen, Hemden und Wämsern. Argwöhnisch schielte Sanno immer wieder zu der Frau hinüber. Ob sie sich nur verstellte? Der Förster kam bestimmt weit herum, da konnte auch er gut davon gehört haben, dass ein ›Teufelsjunge‹ mit Narben statt Nabel von geheimnisvollen Obrigkeiten gesucht wurde. Vielleicht hatte er seiner Frau davon erzählt, und sie hatte die Narben auf Sannos Bauch längst erspäht und wollte sich nur nichts anmerken lassen, solange der Förster nicht zurückgekehrt war.
Aber die Frau blieb freundlich und hilfsbereit, und schließlich sagte sich Sanno, dass sie wohl wirklich nichts Arges im Schilde führte. Sie brachte ihnen Fäden und Schnüre, um die Gewänder behelfsmäßig umzunähen und zusammenzubinden, damit die tannengrünen Tuchmassen an ihren knochigen Körpern nicht einfach wieder herunterrutschten. Auch nachdem sie alles befestigt, umgewickelt und zurechtgerückt hatten, kamen sich Sanno und Lunja verkleidet vor. Aber je weniger sie dem Burschen und dem Mädchen ähnlich sahen, die vor mittlerweile fünf Wochen von Lamberts Gut geflohen waren, desto besser.
Überschwänglich dankten sie der Försterin, die ihnen zum Abschied noch Käse und Brot mit auf den Weg gab, genug für die nächsten drei Tage. Bis Erfurt sei es vielleicht noch eine Woche zu Fuß, sagte sie. »Aber seid nur vorsichtig, ihr beiden. Hütet euch vor den Vogelfreien und Wegelagerern hier draußen im Wald. Und seid erst recht auf der Hut vor den Gefahren, die in

der Stadt auf euch lauern.« Sie bekreuzigte sich, als ob der Höllenfürst höchstpersönlich über die Stadt Erfurt herrschen würde. »Mein Mann hat mir erzählt«, fuhr sie fort, »dass nächste Woche in Erfurt der große Jahrmarkt stattfinden soll. Da werden sich auch wieder die Scharlatane und Seelenverwirrer einstellen – angeblich soll sogar der schreckliche Herr Faust sein Erscheinen angekündigt haben.« Sie bekreuzigte sich aufs Neue.

»Wir passen schon auf«, versicherte ihr Lunja. »Vielen Dank, liebe Frau – wir werden Euch niemals vergessen, wie gut Ihr uns aufgenommen habt.«

Auch Sanno dankte ihr herzlich, doch in seinen Gedanken hatte er das Forsthaus schon weit hinter sich gelassen. Auch von der stolzen Stadt Erfurt hatte Lambert einen Kupferstich besessen, und Sanno sah sie in allen Einzelheiten vor sich, ein Gewirr von Brücken, Gassen und Kirchen, durchflossen von der wilden Gera, von Kanälen und Gräben, und in der Mitte der weite Marktplatz, auf dem sicherlich auch der Jahrmarkt stattfinden würde.

Lächelnd verbeugte er sich vor der Försterin, und vor seinem geistigen Auge sah er den Zauberer Faust, wie er auf dem Obermarkt gestanden und die Menge in seinen Bann gezogen hatte. Dort in Gelnhausen, dachte Sanno, ist es mir nicht gelungen, mit dem Herrn Faust zu sprechen, aber in Erfurt wird es glücken! Er würde dem großen Magier alles erzählen, was ihm an seltsamen und schrecklichen Dingen widerfahren war, und Herr Faust würde einen Blick in seine Vergangenheit tun und alle Schleier aus Lügen und Rätseln zerreißen.

22

Der Gasthof zum Einhorn vor dem südlichen Stadttor von Erfurt hatte schon seltsamere Gäste als die beiden jungen Wäldler gesehen. Leute wie sie, ob jung oder alt, in tannengrüner Tracht, wanderten oder fuhren jedes Jahr von den Höhen des Harzgebirges und des Thüringer Waldes hinab ins Tal, um auf dem Jahrmarkt der ehrwürdigen Turmstadt ihren bescheidenen Geschäften nachzugehen.

Wer den beiden überhaupt einen Blick gönnte, nahm wohl an, dass es sich um zwei Burschen aus den Bergen handle, die sich auf der Kirmes ein wenig vergnügen oder vielleicht in einer der Gerbereien entlang der Gera um Arbeit nachsuchen wollten. Bescheiden drückten sie sich in eine freie Ecke an einem der langen Tische in der Schankstube, die um diese Nachmittagsstunde des 15. August 1517 bereits reichlich mit Zechern und Logiergästen gefüllt war.

Der Einhorn-Wirt, ein schlaksiger, weißblonder Mann, der auf der Stirn einen auffälligen Höcker trug, verlangte in scharfem Ton, ihre Barschaft zu sehen. Lächelnd wies der etwas Längere der beiden einen Weißpfennig vor, und die Augen des Wirts glitzerten mit dem Silberstück um die Wette. Der Bursche bestellte Apfelmost, dazu Braten und einen gehörigen Kanten Brot. Und, ach ja, Herr Wirt – ob Er noch zwei Schlafplätze übrig hätte für die nächste Nacht?

Der Herr zum Einhorn rieb sich die Hände. »Nachtlager im Eselsstall, zwei Personen, macht anderthalb Pfennige extra.«

Der Wortführer der beiden Wäldler willigte nach einem raschen Blick zu seinem Gefährten ein. Die für Kost und Logis fälligen dreieinhalb Kupferstücke zählte er dem Wirt gleich in die Hand.

Zu alledem lächelte der zweite Bursche nur scheu und blieb stumm. Mit seinen feinen Gesichtszügen und den großen, nordmeerblauen Augen sah er beinahe wie eine Maid aus, aber der knochendürre Leib steckte in Burschenhosen, Haare und Schädel waren unter der Leinenhaube verborgen, und die schlotternde Beschaffenheit der grünen Gewänder entzog jeder weiteren Spekulation den Boden.

Der Weißpfennig aus blankem Silber verschwand wieder im Brustbeutel des längeren Burschen, und der Wirt träumte ihm sichtlich noch einen Augenblick hinterher. Dann verschwand der Herr zum Einhorn hinter seinem Tresen und brüllte die Bestellung in die Küche hinüber, wo ein halbes Dutzend Köche und Gehilfen schufteten, zwischen Dampfschwaden und Feuerschein nur schemenhaft zu erahnen.

»Ich hab ein ungutes Gefühl, Lunja«, sagte der etwas längere Bursche leise. Immer wieder ließ er seinen Blick über die Anwesenden schweifen, es hätte ihn wahrhaftig nicht gewundert, an einem der Tische oder im Gedränge vorm Tresen den Sekretär Savorelli zu sehen.

»Denk einfach nicht dran«, raunte der zweite junge Wäldler und lächelte scheu. »Warum sollten die Herren mit den schwarzen Kutten gerade hier im Einhorn absteigen? Bestimmt nehmen sie in einem der besseren Gasthöfe im Innern der Stadt Quartier.«

Sie hatte sicherlich recht, wie eigentlich immer, wenn es um derlei praktische Fragen ging. Aber seit sie die Finsternis des Thüringer Waldes hinter sich gelassen hatten und in einem Strom von Karren, Kutschen und Fußgängern auf der breiten Talstraße von Ilmenau nach Erfurt gespült worden waren, hatten Sanno und Lunja die beunruhigendsten Gerüchte zu hören bekommen. Faust sei bereits in der Stadt, verkleidet als Gaukler oder Puppenspieler. Einen Auftritt von beispielloser Frechheit habe der große Magier vorbereitet, um sich für die Schmach zu rächen, die ihm der Kurfürst von Sachsen vor Jahren bereitet hatte – damals war der Herr Faust wie ein Verbrecher aus Erfurt verjagt worden, nachdem er angekündigt hatte, dem verehrten Publikum zwei künstliche Edelknaben beim Tanz und beim Fechten vorzuführen.

Doch damit noch lange nicht genug der aufwühlenden Gerüchte: Jeder zweite der Bauern, Krämer und Wandergesellen, mit denen Sanno und Lunja unterwegs ins Gespräch gekommen waren, hatte Stein und Bein geschworen, dass auch der mächtige Inquisitor in Erfurt erscheinen werde. Monsignore Taurus höchstpersönlich, oder auch Tausendfuß, wie ihn die Bauern meist nannten – der hochgestellte Hexenjäger jedenfalls werde nach mehreren Fehlschlägen alles daransetzen, um des frevlerischen Schwarzkünstlers endlich habhaft zu werden.

Aber ich muss trotzdem in die Stadt hinein, sagte sich Sanno dann jedes Mal, auch wenn die Gerüchte noch so beängstigend klangen – ein halbes Hundert Häscher habe Tausendfuß zum Gefolge, in allen erdenklichen Verkleidungen würden seine Mönche während des Jahrmarkts die Stadt durchstreifen, um nicht nur den Oberhexer in ihren Netzen einzufangen, sondern auch gleich noch etliche der minderen Magier, die dem Herrn Faust von einer Stadt zur anderen nachschwärmten.

Und trotzdem musste er es wagen! Denn beängstigender als alle Gerüchte war das Grauen in Sannos Seele, das ihn bald jede Nacht aus argen Träumen aufschrecken ließ. Wenn aber Herr Faust einen Blick in seine Vergangenheit tun würde – vielleicht hörten dann die Träume auf, und vielleicht müssten sie dann gar nicht mehr hinauf an die Nordmeerküste wandern, das Haus über der Felsküste suchen, seine grässlichen Geheimnisse erforschen.

Mit seinem Hirschhornmesser schnitt Sanno für Lunja und für sich selbst ein paar Bissen von dem wunderbar duftenden Schweinebraten ab, den der Wirt auf einer schmierigen Holzplatte gebracht hatte. Hat Vater Lambert mich damals aus den

Krallen eines Kinderfängers befreit?, fragte er sich einmal mehr, während der Herr zum Einhorn Krug und Becher vor ihnen auf den Tisch stellte. Der Most schäumte wie die See in Sannos Seelenbild und funkelte golden wie die Halbkugeln und Stäbchen in seinem Gürtel.

Mittlerweile musste er den Tuchfetzen nicht einmal mehr aufrollen, um in jene andere Welt hineinzustürzen. Nicht nur im Traum, nicht nur wenn er die Augen schloss und ihn Dunkelheit umgab – nein, jederzeit konnte jetzt das magische Fenster vor ihm aufspringen und ihn in das Haus an der Steilküste hinüberreißen. Dafür genügte es, dass er ein paar Augenblicke zu lang an ein und dieselbe Stelle starrte und seine Gedanken nicht überwachte, sondern Geist und Seele schweifen ließ. Aber meist war Sanno auf der Hut.

Vor ein paar Tagen erst hatte er bemerkt, dass er ja gar nicht allein in jenem fensterlosen Verlies über der Felsküste gefangen war. Quälend langsam war die Tür wieder aufgeglitten, und er selbst war wieder der vier-, fünfjährige kleine Gefangene geworden. Der Fächer aus Licht auf dem Boden vor ihm hatte sich mit unendlichem Zögern immer mehr vergrößert, um schließlich auch den Winkel neben der Tür zu erhellen, der bisher immer im Dunkeln geblieben war. Und da sieht Sanno das andere Kind – es liegt still am Boden, auf dem Bauch, den Kopf auf die linke Wange gebettet, als ob es schliefe. Ein Knabe, denkt er, so alt wie ich, aber wie still er dort liegt, ein Bein angewinkelt, die Hände im Schlaf ein wenig geballt. Auch die Gestalt auf der Schwelle scheint zu dem schlafenden Knaben neben der Tür zu schauen, und Sanno sagt sich, wenn ich jetzt zu ihm hinaufsehe, erkenne ich sein Gesicht und weiß, wer hinter all dem Grässlichen steckt.

Bei diesem Gedanken beginnt sein Herz, das sowieso schon wieder viel zu schnell in seiner Brust schlägt, wie irrsinnig zu hämmern. Starre befällt ihn, er will zu der Gestalt auf der Schwelle

aufschauen, aber er kann seinen Kopf, seinen Nacken nicht bewegen. Er versucht zu dem Jungen in der Ecke hinzukriechen, doch seine Arme und Beine fühlen sich an wie zerknickter Röhricht, wie morsches Holz, das gar nicht zu ihm gehört.
Und dann schlägt der Junge in der Ecke die Augen auf. Sein Gesicht sieht ganz golden aus, aber das muss Täuschung sein, hervorgerufen durch den Fächer aus Licht. Er hebt seinen Kopf und schaut Sanno an, mit einem Ausdruck unendlichen Schmerzes, unstillbarer Trauer, und da erst begreift Sanno und will sich abwenden, aber er kann und kann sich nicht rühren. Seine Augen will er schließen, aber sie starren und starren, seine Hände will er vors Gesicht schlagen, aber sie gehorchen ihm nicht. Sanno weiß, dass er nicht schreien darf, nicht jetzt, auf keinen Fall jetzt, aber er schreit schon, schreit und kreischt so gellend, dass er ein Brennen in der Kehle spürt, als ob die Schreie ein Wurm aus Glut und Schmerzen wären, eine riesige Feuerschlange, die sich in seinem Innern entringelt und endlos aus seinem Hals hervorschießt . . .

»Sanno!« Ihre Hand auf seinem Arm, und im selben Moment kam er zu sich. Presste die Lippen zusammen, griff mit zitternder Hand nach seinem Messer und gab vor, mit Braten und Brot beschäftigt zu sein.
Er spürte die Blicke einiger Zecher auf sich, die in ihrer Nähe saßen, und zwang sich, einen Brocken Brot in seinen Mund zu schieben. Zur gleichen Zeit sah er noch immer das Verlies, den Riesen mit Umhang und Kapuze auf der Schwelle und neben der Tür den Knaben, wie er auf dem Bauch vor ihm liegt, den Kopf mühsam erhoben, sein goldenes Gesicht wie zerfließend in Trauer und Schmerz.
Als er zum Mostbecher griff, hatten die meisten Gaffer sich schon wieder abgewendet. In der Schankstube war es so laut,

dass selbst ein greller Schrei nicht allzu sehr auffiel. Und die meisten Zecher an ihrem Tisch waren ohnehin so betrunken, dass sie alle Augenblicke durcheinandergrölten, in unverständliches Gebrüll oder misstönenden Gesang ausbrachen.

Was aber, wenn sich in der Schankstube ein verkleideter Mönch vom Orden der Hexenjäger aufhielt? Würde er nicht zu dem Schluss gelangen, dass ein Bursche, der aus heiterem Himmel so qualvolle Schreie ausstieß, von einem Dämon besessen war? Ein Teufelsjunge . . .

Sannos Hand zitterte immer noch, als er den Becher an seine Lippen setzte, um das Brot und den ärgsten Schrecken herunterzuspülen. »Das war *ich,* Lunja.« Nur ganz allmählich verblasste das grässliche Bild vor seinen Augen.

»Der Junge neben der Tür«, sagte Sanno. Schon vor Tagen hatte er ihr von dem reglosen Knaben im finstersten Verlieswinkel erzählt. »Er hat mich angeschaut, verstehst du nicht, Lunja – *es war, als ob ich in einen Spiegel gesehen hätte*!«

23

Der eigentliche Jahrmarkt spielte sich auf den Plätzen im Innern der Stadtmauern ab, aber wie Sanno und Lunja bald herausfanden, kamen Leute wie sie nicht ohne Weiteres dort hinein.

Längere Zeit lungerten sie in der Nähe des Torturms herum und beobachteten, wie die Ankömmlinge von den Stadtwächtern abgefertigt wurden. Wer mit der Marktkarre voller Gemüse oder Töpferwaren kam und gar noch einen Passierschein besaß, gelangte so glatt hindurch wie die teuer gekleideten Kaufleute mit den gesiegelten Empfehlungsbriefen und die edelblütigen Herrschaften in zwei- oder sogar vierspännigen Kutschen. Manchmal

mussten selbst Reisende von herrschaftlichem Aussehen mit ein paar Münzen die Torscharniere schmieren, doch einige zottelbärtige Gesellen in abgerissener Kleidung, die sich mit einer ganzen Handvoll Kupferstücke den Weg in die Stadt freikaufen wollten, wurden nicht nur barsch zurückgewiesen – ein Dutzend Büttel, bewehrt mit Säbeln und Spießen, stürzte sich auf die Gesellen und nahm sie nach kurzem Gerangel in Haft.
Sannos Barschaft war unterdessen auf zwei Weißpfennige zusammengeschmolzen, und es widerstrebte ihm, gleich ein ganzes der kostbaren Silberstücke in den Schlund eines Wächters zu werfen. Und er konnte den Büttel doch nicht bitten, ihm ein paar Kupferstücke auf die Handsalbung herauszugeben! Der Mann würde ihn auslachen und anschließend in den Kerker werfen lassen, und für eine solche Trottelei hätte er wohl auch kein sanfteres Schicksal verdient.
Aber angeblich verlangte der Herr Faust nicht weniger als anderthalb Weißpfennige für ein Horoskop. Da konnte Sanno doch nicht seine vorletzte Münze einem Wächter vor die Füße werfen! Allerdings halfen ihm seine Silberstücke überhaupt nichts, solange der Herr Faust sich drinnen in der Stadt befand und er selbst hier draußen um die Mauern strich wie ein ausgehungerter Kater. Und hatten sie nicht auf der Straße von Ilmenau mehrfach Geschichten von armen Schluckern gehört, denen der große Seher die Zukunft ausgedeutet hatte, ohne einen Pfennig dafür zu verlangen? Fausts Auftritte waren eine sinnverwirrende Mischung aus Gelderwerb, Zauberei und Pfaffenverhöhnung, aus Prophetie und Anstachelung zum Fürstensturz, und Sanno erschauerte bei der Vorstellung, dass der Herr Faust in die Hände von Monsignore Taurus fallen könnte.
Wenn es nach ihm ginge, sollte Faust nur für alle Zeiten frei durch die Lande ziehen! Ob er wirklich mit dem Teufel im Bunde war? Zumindest schien er mit dem Satan auf vertrautem Fuß zu

stehen, und auch wenn Sanno bei dieser Vorstellung nochmals erschauerte, bestärkte es ihn letztlich nur in seinem Plan – er musste mit Herrn Faust sprechen! Von wem sonst sollte er denn jemals erfahren, was es bedeutete, ein Teufelsjunge zu sein?

»Sollen wir versuchen, ob sie uns durchlassen – auch ohne Passierschein oder Handsalbung?«, schlug er schließlich vor.

Lunja schaute ihn zweifelnd an. »Gehen wir erst mal zu den fahrenden Leuten rüber.« Sie deutete auf die große Uferwiese ein wenig abseits des Torturms, die mit Buden und Zelten übersät war. »Vielleicht weiß ja einer von ihnen, wie man ungesehen in die Stadt gelangt.«

Erleichtert stimmte Sanno ihr zu. Wer Tuch- oder Töpferwaren kaufen, Schweine, Esel oder Milchkühe erfeilschen wollte, der musste sich ins Gedränge der innerstädtischen Märkte begeben. Aber wie in Gelnhausen und vielen anderen Städten blieben Gaukler und Schausteller, Wahrsager und Sterndeuter auch hier in Erfurt während der Markttage vor die Stadtmauern verbannt.

Sie schlenderten über die Bleichwiese an der brausenden Gera und spähten in jedes Zelt, in jede Bretterbude. Hier ging es viel lebhafter zu als damals auf der Kinzigwiese in Gelnhausen. Feuerschlucker und Zukunftsdeuter, Seiltänzer und Wahrsager, Jongleure und Stelzenläufer wetteiferten um die Aufmerksamkeit der zahlreichen Müßiggänger, die sich zwischen den Buden herumtrieben, sauren Wein zu einem Viertelpfennig den Becher schlürften oder genüsslich von Bratäpfeln und Backwerk naschten.

Sanno und Lunja verständigten sich durch Blicke, Stirnrunzeln, angedeutetes Kopfschütteln. Auch wenn sie nicht darüber gesprochen hatten, war für beide klar, dass sie nach dem Zelt von Meister Herbold suchten.

Unterwegs schnappten sie immer wieder Gesprächsfetzen auf – die Schausteller priesen ihre Künste an, alle schwatzten durch-

einander und gaben die jüngsten Gerüchte zum Besten. Faust werde sich wohl doch nicht im Innern der Stadtmauern zeigen, denn dort wimmele es nur so von Hexenjägern. Eine alte Vettel hätten sie bereits ergriffen und in den Kerker unter dem Rathaus verschleppt, von wo kurz darauf die flehentlichen Schreie der Ärmsten erklungen seien. Aber vielleicht werde Faust sich nachher hier draußen bei den Gauklern blicken lassen, hier könne er jedenfalls leichter entwischen, falls Monsignore Tausendfuß seine Häscher auf ihn hetze. Die Stadt dagegen sei eine Mausefalle.
Die beiden jungen Leute in den tannengrünen Gewändern hörten sich das alles an, ohne eine Miene zu verziehen. Erleichtert dachte Sanno, dass es also ohnehin ratsam war, sich vom Marktgedränge fernzuhalten. Doch mit etwas Glück würde er hier draußen auf Herrn Faust treffen!

Wie aufmerksam sie auch Ausschau hielten, von Meister Herbold und seinem zerlumpten Zelt fanden sie keine Spur. In manchen Buden sah Lunja alte Bekannte aus den Zeiten, als sie mit dem Seelenmaler von einem Marktflecken zum nächsten gezogen war. Sie berieten sich, mehr mit Blicken als mit geflüsterten Worten, und entschieden, dass Lunja sich nicht zu erkennen geben durfte – zwei junge Waldburschen konnten unauffällig hier herumschlendern, doch Herbolds einstige Gehilfin Lunja würde den Argwohn der Hexenjäger auf sie beide lenken.
So begnügten sie sich damit, auf der weiten Wiese umherzulaufen. Lachend schauten sie zwei Stelzengängern zu und staunten über einen Feuerschlucker, der die Flammen einer lodernden Fackel in sich hineinsog, dann eine ganze Weile mit geschwellter Brust Säbelkunststücke vorführte und schließlich, als man das Feuer fast schon vergessen hatte, gewaltige Flammengarben gen Himmel spie. Sanno und Lunja klatschten ihm Beifall und schlenderten weiter.

Er fühlte sich beinahe glücklich, und an Lunjas lachenden Augen sah er, dass es ihr ähnlich ging. Wenn Sterndeuter oder Kartenleger sie zu ihren Buden locken wollten, schüttelten sie die Köpfe, doch bei einem schnurrbärtigen Jongleur mit ölig glänzenden schwarzen Haaren, der mit Keulen und Bällen gleichermaßen geschickt hantierte, blieben sie lange stehen. In Sannos Händen und Armen begann es zu zucken – am liebsten hätte er selbst die bunten Lederkugeln aufgefangen und wieder emporgeworfen, Stunde um Stunde, von früh bis spät, ein ganzes Leben lang, ohne sich um irgendetwas anderes zu bekümmern.
Schließlich zog Lunja ihn weiter. Ein blutrot bemaltes Schild über einem großen Zelt pries den *Heidentanz der nackten Wilden aus Neu-Indien* an. Vor dem Zelt daneben stand ein dünner Mann mit morgenländischem Turban, schwenkte eine rostige Zange und verhieß mit leierndem Singsang, eitrige Zähne oder schwarz gewordene Nägel zu ziehen – »zu zwei Pfennigen je Zahn oder Zeh und bei erträglichen Schmerzen«.
Doch Sanno und Lunja blieben nirgendwo stehen, bis sie am Ufer der Gera angelangt waren. Dort setzten sie sich ins Gras und schauten in den wilden Fluss hinab, der mit Strudeln und Gurgeln vorüberschäumte. Und auf einmal war Sanno, als ob er das Brausen des Nordmeers und das Kreischen der Möwen hörte. Es kam ihm vor, als wäre all das hier, die Gera, das Durcheinander der Gaukler und Schausteller auf der Uferbleiche, nur ein riesiges Gemälde, in dem unversehens ein Fenster aufklappte, und dahinter käme jene andere Welt zum Vorschein – das dunkle Haus über der Steilküste, die hohen Mauern, das tief herabgezogene schwarze Dach ... Er spürte schon den Sog, der ihn abermals dort hinüberziehen wollte, hinab in das finstere Verlies, doch im allerletzten Moment gelang es ihm, sich aus dem Bann herauszureißen.
Er sprang auf und lächelte auf Lunja hinunter, die ihn verwundert

ansah. »Manchmal hätte ich auch Lust, als Gaukler von einer Stadt zur anderen zu ziehen.« Er fischte die goldgelben Halbkugeln und Stäbchen aus seiner Gürteltasche und begann zu jonglieren. »An nichts denken, sich vor nichts fürchten, verstehst du? Nicht vor dem Morgen oder vor der Nacht und vor dem Gestern schon gar nicht – man lebt immer nur für den hellen Tag, freut sich an seinem Spiel und wenn man ein paar Leute zum Lachen oder Staunen gebracht und ein paar Kupferstücke im Säckel hat, dann war es ein guter Tag.«

Er warf jetzt mit jeder Hand ein Stäbchen und eine Halbkugel in die Luft und fing sie wieder auf. Leuchtend goldfarben wie das Gesicht des Jungen im Verlies – nicht daran denken. Die Halbkugeln und Stäbchen glitzerten in der Sonne, eigentlich waren sie nur außen von einer honiggelben, durchscheinenden Schicht umgeben, mit einem Kern von heller Farbe, der undurchsichtig war. Warum hatte Vater Lambert diese Dinge in seinem Laborkeller aufbewahrt? Nicht daran denken, nicht jetzt.

»Dann lass uns das Nordmeer doch einfach vergessen, Sanno«, sagte Lunja neben ihm. Sie war gleichfalls aufgestanden und schaute ihm, die Hände auf die Hüften gestützt, mit ihrem scheuen Lächeln zu. »Wir ziehen ziellos umher, kümmern uns um nichts als unser Glück. Weißt du eigentlich, wie sehr ich dich lieb hab, Sanno?«

Er lächelte und jonglierte. »Ich könnte ohne dich auch nicht mehr sein. Könnte nicht und will sowieso nicht.« Er fing die vier goldfarbenen Dinge in der Schale seiner Hände auf. »Vielleicht zerreißt ja der Herr Faust alle Gespinste mit einem einzigen Zauberschlag? Wenn er einen Blick in die Vergangenheit tut und mir seine Hand auflegt, um meine Seele von ihrem Schrecken zu befreien, Lunja – von mir aus bräuchten wir nie mehr zum Nordmeer hinauf.«

Er schob Halbkugeln und Stäbchen zurück in seinen Gürtel und wollte Lunja in seine Arme ziehen. Aber dann fiel ihm ein, dass sie ja zwei Burschen waren, und er begnügte sich damit, sie anzustrahlen.

»Auf einem Wagen möchte ich mit dir herumziehen, meine Liebste«, sagte er leise und wurde ein wenig rot. »Mit einer Eselin wie Uda und einem Wolfshund wie dem armen Rumar, den die Mordbrenner abgeschlachtet haben. Und zwei Kinder möchte ich mit dir großziehen, Lunja – zwei Mädchen, die deine blauen Augen haben und deine Feenhaut.« Er errötete bis zum Rand seiner waldgrünen Haube, doch er nahm es kaum wahr. Er umschloss Lunjas Hand mit der seinen, nie war ihm feierlicher zumute gewesen als in diesem Moment.

Lunjas Augen glitzerten verdächtig. »Aber einen kleinen Knaben will ich auch – mit deinem Lächeln, deinen geschickten Händen, deinem weichen Herzen, Sanno.« Sie wischte sich über die Augen. »Aber es geht nicht.« Sie flüsterte es so leise, als ob weder Sanno noch sie selbst diese Worte hören sollten.

»Was meinst du damit – es geht nicht?«

Lunja lächelte unter Tränen. Schaute ihn wieder an mit diesem Blick, dieser Miene grenzenlosen Mitleids, die er überhaupt nicht leiden mochte. Aber dann zuckte sie mit den Schultern und sagte in verändertem Tonfall: »Na, was soll ich schon meinen – erst müssen wir ja herausfinden, wer diese Leute sind, die euer Haus überfallen haben. Was glaubst du denn, wie lange es dauert, bis sie unsere Verkleidung durchschaut haben?«

Sanno tastete nach seinem Brustbeutel unter den übergroßen Gewändern. »Umso dringlicher muss ich mit Herrn Faust sprechen – komm, wir hören noch mal, was so geredet wird.«

24

In einer engen Budengasse kam er ihnen entgegen, und Sanno spürte sofort, dass Lunja den dicken Mann mit dem eng anliegenden Wams und den kanariengelben Kniebundhosen kannte. Für einen Augenblick war sie förmlich erstarrt, doch der Mann schien nichts zu bemerken. An einer Kette zog er ein Wesen mit braunem Fell hinter sich her, und dabei schrie er unablässig die immergleichen Sätze, mit einer hellen, heiseren Stimme, die zu seiner feisten Gestalt überhaupt nicht passte. Erst nach einigen Wiederholungen verstand Sanno, was er da unaufhörlich schrie – und im gleichen Moment erkannte auch er den Fettwanst wieder. Beim letzten Mal hatte er einen schwarzen Umhang und einen steifen Hut getragen – Herr Godobar, der in seinem rollenden schwarzen Kerker menschliche Monstren zur Schau stellte.

»Das Fräulein mit den zwei Köpfen! Die Zwillingsbrüder mit nur einem Unterleib! Der sprechende Affenmensch! Kommt und staunt, Leute – kommt alle zu Godobars menschlicher Bestienschau.«

Zwei Schritte vor Lunja und Sanno blieb er stehen und riss an der Kette, die um den Hals seines bepelzten Begleiters geschlungen war.

»Oh Gott – der arme Larian!« Lunja presste sich die Hand auf den Mund. Mit schreckgeweiteten Augen sah sie zu den beiden hinüber.

Die Kreatur an der Kette war kein Hund oder Affe, sondern wahrhaftig ein Mensch. Lunja hatte Sanno ja von dem bedauernswerten Burschen erzählt – es war der junge Mann, dem im Alter von sechzehn Jahren plötzlich im Gesicht und am ganzen Körper dieses braune Fell gewachsen war. Er trug nur einen Lumpen um seine Mitte, unter dem Affenfell schimmerte blasse Haut.

»Auf die Hinterbeine, hopp!« Godobar riss noch heftiger an der Kette, und Larian richtete sich schwankend auf. Sein Gesicht war schmerzverzerrt, flehend flackerte sein Blick über die Menge ringsherum. Aber die Leute johlten nur und riefen ihm anzügliche Schimpfworte zu. »Sag deinen Namen, du verlauster Affe!«, schrie Godobar.
»Guten Tag, meine Herrschaften. Ich heiße Larian Fellmann.«
Die Leute johlten noch lauter. Seine Stimme war dunkel und melodiös. Sanno schien es, als hätte er niemals vorher etwas so Trauriges gehört.
»Und was bist du, Larian?«, schrie Herr Godobar mit seiner hellen Stimme, die wie das Quieken eines fetten Ebers klang. »Sag den Leuten, was du bist!«
»Ich bin ein sprechender Affe, meine Damen und Herren«, sagte Larian mit samtweicher Stimme, und seine Augen schimmerten vor Tränen. »Nur ein dreckiger Affe, der ein bisschen sprechen kann und glücklich ist, dass Herr Godobar sich um ihn kümmert.«
Er ließ den Kopf hängen, und die Leute klatschten und johlten.
Ein Bauer trat dicht vor ihn hin und spie ihm ins Gesicht. »Nicht jetzt, nicht hier!«, schrie der dicke Mann. »Kommt alle zu Godobars Monstren-Schau! Staunt über das Fräulein mit dem zweiten Kopf und über die Zwillingsbrüder mit nur einem Unterleib! Kommt und seht den sprechenden Affen! Für einen halben Pfennig könnt ihr die Bestien betrachten – für anderthalb ist fast alles erlaubt!«
Eine seltsame Erregung ergriff die Leute in der Budengasse, die mittlerweile so vollgestopft war, dass man nicht mehr vorwärts oder rückwärts konnte. Ein dreister Knabe schlängelte sich an Larian heran und wollte ihm das Hüfttuch herunterreißen, aber Herr Godobar hatte seine Augen überall. Mit einem Fußtritt schleuderte er den Gassenjungen zurück. »Hochgeschätztes Publikum, nun folgt mir zur einzigartigen Schau der menschli-

chen Bestien. Der Eintritt beträgt einen halben Pfennig, Einzelvorstellung nur anderthalb!«
Stumpf glitt Larians Blick über die Menge. Als er Lunja bemerkte, schienen seine Augen aufzublitzen – im nächsten Moment stöhnte er auf, da Herr Godobar abermals an seiner Kette zerrte.
»Auf geht's, du verdrecktes Vieh – und dass du dich nur gut benimmst, wenn das Publikum dich in deinem Stall besucht!«
Der dicke Mann wandte sich um und zog Larian an der Kette mit sich. Sanno und Lunja wurden fast umgerissen, so eilig rannten die Leute Herrn Godobar mit der kanariengelben Hose und der bedauernswerten Kreatur an der Kette hinterher.
»Gütiger Gott«, sagte Sanno, »der arme Kerl – kann er denn seinem Peiniger nicht irgendwie entfliehen?«
Lunja wischte sich mit dem Handrücken über die Augen. »Damals in Gelnhausen hab ich ihn dasselbe gefragt, aber Godobar hält sie wie wilde Tiere gefangen.« Sie schniefte und fuhr sich mit dem Ärmel über die Nase. »Der ganze Kerkerwagen ist innen mit Eisenplatten ausgeschlagen, und in ihren Zellen sind sie mit Ketten an eiserne Ringe gefesselt, die an die Wände angeschmiedet sind. Außerdem würde Larian seine Leidensgefährten niemals allein in Godobars Gewalt zurücklassen. Selbst wenn er einmal Gelegenheit zur Flucht bekäme – ohne die Zwillinge Huck und Muck und ohne Madeleine würde er nirgendwohin gehen.«
Sanno schüttelte traurig den Kopf. Eben wollte er Lunja fragen, ob sie Larian und seinen Gefährten nicht irgendwie helfen könnten, da begann vom Torturm her eine kräftige Männerstimme eine Botschaft auszuschreien:
»Gaukler und Schausteller, aufgepasst! Monsignore Taurus lässt euch Folgendes verkünden: Der ehrwürdige Inquisitor hat den Ketzer und Schwarzkünstler Faust ergriffen und in den Kerker geworfen! Seinen Ordensbrüdern hat er Befehl erteilt, alle fahrenden Leute in Haft zu nehmen! Wer von euch nach Glocken-

schlag drei noch in der Stadt Erfurt oder vor ihren Mauern angetroffen wird, der soll in Fesseln geschlagen und peinlich befragt werden!«

Der Ausrufer hoch droben auf dem Torturm schaute noch einen Moment lang auf die Wiese hinab. In gespanntem Schweigen starrte alles zu ihm hinauf, doch mehr hatte er offenbar nicht zu verkünden.

Als er sich umwandte und wieder im Innern des Turms verschwand, setzte ein gewaltiger Tumult ein. Alles rief und rannte durcheinander, Kinder plärrten, Frauen kreischten, Männer fluchten. Jonglierkugeln landeten auf Köpfen, Feuer wurde geschluckt und nie wieder ausgespien, Stelzen kippten um und katapultierten ihre Besitzer in die Gera. Mit fliegenden Händen wurden Zelte abgerissen, Buden zu Brettern zerlegt, Habseligkeiten zu Bündeln verschnürt, auf Karren verladen oder über Schultern geworfen. Esel und Maultiere wurden angeschirrt – kaum eine Viertelstunde, nachdem der Büttel die Botschaft ausgerufen hatte, wurden die ersten Karren und Wagen schon zur Straße hinaufgelenkt. Ströme von Gauklern zu Fuß und Schaustellern mit Eselskarren strebten von allen Ecken und Enden der weiten Wiese auf den schmalen Weg zu, der Bleiche und Straße verband.

»Ich glaube ja eigentlich gar nicht, dass sie den Herrn Faust da drinnen schon gefangen haben«, sagte Lunja. »Aber wir sollten uns besser auch davonmachen.«

Überrascht schaute Sanno sie an. »Du meinst, der Herr Faust ist noch in der Stadt und auf freiem Fuß? Aber dann sollten wir doch besser hierbleiben und unser Glück versuchen – vielleicht kann ich ja doch noch mit ihm reden!«

»Nein, wir müssen auch gehen«, sagte Lunja in drängendem Tonfall. »Bestimmt haben sie die Lügenbotschaft von Fausts angeblicher Verhaftung verkünden lassen, weil sie wissen, dass er unter den fahrenden Leuten viele Verbündete hat. Wenn sie die Schausteller wirklich der Hexerei verdächtigen würden, hätten sie doch hier draußen einfach alles verhaften lassen, ohne uns vorher durch diesen Aufruf zu warnen.« Sie hob die Schultern und ließ sie langsam wieder sinken, wie es ihrer Gewohnheit entsprach. »Irgendwo dort hinter den Stadtmauern sitzt Herr Faust wohl wirklich in der Falle – und Tausendfuß will sichergehen, dass niemand einen Aufruhr anzettelt, um ihn doch wieder zu befreien.«

Von der Stadt her begannen in sämtlichen Türmen die Glocken zu dröhnen. Nur mit Mühe konnte Sanno heraushören, was die Stunde geschlagen hatte. »Viertel vor drei«, sagte er und schaute bedrückt zum Torturm hinüber.

Doch dabei ließ er sich von Lunja mitziehen, quer über die zertrampelte Wiese, auf der schon keine Bude, kein Zelt mehr zu sehen waren. Fieberhaft überlegte er, ob sie nicht doch besser hierbleiben und auf eine Gelegenheit lauern sollten, in die Stadt und womöglich gar in das Haus zu gelangen, wo sich der Herr Faust versteckt hielt. Aber das war unsinnig, Lunja hatte wieder einmal recht – falls sie überhaupt irgendwie in die Stadt vordringen könnten, würden sie nur Gefahr laufen, von den Hexenjägern ergriffen zu werden, ohne die blasseste Hoffnung, Herrn Faust zu sehen oder gar aus den tausend Klauen des Monsignore Taurus zu befreien.

Eben rumpelten dort drüben, auf der anderen Seite der Bleiche, die letzten Karren über den schlammigen Weg zur Straße hinauf, die schwarz war vor Leuten, Wagen, Lasttieren. Einige Schausteller bewegten sich gen Nordosten, in Richtung der kurfürstlichen Stadt Leipzig, hinter der bald schon die sandigen, nur dünn besiedelten märkischen Weiten begannen. Die meisten aber lenkten ihre Schritte oder Gefährte gen Südwesten, in die milderen und menschenreicheren Täler von Main oder Kinzig zurück.

Wieder begannen die Glocken zu schlagen, dumpf und unheilvoll. Im selben Augenblick ging das Stadttor auf, und ein Dutzend hagerer Männer in der schwarzen Kutte der Hexenjäger trat hervor. Sanno und Lunja sahen sich an, dann beschleunigten sie ihre Schritte. So rasch sie laufen konnten, ohne dass es nach eigentlichem Rennen aussah, eilten sie dem Zug der Schausteller und Gaukler hinterher.
Die Glocken schlugen eben zum dritten Mal, als sie mit einem großen Satz von der Wiese hinauf auf die Straße sprangen. Oben reihten sie sich gleich in den Strom der Karren und Fußgänger ein. Als sich Sanno nach einigen Schritten noch einmal umwandte, standen die Hexenjäger vor dem weit geöffneten Stadttor und schauten ihnen reglos hinterher. Obwohl die Entfernung eigentlich schon viel zu groß war, glaubte Sanno den stechenden Blick Savorellis zu spüren, der mit höchst beunruhigendem Lächeln zusah, wie sie abermals vor ihm zu fliehen versuchten.

25

Bist du des Teufels, Junge – mit solchen Kostbarkeiten zu jonglieren?«
Erschrocken sah Sanno zu dem schnurrbärtigen Mann auf dem Karren empor. Sein Esel trottete so langsam wie im Halbschlaf voran. Während die Türme und Mauern der Stadt hinter ihnen allmählich versunken waren, hatte Sanno die goldfarbenen Sachen aus seiner Gürteltasche geholt und begonnen, mit den Halbkugeln und Stäben zu jonglieren – es war die beste Art, seinen Kopf zu leeren und zu verhindern, dass er wieder durch das magische Fenster hinübergerissen wurde. Schritt um Schritt hatten sie zu dem ächzenden und knarrenden Karren aufgeschlos-

sen, doch erst in diesem Moment wurde Sanno klar, wer der noch junge Mann auf der Kutschbank war – der Jongleur mit der dunklen Haut und den ölig glänzenden schwarzen Haaren, dessen Kunststücken sie vorhin auf der Uferwiese zugesehen hatten.

»Kostbarkeiten? Was soll denn an diesen Sachen so wertvoll sein?« Sanno fing die honiggelben Dinge auf und wendete sie in den Händen hin und her.

»Kostbar wie Gold! Hüte dich vor Räubern, Junge – und vor den Hexenjägern erst recht!« Mit der Schläfe deutete der Jongleur auf die funkelnden Halbkugeln und Stäbe in Sannos Händen hinab. »Manche nennen es das Fleisch der Engel, andere das Gold des Nordmeers – und die Leute oben an der Küste verehren es seit alten Zeiten als Götterbrand.«

Er ließ die Peitsche über dem Kopf seines Eselchens schnalzen. »Nicht einschlafen, Dolo!« Das Grautier hob den Kopf und bleckte die Zähne, als ob es nach dem tanzenden Lederriemen schnappen wollte. »Darf ich vorstellen«, sagte der Jongleur, »das ist Dolo, die störrischste Eselin der Welt.« Er beugte sich vor und versetzte ihr einen Klaps aufs Hinterteil. »Und ich bin der Gaukler Jerzy.«

Seine Hand war schlank und dunkelbraun, ihr Griff fest und doch sanft. Die schwarzen Augen über dem Schnurrbart funkelten. »Und wer seid ihr beiden? Ich meine natürlich – hinter eurer Wäldler-Maskerade?«

Sie wechselten einen raschen Blick. An ihrem Lächeln sah Sanno, dass Lunja dem Jongleur ebenso vertraute wie er. »Das ist eine lange Geschichte«, sagte er. »Außerdem traurig und schrecklich – ich glaube nicht, dass sie dir gefallen wird.«

»Erst mal rauf auf die Bank mit euch – und wie mir eure Geschichte gefällt, sage ich euch, wenn ihr sie mir erzählt habt.«

Die Eselin Dolo weckte wehmütige Erinnerungen in Sanno – an

Uda und Rumar, an ihre ganze kleine Welt hinter den Gutsmauern, die so unbegreiflich rasch in Flammen aufgegangen, zu Schutt und Asche zerfallen war. Zwischen Jerzy und Lunja saß er auf der Kutschbank und erzählte in dürren Worten, woher sie kamen und was auf Lamberts Hof geschehen war.
»Ein Überfall aus heiterem Himmel«, schloss er. »Bis heute weiß ich nicht, was die Mordbrenner gerade bei uns gesucht haben. Aber wir fürchten, dass sie immer noch hinter uns her sind.«
Über das Seelenbild, Meister Herbold oder gar das Haus am Nordmeer verlor er kein Wort – so weit reichte sein Vertrauen zu dem wildfremden Mann auch wieder nicht. Und außerdem hätte er auch kaum gewusst, wie er dieses ganze beschämende Durcheinander mit ein paar Sätzen erklären sollte.
»Vielleicht waren die Kerle ja hinter dem Engelsfleisch her.« Jerzy bewegte die Linke auf und ab, als ob er etwas in die Luft werfen und wieder auffangen würde. »Du weißt schon, die Sachen, mit denen du vorhin jongliert hast – übrigens gar nicht so übel! Du hast geschickte Hände, Sanno. Und diese Räuber jedenfalls – vielleicht glauben oder wissen sie, dass ihr die Sachen mitgenommen habt, und deshalb jagen sie hinter euch her?«
Sanno zuckte nur mit den Schultern. Mit jedem Satz, jeder Erinnerung an jene Nacht war ihm die Kehle enger geworden. Jetzt brachte er erst mal kein Wort mehr hervor.
Längere Zeit schwiegen sie alle drei. Also um die goldfarbenen Sachen sollte es die ganze Zeit gegangen sein? Es kam Sanno wenig wahrscheinlich vor. Wenn die Mordbrenner gerade diese Dinge gesucht hätten, dann hätten sie doch nicht das Haus mit allem, was sich darin befand, dem Feuer zum Fraß vorgeworfen.
»Engelsfleisch«, sagte Lunja schließlich. »Und wie hast du es vorhin noch genannt, Jerzy? Gold des Nordmeers – diesen Ausdruck hab ich auch schon gehört. Ist das nicht einfach ein anderer Name für Bernstein?«

Jerzy nickte. »Fleisch der Engel, so heißt es vor allem bei den frommen Christenleuten – weil Bernstein so leuchtend und durchscheinend aussieht wie die Leiber der Engel auf vielen Kirchenbildern. Und Gold des Nordmeers, das ist auch leicht zu verstehen – seit jeher holen die Fischer oben an der Küste Bernsteinbrocken aus dem Wasser, schneiden und polieren sie zu Schmuckstücken und verkaufen sie für gutes Geld im ganzen Abendland. Viele von ihnen sind damit so reich geworden, als ob sie wirklich mit Gold gehandelt hätten. Am seltsamsten ist aber der dritte Name: Götterbrand.«
Die Eselin schien endlich aus ihrem Halbschlaf erwacht zu sein – seit Sanno und Lunja mit auf der Karre saßen, lief Dolo munter voran. Noch waren es ein paar hübsche Stunden bis zur Abenddämmerung. Bis Jena würden sie es heute nicht mehr schaffen, aber wie Jerzy erklärt hatte, kannte er einen vorzüglichen Rastplatz, wo sie die Nacht verbringen konnten.
Noch heute, erzählte der Jongleur, gebe es oben am Nordmeer Heidenpriester, die in sonderbaren Zeremonien die alten Götter anriefen. Natürlich sei das streng verboten, und wer von ihnen erwischt werde, lande unweigerlich auf dem Streckbett der Hexenjäger, denn die alten Nordmeergötzen seien nichts anderes als Dämonen des Satans. Jedenfalls sehe die heilige katholische Kirche das so, und folglich fänden die Anrufungen der alten Götzen nur noch im Geheimen statt, auf entlegenen Inseln und Bergen oder in Höhlen tief im Wald.
»Und bei diesen Götzenmessen«, fuhr er fort, »verbrennen sie immer ein paar Brocken Bernstein, so ähnlich wie in den Kirchen heutzutage Weihrauch angesteckt wird – wenn man genug davon einatmet, beginnt man seltsame Dinge zu sehen und zu hören. Deswegen auch der Name: Götterbrand. Du zündest es an, und dann kannst du die Götter und Geister sehen.«
Es klang beinahe, als ob Jerzy aus eigener Erfahrung spräche,

aber Sanno fragte ihn nicht danach. Immer deutlicher spürte er, dass auch der Jongleur ein düsteres Geheimnis mit sich herumtrug. Über kurz oder lang würde er ihnen wohl auch seine Geschichte erzählen.
Sanno zog eine der honiggelben Halbkugeln aus der Gürteltasche und drehte sie einmal mehr zwischen den Fingern hin und her. In die kleinen runden Löcher, die jede Halbkugel aufwies, ließen sich die Stäbchen ein winziges Stück weit hineinschieben, aber wofür das gut sein sollte, war immer noch gänzlich unklar. Götterbrand, dachte er. Was würde passieren, wenn sie die goldenen Dinge jetzt anzündeten – würde ihnen wirklich ein grimmiger alter Heidengott erscheinen?
Jerzy warf einen Blick auf das leuchtende Ding in Sannos Hand und stutzte. »Gibst du es mir mal? Nur für einen Augenblick.«
Bereitwillig reichte ihm Sanno den kleinen Halbball. In der Abendsonne leuchtete er rotgolden wie das Haar von Mutter Heidlinde. Sannos Herz wurde noch schwerer. Auch das Ölbild über dem Kamin in Lamberts Studierzimmer war wohl ein Raub der Flammen geworden.
»Das ist nicht einfach nur Bernstein«, sagte Jerzy. »Sehen die anderen Sachen auch so aus? Man müsste hindurchschauen können, aber im Innern ist ja eine zweite Kugel aus einem anderen Material – Holz, Knochen oder vielleicht auch Metall, was weiß ich.«
Sanno holte auch den zweiten Halbball und die beiden Stäbchen hervor. »Das ist mir natürlich auch schon aufgefallen«, sagte er, »jedes dieser Dinge enthält einen hellen, undurchsichtigen Kern.« Er reichte Jerzy alles hinüber, und der Jongleur übergab ihm die Zügel, damit er beide Hände freibekam.
Sannos Finger legten sich um die ledernen Schlaufen, und die vertraute Bewegung trieb ihm ein Brennen in die Augen. »Lauf, Dolo, gutes Tier!« Ob zumindest Uda die Feuersbrunst heil über-

standen hatte? Wie herzlos von mir, dachte Sanno, dass ich nicht einmal versucht habe, die Eselin aus ihrem Stall zu befreien! Aber es ging ja nicht, Lunja und ich sind doch um unser Leben gerannt ... Sein Blick verschwamm.
»So etwas hab ich noch nie gesehen.« Jerzys Stimme riss ihn aus seinen Gedanken. »Es scheinen wahrhaftig Knochenstücke zu sein, umschlossen von einer Schicht aus Bernstein.« Er reichte Sanno die Stäbchen und Halbkugeln zurück und übernahm seinerseits wieder die Zügel. »Fleisch der Engel und darunter Knochen – von wem?« Jerzy schüttelte den Kopf und brummelte vor sich hin. Offenbar war er tief in Gedanken. Sein Gesicht verdüsterte sich rascher als die weite Ebene vor ihnen.

»Wollt ihr hören, woher ich vom Fleisch der Engel weiß? Vom Götterbrand? Vom Gold des Nordmeers?« Jerzy stieß die Fragen ruckweise hervor, und dazu entlockte er seiner Fiedel jeweils einen heftigen Schluchzer.
Sanno und Lunja nickten erwartungsvoll. Sie sahen einander an, Lunja schaute mindestens so bang und angespannt drein, wie Sanno sich auf einmal fühlte. Die Fiedelklänge schienen eine unheilvolle Geschichte anzukündigen.
Mittlerweile saßen sie an einem kleinen Feuer auf dem Rastplatz, den sie tatsächlich noch vor Einbruch der Nacht erreicht hatten – ein schmaler Platz auf einer Anhöhe, von drei Seiten mit Felswänden umgeben. »Eine natürliche Burg«, hatte Jerzy gesagt, an seinem Karren eine Klappe geöffnet und verschiedene Köstlichkeiten hervorgekramt – Dörrfisch, einen Schlauch Rotwein, altbackenes Brot. Und zuletzt diese kleine, mit Schrammen übersäte Fiedel, der er die unwahrscheinlichsten Töne zu entlocken verstand – Schreie, Schluchzer, Seufzer.
»Erst mal lasst uns essen – hier nehmt, greift zu.« Er schob ihnen Fisch und Brot hin, dann wandte er sich zum Wagen um, der wie

ein Burgtor ihre kleine Festung verriegelte. »Loni, wo bleibst du denn?«
Zu ihrer Verblüffung ging an der Seite des Karrens eine Tür auf, und eine junge Frau sprang heraus – mit so dunkler Haut wie Jerzy und ebenso glänzend schwarzem Haar, das in üppiger Dichte über ihre Schultern floss. Sie trug ein langes, dunkelrotes Kleid, das den Ansatz ihrer Brüste freiließ und sich eng um ihre Hüften spannte. Sanno wurde ein wenig heiß, als sie mit wiegenden Schritten zu ihnen herüberkam und sich neben Jerzy ans Feuer kauerte.
»Das ist Loni, meine liebe Frau«, sagte er. »Sie hat damals alles miterlebt.« Er nahm ihre Hand und küsste sie behutsam und zärtlich. »Und das sind Sanno und Lunja, meine Liebe – zwei junge Leute, denen auch schon Arges widerfahren ist.«
Sie aßen und tranken, und obwohl Loni nur wenige Worte sagte, war Sanno ganz gefangen vom wehmütigen Klang ihrer Stimme und von der anmutigen Trauer, die jeder ihrer Blicke, jedes Lächeln, jede ihrer Gesten verströmte.
»Damals waren wir eine häupterreiche Sippe«, begann Jerzy schließlich, nachdem sie sich gesättigt und auch Sanno und Lunja ein paar vorsichtige Schlucke aus dem Weinschlauch gekostet hatten. »Sieben Brüder und drei Schwestern hatte ich, alle verheiratet, und auch unsere Eltern und die Mütter und Väter von einigen unserer Schwägerinnen und Schwäger lebten mit in unserem Hüttendorf. Zusammen waren wir bald neunzig Leute, davon sechzig Kinder, stellt euch nur vor, und dazu noch Pferde, Esel, Hunde. Wie reich wir waren und wie glücklich – damals am Nordmeer.«
Er nahm die Fiedel wieder auf und spielte eine wilde Weise, wehmütig und voller Zorn. Loni hatte sich erhoben und wiegte sich selbstvergessen im Rhythmus der Melodie. Ihre Schatten tanzten über die Felswände, zuckend im Wind, der die Flam-

men ihres Feuers mal niederdrückte, dann wieder hoch auflodern ließ.

»Aber eines Tages, das war vor neun Jahren, kamen die Mörder in finsterer Nacht.« Jerzy sang es mit klagender Stimme, und dazu weinte leise die Geige, und Loni wiegte sich hin und her, die Arme vor ihrem Körper, als ob sie ein Kind darin trüge. »Sie schrien, dass wir ihre Kinder gestohlen hätten! Dass wir deshalb sterben müssten, aber vorher sollten wir leiden wie die ärgsten Sünder in der Hölle!« Die Fiedel schrie jetzt, und Loni krümmte und wand sich wie in heftigen Schmerzen.

»Und dann legten sie Feuer. Jede Hütte, jedes Zelt brannte binnen Augenblicken – die Flammen schlugen bis zum Himmel, und die Schreie unserer Frauen und Kinder gellten durch die Nacht!« Auch die Fiedel schrie wieder auf, und jetzt stimmte Loni mit brechender Stimme ein und schrie gleichfalls ihren Schmerz und ihre Trauer in die Nacht hinaus.

»Wir versuchten aus der Hölle zu entfliehen, aber sie hatten unsere Siedlung umzingelt. Jeden, der aus Rauch und Flammen hervorkam, mit brennenden Haaren und Kleidern, blind vor Angst und Schmerzen, schlachteten sie mit ihren Spießen und Säbeln ab. Männer, Frauen, Kinder, Alte, bis niemand mehr am Leben war – niemand außer Loni und mir.«

So abrupt verstummten nun Jerzy, Loni und die Fiedel, dass ihr Schweigen noch verstörender wirkte als vorher die Schmerzensschreie. Eine ganze Weile war nichts zu hören außer dem heftigen Atem der beiden und dem Knacken und Knistern des Feuers.

»Warum gerade wir beide überlebt haben«, ergriff schließlich wieder Jerzy das Wort, »wir fragen es uns an jedem Tag seit neun Jahren und haben bis heute keine Antwort gefunden. Wir waren beinahe noch Kinder, als die Mörder kamen – im Frühjahr darauf wollten wir uns verloben, an Lonis sechzehntem Geburtstag.« Die junge Frau hatte sich wieder neben ihn ans Feuer gekauert,

und Jerzy legte seinen Arm um ihre Schultern und zog sie an sich. »Wie die anderen irrten wir in Todesangst zwischen den brennenden Hütten herum, wie die anderen erkannten auch wir irgendwann, dass diese Leute nicht ruhen würden, bis sie uns alle zu Tode gebracht hatten. Halb ohnmächtig vor Angst und Rauch verkrochen wir uns unter ein paar Steinbrocken und verloren wohl kurz darauf das Bewusstsein. Und als ich zu mir komme, halte ich Loni in meinem Arm, und wir leben! Die Mordbrenner sind fort, unsere Siedlung ist nur noch rauchende Asche – und alle unsere Lieben sind tot!«
Er riss wieder die Fiedel auf seine Schulter und spielte eine wilde Tonfolge, schrill und zerfetzt wie ein Schmerz, der noch immer unerträglich wehtat und sich niemals lindern würde bis ins Grab.

Nachher lag Sanno neben Lunja unweit des Feuers, das zu einem Häuflein Glut herabgebrannt war. Er hörte, wie Loni im Wagen seufzte und weinte und Jerzy sie durch Murmeln und leise Gesänge zu trösten versuchte. An seiner Seite atmete Lunja sanft und gleichmäßig im Schlaf. Sanno schaute hinauf zum Sternenhimmel. Wieder und wieder gingen ihm Jerzys Worte durch den Kopf – seine Klagerufe, die Schluchzer seiner Fiedel, die Schmerzensschreie von Loni.
Die Küste des Nordmeers, überlegte er, war viele hundert Meilen lang, und er wusste überhaupt nicht, wie weit Jerzys einstiges Dorf und das Haus an der Steilküste voneinander entfernt waren. Aber die Ähnlichkeit der Ereignisse war doch kaum zu übersehen – Jerzys und Lonis Sippe war vor neun Jahren ausgelöscht worden, weil die Mordbrenner sie verdächtigt hatten, ihre Kinder verschleppt zu haben. Und ungefähr zur gleichen Zeit hatte in jenem finsteren Haus auf der Landzunge allem Anschein nach ein Kinderfänger gehaust, der die kleinen Häftlinge in seinen

Verliesen doch bestimmt aus Häusern und Hütten in der Umgegend geraubt hatte.
In weiter Ferne heulte ein Wolf, und ganz in der Nähe gab ihm ein zweiter Wolf mit lang gezogenem Jaulen Antwort. Die Eselin Dolo schnaubte beunruhigt, und Sanno tastete nach dem Dolch an seinem Gürtel, doch seine Gedanken waren noch immer an der Nordmeerküste.
Waren also Jerzys Leute, überlegte er weiter, für Verbrechen hingeschlachtet worden, die in Wahrheit jener hünenhafte Mann begangen hatte – die Gestalt unter der Kapuze, deren Gesicht Sanno in seinen Träumen bislang verborgen geblieben war? Und wenn Vater Lambert ihn damals aus der Hand des Kinderfängers befreit hatte – lag dann nicht die Vermutung nahe, dass er auch schon bei jenen zornigen Vätern gewesen war, die im Jahr davor das Dorf der vermeintlichen Kinderräuber niedergebrannt hatten?
Aber wie passte das wieder mit dem Überfall auf Lamberts Gut zusammen? Die Gedanken drehten sich hinter Sannos Stirn, und je länger er grübelte, desto mehr schien sich wieder einmal alles zu verwirren. Wenn die Mordbrenner aus dem Spessart irgendetwas mit den alten Kinderräuber-Geschichten vom Nordmeer zu tun hätten – warum hätten sie dann ihn, Sanno, ›Teufelsjunge‹ nennen und durch das halbe Land verfolgen sollen? Auf diese Frage gab es einfach keine sinnvolle Antwort, dachte Sanno und legte seinen Arm um Lunja, die sich im Schlaf enger an ihn schmiegte.
Auch er schloss nun die Augen, und noch während er in Schlaf fiel, begann die See zu brausen, die Möwen schrien, und die Kertür geht unendlich langsam auf. Das Lichtdreieck auf dem Steinboden wird breiter, und diesmal tritt die Gestalt im Umhang über die Schwelle, doch wieder kann Sanno das Gesicht unter der Kapuze nicht sehen. Der riesige Mann macht einen

Schritt nach links und beugt sich über den Knaben, der im Winkel neben der Tür liegt. Im nächsten Moment richtet er sich wieder auf, und mit ihm erhebt sich der Knabe und bleibt ein wenig schwankend neben ihm stehen.
Sanno starrt ihn an – der andere Junge macht einen Schritt aus seinem Winkel heraus, das Licht aus dem Vorraum leuchtet ihn an, er sieht wirklich ganz genauso aus wie Sanno, nur dass sein Gesicht in jenem Ausdruck untröstlichen Kummers erstarrt scheint. Dafür schimmert und funkelt er an Stirn und Wangen, als ob er mit goldener Farbe übergossen wäre. Mit jedem Schritt wird er Sanno unheimlicher – er trägt keinen Fetzen am Leib, und er leuchtet von Kopf bis Fuß wie ein Engel oder wie eine goldene Kirchenfigur. Dabei bewegt er sich jedoch hölzern und steif wie der alte Cramsen, und seine Augen sind weit geöffnet und blinzeln nie.
Plötzlich gerät er ins Taumeln und streckt seinen Arm Halt suchend in Sannos Richtung aus. Sanno beugt sich im Sitzen vor, um die leuchtende Hand zu ergreifen, aber der andere ist zu weit von ihm entfernt. Sanno will aufspringen, und da erst merkt er, dass seine Füße an den Verliesboden angekettet sind.
Der goldene Knabe stürzt zu Boden, mit einem hellen, hallenden Klang, und zugleich bricht der Mann unter der Kapuze in dröhnendes Lachen aus. Dann Schritte, die Tür fällt zu, Dunkelheit.
»Heda?« Sanno hält den Atem an, lauscht.
Keine Antwort, nicht das leiseste Seufzen oder Stöhnen. So still ist es auf einmal in seinem Kerker, dass Sanno sich wünscht, das Wimmern von draußen wieder zu hören und die Schreie, die Schreie. Aber da ist überhaupt nichts, nur Schweigen, Stille, schwarzer Stein.

26

Wieso haben diese Männer denn überhaupt gedacht, dass eure Leute ihre Kinder gestohlen hätten?« Sanno bereute seine Frage schon, bevor er sie fertig gestellt hatte.

Das kleine Feuer flackerte wieder auf der Anhöhe, wo sie zwischen den Felsen genächtigt hatten. Am wolkenlosen Himmel ging eben die Sonne auf, und die Vögel zwitscherten in den Bäumen.

»Woher soll ich das denn wissen?« Jerzy riss seinen Krummdolch aus dem Gürtel, ließ ihn durch die Luft wirbeln und fing die spitz gezähnte Waffe ohne hinzusehen an der Griffseite wieder auf. »Frag meinetwegen euren allwissenden Christengott!«

Heute früh lernten sie einen anderen Jerzy kennen – der Jongleur schien düsterer Laune zu sein. Vielleicht hatte er schlecht geschlafen, kein Wunder, dachte Sanno, nachdem er am Abend seine schlimmsten Erinnerungen aufgerührt hatte. Auch er selbst hatte wieder einmal eine arge Nacht hinter sich – irgendwann zur finstersten Stunde war er aufgewacht, am ganzen Körper wie erstarrt, als ob er durch einen Zauber in toten Fels verwandelt worden wäre. Das hing bestimmt mit seinem Traum zusammen, auch jetzt noch ging ihm der Knabe mit der leuchtenden Haut nach – seine steinerne Miene, der leere Blick, der helle, harte Knall, mit dem er zu Boden gestürzt war. Ein Leib wie aus jenem Engelsfleisch, dachte Sanno, konnte sich aber nicht überwinden, Jerzy von seinem Traum zu erzählen.

»Ihr hättet nur unsere Großväter hören müssen«, schimpfte unterdessen der Jongleur, »offenbar war es immer so gewesen, seit unsere Leute sich an der Nordmeerküste angesiedelt hatten – wenn irgendetwas Unliebsames passierte, waren wir die Sündenböcke. Die Fischer dort haben allesamt blonde Haare und blaue Augen, und wenn sie den Mund öffnen, dann meistens nur, um zu fluchen oder auszuspucken. Oder um dunkelhäutige Leute wie uns zu bezichtigen – als Diebe, Ketzer, Hexer, wie es gerade kam. Und als über Nacht einige ihrer Kinder verschwanden, sollten wir natürlich auch dafür verantwortlich sein – dabei gab es in unserer Siedlung mehr Kinder als in allen ihren Fischerkaten zusammen! Wozu also hätten wir ihre Bälger verschleppen sollen, kannst du mir das vielleicht verraten?«

Darauf wusste Sanno nichts Rechtes zu sagen. Es klang beinahe, als ob Jerzy auch ihn und Lunja für mitschuldig hielte – nur weil sie eine helle Haut hatten wie die Fischer von der Nordmeerküste. Schweigend kaute er auf seinem Kanten altbackenes Brot herum. Auch Lunja wirkte heute in sich gekehrt, nur hin und wieder sah sie Sanno mit diesem Blick voller Mitleid und Trauer an, der ihm jedes Mal fast das Herz zerdrückte.

»Wenn ihr mich fragt – wahrscheinlich waren es die Heidenpriester«, sagte Loni vom Wagen her. Sie saß in der offenen Tür und kämmte ihre Haare mit einem Kamm aus schimmerndem Schildpatt. Ihre Augen sahen so rot und verquollen aus, als ob sie die ganze Nacht über geweint hätte. »An der Küste wurden damals immer wieder Geschichten von heidnischen Zauberern erzählt, die ihren Göttern Kinder opferten. Angeblich kannten sie noch die ältesten Geheimnisse – wie man Tote erweckt und sogar wie man aus Staub oder Stein Lebewesen erschaffen kann. Aber damit die Götter ihnen dabei halfen, mussten sie kleine Kinder für sie schlachten. Und wir sollten dann an diesen Gräueltaten schuld sein!«

»Von wegen Priester und Zauberer – Betrüger und Rosstäuscher sind das, sonst gar nichts!« Jerzy hieb mit seinem Krummdolch auf einen Ast im Feuer ein, dass die Funken nur so stoben.

Loni sprang vom Wagen und setzte sich neben ihrem Mann ans Feuer. Wieder legte er zärtlich seinen Arm um sie, und ihre Nähe schien auch seine zornige Stimmung ein wenig zu mildern.

»Ich weiß, wovon ich rede«, fuhr er in ruhigerem Ton fort. »Nachdem die Fischer unsere Leute umgebracht hatten, habe ich damals in meiner Verzweiflung einen Heidenpriester aufgesucht. Er nannte sich Wittiko und hauste in einer Hütte weit draußen im Wald. Seine Unterhändler verlangten, dass ich im Voraus fünf Silberstücke bezahlen sollte. Ich gab ihnen drei und versicherte, dass ich Wittiko den Rest persönlich aushändigen würde. Nach endlosem Palaver waren sie einverstanden, strichen mein Geld ein und beschrieben mir, wann ich mich an welchem Ort einfinden sollte.
Es war eine Vollmondnacht, in der ich den Priester auf einem Hügel im unwegsamsten Dickicht traf. Wittiko war ein uralter Mann mit einem grauen Bart, der ihm bis zum Gürtel reichte. Er trug ein Gewand, das aus den Fellen sämtlicher Tiere der Gegend zusammengesetzt schien, und sprach in so altertümlichen Wendungen, dass ich nur die Hälfte verstand.
Ich händigte ihm den Rest der vereinbarten Summe aus, er ließ die Münzen in eine Tasche seines Flickengewandes gleiten und lachte zahnlos und meckernd. Was die heutigen Alchimisten, setzte er mir umständlich auseinander, teils durch Zauberei, teils durch Wissenschaft zu erzwingen versuchten, das beherrschten er und andere eingeweihte Priester seit vielen tausend Jahren – die Verwandlung von Dreck in Gold oder auch von toter Materie in Lebewesen.
Ich folgte ihm in seine Hütte, wo er einen großen Brocken Bernstein in einer Schale verbrannte und bald schon wunderlich zu stammeln begann. Durch seine Unterhändler hatte ich ihm erklären lassen, was ich von ihm und von seinen Göttern wollte: Unter den Männern, Frauen und Kindern, die in jener Nacht ermordet worden waren, befand sich auch Joschi, der Lieblingsbruder von Loni. Ich fürchtete damals, dass Loni sich etwas antun oder dass sie einfach vor Kummer sterben würde, wenn sie nicht wenigs-

tens Joschi zurückbekäme. Er war ungefähr in deinem Alter, Sanno, als die Mörder kamen und sein Leben auslöschten.«

Loni begann leise an seiner Schulter zu weinen, und Jerzy wiegte sie hin und her und summte ihr Trostgesänge ins Ohr.

Auf Weisung der Priestergehilfen, fuhr er schließlich fort, habe er sieben halb verbrannte Knochen von Joschis Leichnam zu dem Treffen mitgenommen, die Wittiko nun mit großen Gebärden in der Luft umherschwenkte. »Dazu flehte er seine Götzen an, Erbarmen walten und den unschuldigen Jüngling ins Leben zurückkehren zu lassen. Der Bernsteindampf wurde immer dicker, die Luft in der Hütte funkelte schon golden, und auch in meinem Kopf wurde es anscheinend ziemlich neblig.«

Er lächelte verlegen zu Sanno und Lunja hinüber. »Was soll ich sagen – für kurze Zeit hatte ich wirklich den Eindruck, dass sich da im goldenen Dampf ein Mensch materialisierte – mit Joschis großen Augen, Joschis Lächeln, mit seinen immer verstrubbelten Haaren und der schlaksigen Gestalt. Er streckte mir aus dem Nebel seine Hand entgegen, ich wollte sie ergreifen, aber im nächsten Augenblick verlor ich das Bewusstsein.«

Sanno war bei diesen Worten zusammengefahren, aber als Jerzy ihn verwundert ansah, schüttelte er nur leicht den Kopf. Er konnte doch jetzt unmöglich anfangen, von seinem Traum zu erzählen, in dem etwas ganz Ähnliches geschehen war – das würde sich für Jerzy und Loni ja anhören, als ob er ihre schrecklichen Erlebnisse mit bloßen Traumgebilden auf eine Stufe stellen würde.

»Und das Nächste, was ich danach wieder wahrnahm«, schloss der Jongleur, »war eine mit Schilfgras bewachsene Düne am Meer – dorthin hatten mich Wittikos Gehilfen geschafft, nachdem sie mir auch noch die letzten Kupferstücke genommen hatten, die ich im Gürtel bei mir trug.«

Während sie auf dem Gauklerwagen weiter gen Norden fuhren,

dachte Sanno unaufhörlich über Jerzys Worte nach. Es musste einfach einen Zusammenhang geben zwischen der Erscheinung in der Hütte des Heidenpriesters und dem Knaben aus seinem Traum. Jerzy hatte gesehen, wie sich im Bernsteindampf auf einmal der tote Joschi materialisiert hatte – und im Verlies über der Felsenküste hatte Sanno seinen eigenen Doppelgänger erblickt, jenen goldenen Knaben!
War also auch der hünenhafte Mann, der sein Antlitz so beharrlich unter der Kapuze verbarg, ein solcher Heidenpriester gewesen? Oder hatte er sich zumindest mit dem alten Götterzauber ausgekannt – gut genug, um die Erscheinung jenes Knaben herbeizuzwingen?
Was für ein grauenvoller Wirrwarr!, sagte sich Sanno. Als sie von jenem Knecht in der Scheune überfallen worden waren, da hatte er gedacht – also müssen die Hexenjäger hinter der ganzen Sache stecken! Denn wer sonst wäre imstande, das Land mit einem Netz aus Häschern zu überziehen? Doch als seine Träume immer deutlicher geworden waren, da hatte er schließlich gedacht, dass der Mann am Nordmeer ein Kinderfänger gewesen sein musste. Denn warum sonst hätte er mich und die vielen anderen Kinder in seinem Haus gefangen gehalten?
Jetzt aber, nachdem er von Wittiko und dem Götterbrand gehört hatte, da glaubte er auf einmal, dass ein heidnischer Zauber hinter alledem stecken müsste. Denn wo sonst sollte Lambert die Bernsteinsachen aus seinem Labor gefunden haben, wenn nicht in jenem schwarzen Haus? Und wie sonst ließe sich erklären, dass er selbst im Traum jenen Knaben erblickt hatte, der leuchtete wie ein Wesen aus Engelsfleisch?
Aber wie passten all diese Möglichkeiten nur zusammen? Was davon stimmte – alles, manches, gar nichts? Und wie passte, vor allem und immer wieder, jener Ausruf dazu, der ihm noch immer wie der schrecklichste Fluch in den Ohren gellte: ›Teufelsjunge!‹

Wie gerne hätte er sich jetzt mit Lunja oder mit Jerzy beraten, seine verworrenen Gedanken vor ihnen ausgebreitet und gehört, was davon ihnen bedenkenswert schien und was sie als unsinnig verwarfen. Aber Lunja verschloss sich jedes Mal vor ihm, wenn er von dem Seelenbild und dem Haus am Nordmeer anfangen wollte, und auch ihm selbst war es wenig angenehm, mit ihr über diese verworrenen Dinge zu reden. Und was Jerzy anging – der Jongleur saß vorn auf der Kutschbank, neben ihm Loni, während er selbst und Lunja ganz hinten auf oder eher schon hinter der Karre hockten, auf dem Trittbrett zur Wagentür.
Es war offensichtlich, dass der Jongleur sie loswerden wollte. Jerzy war zu höflich, um sie einfach von seinem Wagen zu werfen, aber seine einsilbigen Antworten, wenn sie ihm etwas zuriefen, oder der düstere Blick, mit dem er bei der Mittagsrast an ihnen vorbeisah, waren kaum zu missverstehen.
Immer wieder hörten sie Loni vorn auf dem Kutschbock schluchzen, und dann sang und summte Jerzy seine Trostmelodien oder spielte auf der Fiedel, bis das eintönige Weinen irgendwann wieder erstarb. Anscheinend waren in Loni all die alten Schrecknisse wieder lebendig geworden, die damals erlittene Todesangst, die unstillbare Trauer, der zerreißende Schmerz, weil ihr liebster Bruder Joschi nicht mehr bei ihr war. Und solange Sanno und Lunja mit ihnen reisten, würde Loni ihr inneres Gleichgewicht auch nicht wiederfinden, das spürte er immer klarer.

In der Abenddämmerung lenkte Jerzy den Wagen in die Ruine eines niedergebrannten Gehöfts. Die Mauern waren rußgeschwärzt, vom verkohlten Gerippe eines Eichbaums hing ein zerfetzter Strick herab. Darunter lagen Knochen wirr verstreut. Wer hier gewütet, gebrandschatzt, die rechtmäßigen Bewohner gemeuchelt hatte, würde wohl für immer im Dunkeln bleiben. Doch beim Anblick der schwarzen Mauern und glotzenden Fens-

terlöcher und der Raben im Wipfel darüber durchfuhr Sanno der Gedanke, dass es im Grunde auch gleich sei.
Sie sind tot, dachte er, wer immer sie waren, von welcher Hand sie ermordet wurden, ob sie lange leiden mussten oder eines schnellen Todes starben – jetzt sind sie unwiederbringlich dahin. So wie auch Vater Lambert höchstwahrscheinlich nicht mehr am Leben ist – was spielt es da noch für eine Rolle, was sich vor acht, zehn oder zwölf Jahren in jenem Haus am Nordmeer ereignet hat?
Ziellos strich Sanno zwischen den Mauern umher, scharrte mit einem dürren Stock im Staub und spürte, dass diese Gedanken gänzlich falsch waren. Selbst wenn sie alle nicht mehr am Leben sind, ihre Asche verweht ist, ihre Knochen verstreut sind – Vater Lambert, Keta und Cramsen, die alte Josepha und Linda, Uda und Rumar, auch der Kinderfänger von der Steilküste und unzählige seiner kleinen Opfer –, solange ich selbst lebe, dachte Sanno, kann ich diese Schrecknisse niemals auf sich beruhen lassen. Solange ich am Leben bin, werden die Erinnerungen mich heimsuchen und meine Seele bedrängen. Mir bleibt keine Wahl, dachte er, ich muss herausfinden, was damals geschehen ist, anders kann ich meinen Frieden nicht finden. Und selbst wenn es mich meinen Verstand oder sogar mein Leben kosten sollte – ich muss es wissen!
Bei der Eselin blieb er kurz stehen und klopfte ihr die Flanke, Dolos Kopf steckte bis über die Augen im Futtersack, nur die zuckenden Ohren schauten hervor. Jerzy hatte sie im Innenhof am Schwengel des halb eingestürzten Brunnens festgemacht, der lehmfarbenes Wasser von bitterem Geschmack enthielt. »Nicht davon trinken«, hatte der Jongleur vorhin gesagt, aber gleichwohl einen großen Zuber aus seinem Wagen geholt und mit der rostig quietschenden Pumpe bis zum Rand gefüllt – »für alle Fälle!«

Unterdessen hatte Lunja Reisig gesammelt, und Jerzy entfachte eben ein Feuer, als Sanno zwischen die schwarzen Grundmauern des einstigen Herrenhauses zurückkehrte. Die Nacht war herabgesunken, schamlos glotzte der Mond oben durch den Dachstuhl, von dem nur ein paar schief zum Himmel aufragende Balken geblieben waren.

»Hier sind wir halbwegs in Sicherheit«, sagte Jerzy. Den Wagen hatte er wieder quer vor den Eingang geschoben, mit den vielen Fensterlöchern in den Mauern ringsum war es allerdings eine wenig Vertrauen erweckende Festung. Aber auf den steinigen Äckern im Umkreis wuchsen nur ein paar Disteln und ein niedriger wilder Hafer, der etwaigen Angreifern keinerlei Deckung bot.

»Ich habe einen leichten Schlaf«, sagte Lunja. »Wenn auch nur ein Luchs draußen vorbeihuscht, wache ich auf.«

»Einen leichten Schlaf«, wiederholte Loni. Sie hatte sich eine graue Decke umgehängt, ihre prächtigen Haare waren unter einem grauen Tuch verborgen. Selbst im dürftigen Schein des Feuers war zu erkennen, dass sie auch am Nachmittag wieder viel geweint hatte. Gestern war sie noch eine hübsche junge Frau gewesen, doch auf einmal sah sie gealtert und verhärmt aus. »Seit ihr beiden mit uns reist, habe ich wieder Angst davor einzuschlafen.« Sie kauerte sich neben Jerzy ans Feuer. »In meinen Träumen ist alles wieder da – die brennenden Menschen, die Schreie, die verkohlten Leichen, das Johlen der Männer, die unser Dorf umzingelt haben.«

Sanno setzte sich neben Lunja, auf die andere Seite des Feuers. »Es tut mir so leid«, sagte er, »uns beiden.« Er schaute Lunja an, und sie hob die Schultern und nickte ihm gleichzeitig zu. »Lasst uns nur diese Nacht noch bei euch bleiben – morgen früh ziehen wir alleine weiter.«

Jerzy lächelte seine Frau traurig an. »Danke«, sagte er leise, ohne den Blick von Loni zu wenden.

27

Sie kamen kurz vor dem Morgengrauen, und obwohl sie Stimmen und Schritte zu dämpfen versuchten, hörte Sanno sie schon von Weitem. Ihr heiseres Flüstern, die schweren Tritte, unter denen trockene Zweige zerbrachen.
Er tastete zur Seite, doch Lunja lag schon nicht mehr neben ihm. Offenbar hatte sie die Laute auch gehört, früher noch als er.
Sanno richtete sich auf und lauschte im Sitzen, um herauszufinden, aus welcher Richtung die Angreifer kamen. Geduckt huschte er dann zur westlichen Mauer, kauerte sich unter ein Fensterloch und spähte hindurch.
Es war eine wolkenlose Nacht, und im Schein des vollen Mondes erstreckte sich die ebene Landschaft bis zum Horizont. Wiesen wechselten mit kleinen Waldstücken, doch um das Gehöft herum gab es nur Brachen, verkrautete Äcker und Wiesen.
Als sie hinter dem Dickicht hervorkamen, vielleicht fünfzig Schritte vor der Ruine, krampfte sich Sannos Hals und Magen zusammen. Vier gedrungene Gestalten, ihre wirren Mähnen und Zottelbärte – im Mondlicht sahen sie ganz genauso aus wie die Mordbrenner, die damals ins Gutshaus eingedrungen waren.
Unter den beiden Fenstern zu Sannos Seiten kauerten Lunja und Jerzy. Der Jongleur hatte einen Bogen in der linken Hand, auf die Sehne legte er eben einen schlanken, gefiederten Pfeil. Neben ihm an der Mauer lehnte die mit Eisenbändern beschlagene Klappe aus der Seitenwand des Gauklerwagens.
Die Männer draußen zündeten Fackeln an und begannen zu rennen – mit schwerfälligen Schritten stapften sie durch Acker und Wiese auf die Ruine zu, und jeder von ihnen trug zwei Leuchten, deren Flammen mit dem Rudern ihrer Arme auf und nieder tanzten.
Wenige Schritte vor dem Gemäuer blieben sie stehen und war-

fen die Brandfackeln durch die Fensterhöhlen zu ihnen hinein. Doch Loni stand schon bereit – mit ihrer Decke, die sie in den Zuber voll giftigem Brunnenwasser getaucht hatte, sprang sie hin und her und erstickte im Handumdrehen alle Flammen.

Die Angreifer schrien vor Wut, als sie erkannten, dass ihr Plan vereitelt war. »Los, weiter!«, brüllte einer von ihnen. »Wir metzeln alles nieder!« Torkelnd rannten sie vorwärts, und da ließ Jerzy den Pfeil von der Sehne schnellen. Ihr Wortführer, der mit flatterndem Umhang, wehendem Haupthaar vorangestürmt war, griff sich mit beiden Händen ans Bein und sackte zu Boden. Die anderen drei erstarrten im Lauf, dann riss einer von ihnen seinen Säbel aus der Scheide. »Wir hacken euch in Stücke, Satanspack!«

Ein weiterer Pfeil löste sich von der Sehne, doch er verfehlte sein Ziel. Im nächsten Moment waren die drei Kerle heran, rannten um die Ruine herum, zwei nach links, der dritte nach rechts. Nur ein paar holprige Herzschläge später wälzten sie sich durch Fensterlöcher, ließen sich drinnen zu Boden fallen.

»Schluss jetzt, ihr Höllenbande«, rief einer der Kerle mit heiserer Säuferstimme. »Wir wollen nur den Teufelsjungen – gebt ihn heraus, dann kann der Rest von euch unbehelligt weiterziehen.«

Sanno erstarrte, sein Herz hörte buchstäblich für einen Moment auf zu schlagen, dann hämmerte es desto rasender weiter. Den Teufelsjungen! Also waren ihm diese zottelbärtigen Mordbrenner tatsächlich von Lamberts Gut durchs halbe Land bis hierher gefolgt? Eiskalt kroch die Angst zwischen seinen Schultern hinab.

Währenddessen hatte Jerzy den dritten Pfeil eingespannt und auf einen der Kerle angelegt. »Wir geben niemanden heraus«, sagte er ruhig. »Verschwindet, sonst ergeht es euch allen so wie eurem Kumpan da draußen.«

Die Mordgesellen lachten höhnisch auf, im nächsten Moment waren sie auf den Beinen und stürzten mit gezogenen Säbeln auf sie zu. Klingen blitzten im Mondlicht, Stiefel dröhnten über den Steinboden.

Ohne richtig zu bemerken, was er da machte, hatte auch Sanno sein Hirschhornmesser aus dem Gürtel gezogen. Er trat näher zu Jerzy, der eben seinen Bogen auf die Fensterbrüstung warf und den Krummdolch zückte. »Loni holt den Esel«, flüsterte er ihnen zu. »Lunja, du geh zum Wagen und hilf ihr, alles fertig zu machen!«

Es war ein ungleicher Kampf – drei mordgeübte Männer mit riesigen Säbeln gegen einen Jungen mit halb zerbrochenem Messer und einen schnurrbärtigen Gaukler, der allerdings ein Dutzend Hände mit ebenso vielen Krummdolchen zu haben schien.

Sanno konnte gar nicht so schnell schauen, wie Jerzy seine Waffe wirbeln ließ. Die Angreifer taumelten um den Gaukler herum wie plumpe Bären. Jerzy dagegen schien so biegsam wie Schilfgras zu sein, so flink wie eine Libelle und so treffsicher wie ein ganzer Hornissenschwarm. Mühelos wich er den Säbelhieben des einen Kerls aus, die Schläge des anderen wehrte er mit der Eisenklappe ab, die er wie einen Schild einsetzte. Zugleich deckte er Sanno mit seinem Körper und mit dem Schutzschild, und wann immer sich eine Gelegenheit bot, stach sein Dolch blitzartig zu.

Die drei Gesellen fluchten und schrien, und nicht lange, da sackte der erste zu Boden und der Säbel fiel ihm aus der Hand. Mit schmerzverzerrtem Gesicht hielt er sich den Arm, an dem das Blut hinunterströmte wie der Bosbach durch die Schlucht über dem Maintal.

Jerzy setzte seinen Stiefel auf die Klinge. »Die anderen auch«, sagte er. »Lasst eure Säbel fallen und macht euch davon. Bis jetzt war es nur Gaukelei – mein nächster Stich trifft einen von euch ins Herz.«

»Vor dir davonrennen, Zigeunerlaus?« Die beiden verbliebenen Kerle schnaubten. »Hilfst du dem Teufelsjungen, dann verreck mit ihm!« Und sie hoben ihre Waffen und wollten sich zusammen

auf den Gaukler stürzen, aber Jerzy duckte sich blitzschnell und schlüpfte zwischen ihnen hindurch. Ihre Hiebe gingen ins Leere, schwerfällig wandten sie sich wieder um. Jetzt stand Sanno ungeschützt vor ihnen, und einer der Kerle stürzte sich sogleich auf ihn, während der andere wieder auf Jerzy eindrang.
Sanno spürte einen schmerzhaften Schlag auf seinem Arm – der Hirschhorndolch fiel zu Boden. Im nächsten Moment hatte der Kerl seinen Säbel in die Scheide zurückgestoßen und warf sich mit bloßen Händen auf ihn.
Sie rollten über den Boden. Von dem zottelbärtigen Gesellen ging ein betäubender Geruch aus, und seine Pranken waren wie eiserne Ringe, die sich um Sannos Kehle schlossen. So schwer wie ein Berg hockte der Kerl auf ihm, Sanno keuchte und wollte schreien, doch nur ein Gurgeln kam aus seinem Hals. Sein Blick verschwamm, benommen lag er da, als der Mordgeselle endlich seine Kehle losließ und stattdessen an seinem Gewand zu zerren begann. Er riss Sannos Umhang auseinander, ratschte ihm mit einer Hand das Hemd empor, mit der anderen die Hose herab, und im nächsten Moment fühlte Sanno die schwieligen Pranken auf seiner Haut. Wie schuppige Würmer krochen ihm die Finger über Brust und Bauch.
»Der Teufelsjunge, er ist es wahrhaftig«, stieß der Geselle zwischen den Zähnen hervor, »den Wanst voller Nähte wie ein gefülltes Ferkel!« Endlich ließ er von Sanno ab, stemmte sich hoch und riss schon im Aufstehen erneut den Säbel hervor.
Mit zitternden Fingern raffte Sanno seine Gewänder und rappelte sich gleichfalls auf. Zwei Schritte neben ihm hob Jerzy eben seinen Dolch und schleuderte ihn mit solcher Wucht, dass die Klinge bis zum Heft in die Brust seines Gegners fuhr. Noch während der Mordgeselle zu Boden sackte, entriss ihm Jerzy den Säbel und fuhr zu dem Kerl herum, der sich über Sanno hergemacht hatte. So gewaltig war der Schlag des Gauklers, dass dem

Lumpenkerl der Säbel aus der Hand sprang und mit hellem Klirren zu Boden fiel. Im nächsten Augenblick drückte ihm Jerzy die Klinge an den Hals. Das Gesicht unter dem Zottelbart zerfloss zu einer flehentlichen Fratze.

»Nimm ihre Säbel, Sanno.«

Sanno bückte sich, klaubte sein Messer aus dem Staub und wollte es in den Gürtel schieben. Seine Hand zitterte so stark, dass er erst beim dritten Versuch die kleine Lederscheide traf. Er nahm die beiden Säbel und wollte sie dem Gaukler reichen. Er fühlte sich so wacklig, dass er im nächsten Moment umzufallen glaubte.

»Nimm auch diesen noch.« Jerzy drückte ihm den dritten Säbel in die Hand. »Geh nach hinten zum Brunnen und wirf sie hinein. Und dann nichts wie weg von diesem Ort.« Er ging in die Knie und zog dem Toten seinen Krummdolch aus der Brust.

Sanno rannte in den Innenhof, so rasch seine zittrigen Beine es erlaubten. Dolo war schon nicht mehr beim Brunnen, wahrscheinlich hatte Loni die Eselin bereits angeschirrt und mit Lunja ihre Habseligkeiten aufgeladen, auch wenn er im Getümmel nichts davon mitbekommen hatte. Er beugte sich über den Schacht, ließ die Waffen hineinfallen und hörte, wie sie mit eisernem Kreischen an den Mauern entlangschrammten, dann klatschend im Wasser versanken.

Mutter Heidlinde fiel ihm ein, sein Traum, in dem sie ihn in einen solchen Brunnen hinabgerissen hatte, und er trat schaudernd vom Rand zurück. Aber was trödelst du hier herum!, dachte er dann. Er musste doch die Mordgesellen unbedingt noch fragen, wer sie nach ihm ausgeschickt hatte und was sie mit ihm anfangen sollten, wenn sie sich seiner bemächtigt hätten. Offenbar sollten sie ihn lebendig einfangen und irgendwohin verschleppen, sonst hätte der eine Geselle ihm doch vorhin bestimmt den Garaus gemacht.

Sannos Beine zitterten noch immer, als er durch den Hinterein-

gang zurück in die Ruine des niedergebrannten Herrenhauses rannte, mit wehendem Umhang, das Hemd über dem Gürtel flatternd. Da stand der Gauklerwagen schon draußen unter dem verkohlten Eichbaum, mit dem angeschirrten Esel davor im ersten Morgendämmer.
Die geschlagenen Angreifer bildeten einen Haufen neben der Tür. Sanno beugte sich über sie, rüttelte an einer Schulter, fühlte klebrige Feuchte an den Fingern. »Wer hat euch geschickt?«, rief er. »Was wollt ihr von mir? Wer hat euch gesagt, dass ihr mir folgen sollt? So redet schon!« Er packte wahllos in Bärte und Lumpen, schüttelte und rüttelte und bekam als Antwort nur Murmeln und Stöhnen zu hören. »Warum nennt ihr mich Teufelsjunge? So antwortet doch!« Er war außer sich, zitterte und keuchte.
Und dann wieder ihre Hand auf seinem Arm, sanft und beruhigend. »Sie können dir nicht antworten, Sanno. Jerzy hat ihnen allen ein Schlafgift eingeflößt, auch dem vierten draußen auf dem Acker – wenn sie wieder zu sich kommen, sind wir schon fast am Meer.« Er richtete sich auf, sein Blick war verschwommen vor Tränen. »Komm jetzt«, sagte Lunja, »lass uns von Jerzy und Loni Abschied nehmen, mein liebster Freund.«

28

Auf der Straße nach Leipzig herrschte emsiger Betrieb. Zimmerleute in zünftiger Tracht kamen ihnen singend entgegen, Bauernkarren voller Äpfel oder Salatköpfe rumpelten vorüber, zum nächsten Marktflecken oder gar bis in die große Stadt Leipzig, drei Tage Fußmarsch entfernt. Kuriere auf Araberhengsten sprengten zwischen den Städten hin und her. Arme Schlucker wie Sanno und Lunja trotteten auf Schusters Rappen, die meisten hohlwangig vor Hunger, in zerlumpten Gewändern, ein Bündel über der Schulter, das allenfalls ein Stück schimmliger Brotrinde enthielt. Dann wieder donnerten Kutschen mit goldenen Beschlägen und den flatternden Fahnen von Fürsten und Bischöfen vorbei, gezogen von vier oder gar sechs Pferden, die den schlingernden Kutschkasten vorwärtsrissen wie die Segelschiffe auf dem Nordmeer bei heulendem Sturm.

Und bei jedem Huftrappeln, jedem Räderrattern, jedem Dröhnen von Männerstimmen suchten Sanno und Lunja Deckung hinter Büschen oder sprangen hinab in den Graben und spähten mit klopfendem Herzen zur Straße hinauf. Bisher waren ihnen noch keine verdächtigen Gestalten begegnet, niemand, der jenen zottelbärtigen Mordbrennern ähnlich sähe, aber die scheinbare Harmlosigkeit all dieser Reisenden steigerte Sannos angstvolle Anspannung nur noch mehr.

Wie leicht konnten ihre Verfolger beschlossen haben, jene zerlumpten Gesellen durch Männer von weniger wüstem Aussehen zu ersetzen – zum Beispiel durch die drei Kaufleute mit Samtgewändern und sorgsam beschnittenen Backenbärten, die soeben in einer offenen Droschke vorüberfuhren.

Bäuchlings im Straßengraben liegend, sahen Sanno und Lunja ihnen durch ein Gitterwerk aus Halmen und Blumenstängeln hinterher. »Vielleicht sollten wir nachts laufen und uns tagsüber verstecken«, überlegte Sanno.

Lunja hob die Schultern. »Aber die Nacht hat ihre eigenen Gefahren – und ärgere als der Tag.«

Wieder einmal hatte sie recht. Nach Einbruch der Dunkelheit gehörte die Straße den Räubern und Vogelfreien, den Wölfen und Dämonen des Waldes. Nein, ihnen blieb nach wie vor keine Wahl – wenn der Abend dämmerte, mussten sie ein sicheres Quartier gefunden haben, jetzt zumal, da kein Gaukler Jerzy sie mehr beschützte.

Der Abschied war kurz und kühl verlaufen – Jerzy und Loni hatten schon vorn auf der Kutschbank gesessen, als Sanno unter den verkohlten Eichbaum gestolpert war. »Danke«, hatte er noch gestammelt, »vielen Dank euch beiden – für alles.« Sie hatten grüßend die Hände gehoben, einander sichere Reise gewünscht, dann hatte Jerzy die Peitsche schnalzen lassen, Dolo hatte schnaubend nach dem Lederriemen geschnappt und war losgetrabt. Auch Sanno und Lunja hatten sich gleich auf den Weg gemacht, doch heute schien es die Eselin eilig zu haben, und so war die Gauklerkarre ihren Blicken bald schon entschwunden.
Sie klopften sich Staub und Gräser von den Gewändern und kletterten zum ungezählten Mal an diesem Tag die Straßenböschung empor. »Bestimmt finden wir bald wieder jemanden, der uns mitnimmt«, sagte Lunja. »Mit einem Planwagen oder einer geschlossenen Kutsche, sodass uns kein unberufenes Auge sieht.«
Bei der Vorstellung, zu irgendwelchen Fremden in den Wagen zu steigen, krampfte sich Sannos Magen zusammen. Die Männer würden sich als barmherzige Samariter ausgeben, aber kaum säße er bei ihnen in der Kutsche, da würden sie wieder an seinen Gewändern zerren, die Wülste und Nähte auf seinem Bauch betasten.
Sanno krümmte sich innerlich, während er neben Lunja am Straßenrand entlangtrottete. Immer noch meinte er die schwieligen Pranken auf seinem Leib zu spüren. Er fühlte sich besudelt, zur Schau gestellt. Und noch immer echote der heisere Triumphschrei des Häschers in seinem Kopf: »Der Teufelsjunge – den Wanst voller Nähte wie ein gefülltes Ferkel!«

Die Abenddämmerung war nicht mehr weit, als in geringer Entfernung vor ihnen ein Durcheinander misstönender Klänge erschallte – ein Bersten und Splittern, dazu das Wiehern von Pferden, dann eine Stimme, die gotteslästerlich fluchte. »Hab ich das gottverdammte Rad nicht gerade erst flicken lassen? Aufs Selbige geflochten gehört der elende Stümper, der diesen Satanspfusch verbrochen hat!«

Lunja schaute ihn an, und Sanno nickte – auch er hatte die quiekende Männerstimme erkannt. »Ein Radbruch«, flüsterte Lunja und zog ihn am Ärmel weiter, »vielleicht können wir helfen, und als Dank nimmt Herr Godobar uns mit?«

In seinem Verlieswagen?, dachte Sanno. Eiskalt rieselte es ihm zwischen den Schulterblättern hinab. Aber sie würden ja nur als Gäste des dicken Mannes mitreisen, versuchte er sich zu beruhigen – nicht als seine Gefangenen, in eiserne Zellen eingesperrt wie die bedauernswerten menschlichen Monstren. Und doch wurde Sanno der Gedanke, in diesem rollenden Kerker mitzufahren, immer unheimlicher, je näher sie der Unglücksstelle kamen.

»Du dreckiger Affe, jetzt zieh endlich das Rad da raus!« Zwischen den hervorgequiekten Flüchen konnten sie schon den keuchenden Atem von Herrn Godobar hören.

»Schließt meine Fessel auf, dann behebe ich Euch den Schaden im Nu.« Das war die melodiöse Stimme von Larian Fellmann.

Lunja und Sanno verbargen sich hinter einem Felsbrocken, ein Dutzend Schritte vom Unglücksort entfernt. Der riesige schwarze Kerkerwagen stand schief am Straßenrand, das linke Hinterrad schien mitten entzweigebrochen, die Trümmer unter Achse und Wagen eingeklemmt.

»Dich losmachen, das hättest du wohl gerne, du verwanzte Kreatur!«, quiekte Herr Godobar. »Also pass auf, gleich hebe ich die Achse an, und wenn ich ›Jetzt‹ sage, ziehst du das Rad hervor!«

Sanno spähte zum Verlieswagen hinüber. Herr Godobar trug wieder den schwarzen Umhang und dazu den steifen schwarzen Hut wie damals in Gelnhausen, als er auf der Uferbleiche vor seinem Wagen gesessen hatte. Er kauerte neben dem gebrochenen

Rad, mit dem Rücken zu Sanno und Lunja. Neben ihm kniete Larian Fellmann auf der Straße, und selbst aus der Entfernung war deutlich zu sehen, dass er an Hals und Händen mit Eisenketten gefesselt war.

Herr Godobar duckte sich noch tiefer und schob seine Schulter unter die Achse. Ächzend hob er den Wagen an, die Last musste furchtbar sein, denn der Wagen war ja innen und außen mit Eisen beschlagen. »Jetzt!«, keuchte der dicke Mann, und was dann geschah, ging so schnell, dass Sanno nachher nicht hätte sagen können, was genau sich da drüben abgespielt hatte.

Larian riss das Rad unter dem Wagen hervor, wobei er Herrn Godobar anscheinend einen Stoß versetzte. Aber vielleicht konnte der dicke Mann die schreckliche Last des Eisenwagens auch einfach nicht länger tragen – jedenfalls rutschte er plötzlich zur Seite hin weg, der Wagen sackte auf die Straße zurück, und Herr Godobar stieß einen schrecklichen Schrei aus. »Mach was!«, quiekte er. »Ich werde zerquetscht, du dreckiges Vieh!«

Larian Fellmann starrte reglos auf ihn herab. »Ich kann nichts machen«, sagte er mit klangvoller Stimme. »Ich bin gefesselt.« Er hob seine Hände, und Sanno sah, dass die Ketten von seinen Handgelenken zu Eisenringen in der Seitenwand des Kerkerwagens liefen.

Herr Godobar lag flach auf dem Rücken, das spitze Ende der Achse steckte in seiner Brust. »Die Schlüssel . . .« Seine Stimme glich jetzt dem Pfeifen matten Windes, der um Mauerecken streicht. »Im Wagen . . .«

»Ich bin nur ein dreckiger Affe, den Ihr hier draußen angekettet habt, damit er Euch nicht davonläuft«, sagte Larian. »Ich kann nicht in den Wagen.«

»Du gottverfluchtes . . . teuflisch stinkendes . . .«, sagte Herr Godobar und dann nichts mehr. Sein Kopf fiel zur Seite. Blicklos starrten seine Augen Sanno und Lunja entgegen, die in der nun rasch zunehmenden Abenddämmerung hinter dem Felsbrocken hervorkamen.

»Lunja, dich schickt der Himmel – falls sich da oben irgendjemand um ein Vieh wie mich bekümmert. Bitte nehmt mir die Fesseln ab. Die Schlüssel sind drinnen, in Godobars Kammer.« Larians Mund zuckte unbeherrscht. »Wenn du hier bei mir bleiben könntest, Mädchen, während dein Freund die Schlüssel holt?«
»Ich heiße Sanno.« Er lächelte auf den jungen Mann mit dem braun befellten Gesicht hinunter. »Wie kommt man denn in den Wagen hinein?«
»Leichter als wieder heraus. Verzeih mir, Sanno, ein alter Scherz unter Godobars Monstren. Auf der Rückseite ist eine Tür, sie müsste offen sein, genauso wie die Tür drinnen – das heißt natürlich, die zu Godobars Verschlag. Die Zellen meiner armen Freunde sind selbstverständlich verriegelt.«
Mit einem mehr als mulmigen Gefühl ging Sanno um den Wagen herum. Mit den schwarzen Eisenbeschlägen sah er wirklich wie eine rollende Festung aus. Hinter schmalen Fensterscharten, die mit Eisenstäben vergittert waren, glaubte er Augen aufblitzen zu sehen, aber er konnte sich nicht überwinden, die Blicke der Häftlinge zu erwidern. An der Rückseite des Wagens fand er die Tür, die tatsächlich nur angelehnt war, mit zwei Trittstufen darunter. Er sprang hinauf, schob das schwere Eisentrumm auf und blieb auf der Schwelle stehen.
Ein schmaler Gang, zu beiden Seiten vergitterte Eisentüren. Düsteres Licht, sodass man Einzelheiten mehr ahnte als sah. Zum Beispiel die rostigen Nieten an den Eisenbeschlägen oder den Glanz von Augenpaaren hinter den Käfigstäben.
Der Schweiß brach Sanno aus – plötzlich das Gefühl, als ob er schon einmal in so einem Kerker, in einer solchen Zelle gewesen wäre. Und das stimmte ja mehr oder weniger – damals im Haus

am Nordmeer hatte er doch wirklich in einem Verlies gesessen, mit Eisenketten an den Steinboden gefesselt, nicht viel anders als die armen Gefangenen hier. Aber das hieß doch noch lange nicht, dass er mit diesen menschlichen Monstren irgendetwas gemein hätte! Natürlich nicht, versuchte er sich wieder zu beruhigen – damals war ich gleichfalls eingesperrt, das ist alles.
Er trat in den Gang zwischen den Zellen. Hinter den Gittern hörte er aufgeregtes Tuscheln, aber noch immer brachte er es nicht über sich, durch die Käfigstäbe ins Innere der Zellen zu schauen oder gar das Wort an die Gefangenen zu richten. Stumm eilte er bis zum Ende des Gangs, fand die offene Tür und stieß sie auf.
Ein schmaler Verschlag, vollgestopft mit Kisten, Gewändern, Ketten, Peitschen. Unter der Fensterluke ein kanariengelber Sessel – offenbar die Lieblingsfarbe des dicken Mannes.
Hastig sah sich Sanno um – da, ein winziges Pult, darauf der Schlüsselbund mit unzähligen Schlüsseln, die wie ein Spielwerk durcheinanderklangen, als er sie mit fliegenden Fingern an sich raffte und zurück in den Gang lief.
»Welch herrlicher Klang! Schließ meine Tür auf, fremder Jüngling, und lass mich frei!« Es war eine so zarte Mädchenstimme, dass Sanno nicht anders konnte – er blieb vor der Gittertür stehen, hinter der das Flehen ertönt war, und schaute hindurch.
Die Zelle war noch kleiner als der Bretterverschlag am Hoftor, in dem Rumar einst gehaust hatte. Allenfalls zwei auf eineinhalb Schritte, am Boden ein wenig Stroh, in einer Ecke ein Kübel für die unabweisbarsten Bedürfnisse, in der anderen ein Schemel. Doch darauf saß das zauberhafteste Mädchen, das Sanno jemals erblickt hatte. Beinahe ein Kind noch, aber mit einem so süßen Lächeln, so goldenen Haaren, so großen, traurigen Augen, dass er den Blick nicht von ihr wenden konnte.
»Wer bist du?«, fragte er.
»Madeleine.« Sie erhob sich und kam wie schwerelos auf ihn zu.

Sie trug nur ein weißes Hemdchen, das ihre zarte Gestalt bis hinab zu den Füßen umhüllte, umso mehr sah es aus, als ob sie über dem Boden schwebte. »So oft schon träumte mir, dass du dereinst kommen und mich befreien würdest, tapferer Jüngling – und den Fluch von mir nehmen, der seit so langer Zeit auf mir liegt.«
Ihre Augen waren bei diesen Worten dunkel geworden, beinahe schwarz wie von bitterem Zorn. Ihre zerbrechlich aussehenden kleinen Finger krampften sich um die Käfigstäbe, dass ihre Knöchel ganz weiß wurden.
»Was für ein Fluch denn?«, fragte Sanno.
»Na, dieser grauenvolle Kobold, der mir auf den Rücken gesprungen ist, als ich noch ein kleines Mädchen war! Die hässlichste Dämonin, die je auf Erden gesehen wurde – Mademoiselle Ira!«
Damit wandte sie sich um, und Sanno sah die Kreatur, die zwischen Madeleines feenzarten Schulterblättern hockte. Ein klumpiger Leib, darauf ein verschrumpfter Schädel mit furchigem Frätzchen, aus dem unsagbar boshaft zwei gelbe Augen stierten. Das ganze Wesen war nicht viel größer als ein Laib Brot, der Leib wirkte form- und leblos, wie ein buckliger Fels. Doch das Gesicht der Dämonin war unablässig in Bewegung – die Augen weiteten sich und zogen sich zu Schlitzen zusammen, die Lippen zuckten krampfhaft, die Stirn kräuselte sich, bildete Quer- und Längsfalten, sogar die Ohren unter den falben Haarbüscheln waren in zuckender Bewegung.
»Gütiger Gott«, stammelte Sanno. »Was ist das – wie konnte das geschehen?«
Als Madeleine ihm wieder ihre Vorderseite zuwandte, glitzerten Tränen in ihren wunderschönen blauen Augen. »Ich war einst ein glückliches Mädchen«, flüsterte sie, »bis ich mit drei oder vier Jahren einmal allein in den Wald gegangen bin. Da ist sie hinten auf mich draufgesprungen, und seitdem hockt sie dort! Bitte sag mir, dass es ein Traum ist, nur ein arger Traum!«

Sanno wusste überhaupt nicht mehr, was er sagen oder auch nur denken sollte – von vorn war Madeleine ein reizendes Mädchen von zwölf oder dreizehn Jahren, von einer so strahlenden Schönheit, dass auf ihrem Rücken unmöglich eine so abgrundtief hässliche Kreatur hocken konnte.
Erst als Lunja von draußen seinen Namen rief, kam Sanno ein wenig zu sich. »Ich muss schnell hinaus – Larian von seinen Ketten befreien, dann komme ich zurück!«
»Sanno heißt du also?« Ihre Stimme war wie der Klang zarter Glöckchen. »Ich habe alles mit angesehen – Larian ist so stark und mutig, ein wahrer Held! Aber du . . .« Sie presste ihr Gesichtchen gegen das Gitter. »Du bist mein Retter, Sanno!«

29

Von seinen Ketten befreit, hatte Larian erst Lunja, dann Sanno feierlich umarmt, doch er schien ein besonnener Mann zu sein, der selbst in einem Moment tiefster Rührung die Gefahren der Welt im Auge behielt.
»Lunja, bitte sei so lieb und befreie meine Freunde aus ihren Zellen.« Er zeigte ihr, welche Schlüssel die Türen zu Madeleine und den Zwillingsbrüdern öffneten. »Und wenn du so freundlich bist, Sanno, und mir erst mal mit Herrn Godobar hilfst. Danach beheben wir diesen kleinen Schaden« – er deutete mit befelltem Fuß auf die Radtrümmer –, »und dann bräuchte ich noch deinen Beistand bei einer Prozedur, auf die ich mich seit vielen Jahren freue.«
Sanno nickte nur zum Zeichen, dass er mit allem einverstanden war. Ein dicker Klumpen verschloss seine Kehle. Was er eben beim Anblick der unseligen Madeleine empfunden hatte, war sehr viel mehr als Mitleid oder auch als das Entsetzen, das einen

im Angesicht fremden Unglücks befallen kann. Auch wenn er sich verzweifelt dagegen wehrte – er empfand eine tiefe innere Verwandtschaft mit diesen Monstren, ein Gefühl, das er sich überhaupt nicht zu erklären und das er noch viel weniger abzuschütteln vermochte.
Auch wenn er in Larians dicht bepelztes Gesicht sah und zugleich seine dunkle, wohltönende Stimme hörte, spürte er es ganz deutlich – *ich bin einer von ihnen,* dachte er dann, ein Monstrum, eine menschliche Bestie wie Larian oder wie die arme Madeleine, auch wenn man es mir nicht auf den ersten Blick ansieht. Die Wülste auf seinem Bauch oder auf seinem Kopf waren ja nur eine geringfügige Entstellung, verglichen mit den grauenvollen Verwandlungen, die Larian oder Madeleine erlitten hatten. Aber mit den Wülsten hatte es vielleicht auch gar nichts zu tun, es ging nicht um ein Unglück, das einen irgendwann von außen traf, sondern um ein Verhängnis, das tief in einem drinnen schlummerte, von allem Anfang an in einem lauerte, um eines Tages aus scheinbar heiterem Himmel hervorzubrechen.
Stumm half er Larian, Herrn Godobar unter dem Wagen hervorzuziehen. Aber nicht einmal der Anblick des Toten konnte ihn aus seiner Versunkenheit aufrütteln. Ein menschliches Monstrum, dachte er, und wie er sich auch marterte, er begriff immer weniger, woher dieses Gefühl kam, diese qualvolle Vorstellung, im tiefsten Innern mit Monstren wie Madeleine oder Larian verwandt zu sein.
Zu Sannos Überraschung wollte Larian Herrn Godobar nicht an Ort und Stelle begraben, sondern in seiner eigenen Zelle mit auf die Reise nehmen. »Nicht etwa, weil er mir so ans Herz gewachsen wäre«, sagte Larian und schickte ein melodiöses kleines Lachen hinterher, »aber er muss warten, bis wir an einem weniger gefährlichen Ort sind. Wenn irgendwer uns beobachtet, wie wir unseren Herrn und Besitzer verscharren, dann gnade uns Gott.«

Larians Zelle befand sich gegenüber der Eingangstür, sie schleiften den schweren Leichnam hinein und ließen ihn auf die dürftige Strohschicht fallen, die Larian so viele Jahre als Nachtlager gedient hatte. Seine Zelle war ebenso winzig wie Madeleines Kerker – es musste nahezu unerträglich sein, in einem solchen Verschlag sein Leben zu fristen.
Offenbar hatte Larian diesen Gedanken von Sannos Gesicht abgelesen. »Zur Not kann man es in so einem Loch schon eine Weile aushalten«, sagte er. »Monate oder auch Jahre, zumindest ging es immer dann ganz gut, wenn wir unterwegs waren und jeder von uns eine Zelle für sich hatte – Madeleine vorn, in der Mitte die Zwillinge, hier hinten ich.«
Einen Augenblick lang sah er sinnend auf den Leichnam hinab. »Schlimm war es, wenn er uns vorführte und die Leute sich an unserem Leid ergötzten«, fuhr er fort, und seine Augen zogen sich zu Schlitzen zusammen. »Aber ich habe mir geschworen, nie mehr einen Gedanken an diese schreckliche Zeit zu verschwenden, wenn ich erst wieder frei sein würde. Was nützen mir düstere Erinnerungen? Sie machen alles nur noch viel schwerer.«
Er legte Sanno eine Hand auf die Schulter und sah ihn feierlich an. »Ich will leben, mein Freund, nicht länger leiden«, sagte er, »endlich leben, einfache Freuden genießen, die für Burschen wie dich bestimmt ganz selbstverständlich sind. Die Zuneigung anderer Menschen erfahren, das kleine Glück eines heiteren Abends mit guten Freunden – oder gar den Zauber der Liebe und die süße Wonne, die es bedeuten muss, sein eigenes Kindlein in den Armen zu wiegen.« Er unterbrach sich, offenbar erschrocken. »Aber was hast du, mein Freund, warum schaust du mich so schmerzlich an? Und schimmern da Tränen in deinen Augen? Ach, du Guter, was für ein weiches Herz du hast! Aber sieh doch«, sagte Larian mit samtener Stimme, »ich brauche dein Mitleid nicht länger – denn ich bin ja mein eigener Herr und frei!«

Den Schaden am Kerkerwagen behob Larian tatsächlich fast im Handumdrehen – gewitzigt durch häufige Achs- und Radbrüche, die bei dem Tonnengewicht der Eisenplatten unvermeidlich waren, führte Herr Godobar immer ein Ersatzrad mit sich und sogar eine zusätzliche Achse, die sich notfalls auch als Drehspieß für Reh oder Wildschwein verwenden ließ.
Mit Sannos Hilfe bockte Larian den Wagen auf, holte das neue Rad aus einem Hohlraum am Ende des Gefährts hervor und setzte es auf die Achse, die glücklicherweise nicht beschädigt worden war.
Als sie diese Arbeit beendet hatten, war die Abenddämmerung schon weit fortgeschritten. »Nicht weit von hier ist ein Platz«, sagte Larian, »dort haben wir auf dem Weg nach Leipzig schon öfter die Nacht verbracht. Er liegt am Waldrand und ist von dichtem Gestrüpp umgeben, durch das weder Räuber noch wilde Tiere so leicht hindurchkommen.«
»Dann sollten wir uns sputen«, gab Sanno zurück. In der Dunkelheit lag die Straße leer und verlassen da, aber eine verspätete Kutsche, eskortiert von einem Trupp fürstlicher Reiter, konnte einem auch spät in der Nacht noch begegnen. Schon aus Angst um die eigene Sicherheit oder um die Herrschaften im Kutschwagen zu beeindrucken, waren die Reiter nicht selten versucht, jeden, der ihnen im Dunkeln unterkam, vorsorglich in Haft zu nehmen. Jedenfalls hatte Sanno auf den Märkten in Aschaffenburg oder Gelnhausen von derlei misslichen Zusammenstößen mehr als einmal erzählen gehört.
Seite an Seite schwangen sie sich auf den Kutschbock. Lunja saß immer noch hinten bei Madeleine und den Zwillingen im Wagen und ließ sich sicherlich erzählen, was sie seit ihrem letzten Treffen in Gelnhausen alles erlebt hatten. Die miteinander verwachsenen Brüder Huck und Muck hatte Sanno noch gar nicht zu sehen bekommen, aber im Moment wäre es auch mehr gewesen,

als er meinte ertragen zu können. Schon neben Larian zu sitzen, dem gutmütigen jungen Mann mit der klangvollen Stimme und dem Fell eines Affen, oder an Madeleine und Mademoiselle Ira auf ihrem Rücken auch nur zu denken, erfüllte ihn mit einem Grauen, das ihm kaum geringer schien als die Schrecknisse, die er als kleiner Knabe in jenem Haus über der Steilküste erlitten hatte.

Die beiden Zugpferde vor dem Verlieswagen, kräftige Kaltblüter aus dem Norden, setzten sich bereitwillig in Gang und begannen die Straße entlangzutrotten. Obwohl es nahezu dunkel war, verzichteten sie auf Wachsleuchten, um nicht doch noch unliebsame Aufmerksamkeit auf sich zu lenken, wenige Meilen vor dem sicheren Ziel.

»Auch wenn es schon beinahe Nacht ist, Sanno«, sagte Larian leise, »wenn wir am Rastplatz sind, muss ich die Prozedur noch durchführen, bei der ich deinen Beistand brauche.«

Worum es denn gehe, fragte Sanno, und seine Stimme klang so gepresst, als ob ihm der Mordgeselle wieder die Kehle zuquetschte.

»Als ich sechzehn wurde, ist mir innerhalb weniger Tage im Gesicht und am ganzen Körper dieses Fell gewachsen«, antwortete Larian mit einem Unterton lang genährter Vorfreude, der Sannos Unbehagen noch verstärkte. »Meine Eltern glaubten anfangs, dass es eine Krankheit wäre, die sich heilen ließe, oder ein böser Zauber, den man wieder von mir nehmen könnte. Ich durfte unser Haus nicht mehr verlassen, aber sie ließen Ärzte, Quacksalber und Magier kommen, einen nach dem anderen. Jeder von ihnen strich sich nachdenklich den Bart – denn Haare im Gesicht oder auf Armen und Brust hatten sie ja genau wie ich, es schien also eigentlich nur eine Frage des rechten Maßes zu sein. Doch alle ihre Kunstgriffe, Tinkturen und Zauberformeln versagten, ja das Fell in meinem Gesicht und auf meinem Leib wuchs nur noch schneller und dichter, je eifriger die Heil- und Zauberkundigen mich mit ihren Mitteln traktierten.

Hü, ihr beiden, hü«, rief er plötzlich in verändertem Ton, und die Kaltblüter bogen in einen schmalen Weg ein, der schnurgerade auf ein kleines Waldstück zuführte. »Da vorne ist unser Rastplatz schon.« Die Gäule beschleunigten ihren Schritt, auch sie schienen die Stelle wiederzuerkennen, wo man sie endlich von Geschirr und Deichsel befreien würde, wenn auch nur für die restliche Nacht.

»Und dann eines Tages«, fuhr Larian fort, »verloren meine Eltern die Hoffnung – oder einfach die Geduld, wer will das immer so genau unterscheiden. Es war der Monat des Jahrmarkts in unserer Stadt, aber diesmal durfte ich nicht hinaus auf die große Wiese vor den Stadttoren, um mich am Spiel der Gaukler und Artisten zu erfreuen. Stattdessen, versprach mir meine Mutter, würde uns ein Schausteller extra wegen mir zu Hause besuchen, und ganz genauso kam es dann ja auch.

Tags darauf fuhr Herr Godobar mit seinem Wagen auf unseren Hof. Erwartungsvoll lief ich nach unten, der Mann im kanariengelben Anzug schüttelte mir die Hand und lud mich mit schmeichlerischen Wendungen ein, mit ihm in seinen Wagen zu kommen. Ich trat ein, die Eisentür fiel hinter mir zu – und seit damals, mein Freund«, sagte Larian und legte Sanno seine Hand auf den Unterarm, »seit damals träume ich von dem Tag, an dem ich von meinen Ketten befreit sein und mir von hier bis hier« – er deutete auf seine haarige Stirn, dann auf seine ebenso bepelzten Füße – »das Affenfell von der Haut schaben würde. Du kennst dich doch mit Seifenschaum und mit Barbiermessern aus? Herr Godobar besitzt zwei vorzügliche Exemplare.«

»Nun ja, ich . . . also bisher . . .«, stammelte Sanno.

»Du bist offenbar noch keine sechzehn?« Wieder ließ Larian sein melodiöses Lachen hören. »Nichts für ungut, mein Freund – der

Spott geht nur gegen mich selbst. Also meine kleine Bitte an dich – würdest du mir vor dem Abendessen bei gehörigem Fackellicht noch rasch die Rückpartie balbieren?«

30

Obwohl Mitternacht nicht mehr fern sein konnte, war es auf ihrem Rastplatz beinahe so hell wie am Tag. Sie hatten ein großes Feuer entfacht und alles nach draußen geschleppt, was Godobar in seinem Verschlag an Köstlichkeiten gehortet hatte – Pökelfleisch und Räucherschinken, Zwieback, Hartkäse und Krüge mit rotem und weißem Wein. Wachsfackeln brannten in den Halterungen, mit denen der Kerkerwagen außen wie innen reichlich ausgestattet war. Wer im Freien übernachten musste, versuchte normalerweise so wenig Aufsehen wie möglich zu erregen, aber heute wollten Larian und seine Gefährten ihre Befreiung feiern.
»Sollen die Räuber nur kommen!«, rief Larian und schwenkte Herrn Godobars Arkebuse.
Sie alle waren in ausgelassener Stimmung – Madeleine und die zusammengewachsenen Zwillinge, Lunja und der geschorene Larian, der sich unablässig in einer Spiegelscherbe betrachtete und alle drei Augenblicke wissen wollte, wie er aussehe.
»Großartig, Larian!«, riefen die Zwillinge wie aus einem Mund.
Sogar Sanno hatte Mühe, in dem mondbleichen Jüngling den einstigen Fellmann wiederzuerkennen, dabei hatte er selbst ja mit Godobars Balbiermesser an der wundersamen Verwandlung mitgewirkt. Larian hatte so lange in Godobars Kisten gewühlt, bis er seine alten Kleidungsstücke gefunden hatte, ein rotes Samtwams und schwarze Hosen, aus denen er allerdings ein gutes Stück weit herausgewachsen war. Trotzdem sah er wunder-

voll aus in den vornehmen Jünglingskleidern, und vor allem er selbst konnte sich an seinem Anblick kaum satt sehen.
»Stell dir bloß vor, Sanno«, sagte Larian mit seiner melodischen Stimme, »sieben Jahre lang habe ich nur das schreckliche Fell am Leib getragen und höchstens noch manchmal einen Schurz um meine Mitte.« Er fuhr sich mit der flachen Hand über Wangen und Arme. »Hoffentlich wächst es nicht so schnell wieder nach!«
»Wenn es bei uns doch auch so einfach wäre«, seufzte Muck, worauf Huck seinem Bruder liebevoll die Wange tätschelte. »Warte nur, Kleiner, unsere Stunde kommt auch noch.«
Wann immer Sanno die Zwillinge anschaute, krampften sich ihm Magen und Kehle zusammen. Im Hochgefühl ihrer neuen Freiheit hatten die Brüder das überweite Obergewand abgeworfen, unter dem sie den größten Teil ihrer Verwachsungen gewöhnlich verbargen. Im Schein des hoch emporlodernden Feuers liefen sie auf der Lichtung hin und her, und ein flüchtiger Betrachter hätte meinen können, dass er einfach einen besonders breitschultrigen Burschen mit klobigem Schädel vor sich hatte.
Die gemeinsame Mitte ihrer Oberleiber war ein nahezu handbreiter Wulst, an den beiderseits ein makelloser halber Rumpf mitsamt Arm und Schulter angeschmiedet schien. Aus jeder Rumpfhälfte ragte schief ein magerer Hals hervor, offenbar zu schwächlich für die Last, die er tragen musste. Doch wie zum Ausgleich waren auch die Köpfe der Brüder von den Schläfen bis dorthin, wo die Ohren hätten sein sollen, ineinander verwachsen, die gemeinsame Mitte auch hier ein holziger Wulst, ein höhnischer Trennwall zwischen Gesichtern, die sich glichen wie ineinandergespiegelt. Das innere Auge jedes Bruders – bei Muck das rechte, bei Huck das linke Auge – grenzte hart an den Wulst zwischen ihren Köpfen, ebenso die inneren Mundwinkel, und doch wirkten die Gesichter im Ganzen kaum deformiert. Als die Zwillinge sich jetzt neben dem Feuer im Gras ausstreckten, sah

es wahrhaftig so aus, als ob sie ein einziger Bursche wären, ans Ufer eines Sees gelagert, in dessen Spiegel sich Gesicht und Oberleib foppend verdoppelten.
Und doch sind es *zwei*, dachte Sanno – zwei Brüder, zwei Seelen, zwei Geister, in einen gemeinsamen Unterleib eingekerkert, vom Gürtel aufwärts aneinandergeschmiedet bis in den Tod. Er saß auf der anderen Seite des Feuers und beobachtete sie verstohlen. Wieder hatte er das beklemmende Gefühl, dass er zu ihnen gehörte – ein menschliches Monstrum auch er. Muck musste zeitlebens mit einem linken Arm, einer Hand auskommen, dachte Sanno, Huck ebenso mit einem rechten Arm. Seitlich miteinander verwachsen, konnten sie sich niemals umarmen, an die Brust drücken, durch brüderliche Küsse trösten. Vor jeder noch so geringfügigen Veränderung ihrer Lage – wenn sie ihre Schritte beschleunigen, die Richtung wechseln, sich hinsetzen, aufrichten, zum Schlafen niederlegen wollten – mussten sie sich miteinander verständigen, und jeder Streit führte unweigerlich dazu, dass sie ins Taumeln gerieten, das Gleichgewicht verloren, hin und her zuckten wie im Krampf.
»Heda, Brüder – ihr wollt doch nicht schon einschlafen?« Madeleine saß auf ihrem Schemel neben den Zwillingen. Sie beugte sich zu ihnen herab und tippte Muck auf die Schulter. Vorhin, während Sanno und Larian mit den Balbiermessern beschäftigt waren, hatte Madeleine drüben im Bach gebadet und anschließend auf der Lichtung lange ihr Haar gebürstet – es schimmerte, als ob sie eine Haube aus reinem Gold auf dem Kopf trüge. Und mindestens so häufig, wie Larian sich in der Scherbe betrachtete, schaute Madeleine zu Sanno herüber und lächelte ihn erwartungsvoll an. »Mein Retter!«, hatte sie ihn vorhin genannt. Aber ich kann niemanden retten, dachte Sanno – nicht einmal mich selbst.
Neben ihm saß Lunja und alberte mit Larian herum – immer wie-

der lachte sie auf, so laut und fröhlich, wie sie bei Sanno nur selten war. Natürlich hatten sie Larian und die anderen auch gleich nach Meister Herbold gefragt, aber seit Gelnhausen hatte niemand von ihnen den Seelenbildmaler gesehen. Während die Zwillinge sich aufrecht hinsetzten und Madeleine zuprosteten – der eine mit rotem, der andere mit weißem Wein –, wurde Sannos Stimmung immer düsterer und bedrückter. »Auf unsere Befreiung!«, rief Muck. »Und auf unsere Befreier!«, tönte sein Bruder. Sie nahmen jeder einen kräftigen Schluck.
»Auf euch beide.« Madeleine schwenkte ihren Becher in Lunjas und Sannos Richtung. »Vor allem auf dich, Sanno – tapferer Jüngling, von dem ich so viele Jahre lang geträumt habe.«
Sanno fühlte ihren strahlenden Blick auf sich, und wieder wurde ihm die Kehle eng. »Du irrst dich, Madeleine«, presste er hervor. »Ich bin nicht tapfer, und retten kann ich auch niemanden – im Gegenteil!«
Am liebsten hätte er die Augen geschlossen oder sein Gesicht hinter den Händen verborgen, um ihr erwartungsvolles Lächeln nicht länger zu sehen. Wer mit ihm in Berührung kam, dachte Sanno, der wurde nicht gerettet, von einem Fluch oder Unglück befreit, ganz im Gegenteil. Hatte er nicht Linda und Josepha ins Verderben gestürzt, und hatten die Mordbrenner in jener Nacht nicht wegen ihm Lamberts Gut überfallen, den Vater und alle anderen umgebracht? Ein Teufelsjunge bin ich, kein Retter, dachte Sanno – auch Loni und Jerzy hätten beinahe ihr Leben verloren, einfach deshalb, weil sie so freundlich waren, mich auf ihrem Wagen mitzunehmen. Und da glaubten diese unseligen Geschöpfe, Madeleine und die Zwillinge, dass er sie retten, einen Fluch von ihnen nehmen könnte? »Im Gegenteil!«, wiederholte er und sprang auf.
Er wollte sich vom Feuer entfernen, um den anderen zumindest nicht die Feier zu verderben und im Dunkeln mit dem Grauen,

das in ihm umherschlich, allein zu sein. Doch ebenso schnell wie er selbst waren die Zwillinge auf den Beinen.
»Was hast du denn, Freund«, sagte Muck und legte ihm seinen Arm um die Schultern. »Erzähle uns von deinem Kummer, Sanno«, bat Huck, »das erleichtert Seele und Herz.«
Er tätschelte Sanno den Kopf, und sie beide erstarrten. Sanno wollte sich losreißen, davonstürzen, aber Mucks Arm um seine Schultern hielt ihn zurück. Auf seinem Kopf spürte er Hucks Finger, die in seinem Haarschopf wühlten, den Wulst betasteten, der von seinem Genick aufwärts lief bis knapp über seiner Stirn.
»Bruder . . . Bruder!«, stammelte Huck schließlich. Es schien ihnen beiden zu gelten, Muck genauso wie Sanno, der plötzlich am ganzen Leib zitterte. »Du auch, Sanno, also du auch?«, hörte er die Zwillinge flüstern.
Ich bin nicht euer Bruder, wollte er sagen, aber etwas in ihm widersprach: Doch, Sanno, du bist wie sie, du ahnst es ja seit Langem.
»Ein Wulst wie bei uns!«, sagte Huck. »Aber viel kleiner, die Hälften sind sehr viel besser miteinander verbunden, siehst du?« Beide Hände tasteten jetzt auf seinem Kopf herum. Sanno spürte die Aufregung, die sich der Zwillinge bemächtigt hatte.
»Habe ich nicht immer gesagt, dass es sich genau so verhält?«, fragte Muck. »Man muss die Hälften besser zusammenschieben! Wir sind nicht zwei Brüder mit nur einem Unterleib, Junge – habe ich es nicht immer gesagt? *Wir sind ein einziger Mensch* – nur unsere Hälften sind elendig schlecht zusammengefügt! Wir müssen sie weiter über den Wulst schieben, wie hier bei unserem Freund, siehst du, Huck?«
Endlich gelang es Sanno, die Hände der Brüder abzuschütteln. Vorsichtshalber wich er einen Schritt zurück, in Richtung des hell erleuchteten Kerkerwagens, der den Zugang zu ihrem Rastplatz versperrte. »Aber was . . .« Er musste erst einmal tief Luft

holen, noch immer zitterte er am ganzen Leib. »Aber was glaubt ihr denn«, brachte er hervor, »wie es dazu gekommen ist, dass ihr so miteinander verwachsen seid?«
»Nicht verwachsen!«, rief Huck.
»Entzweigespalten«, ergänzte sein Bruder, »und schlecht wieder zusammengefügt! Das hast du doch gerade gehört.«
Sanno verstand nun überhaupt nichts mehr, doch sogleich begannen die Zwillinge zu erklären. Sie redeten hastig, fielen sich gegenseitig ins Wort, lösten einander mitten im Satz ab oder sprachen sogar halbe Sätze wie aus einem Mund. Aber da auch ihre Stimmen vollkommen gleich klangen, fiel das nur auf, wenn man auf ihre Münder achtete, die im tanzenden Feuerschein mal abwechselnd, dann wieder gleichzeitig auf- und zugingen.
Seit ältester Zeit, riefen die Zwillinge, wurden Leichname in gewissen Fällen halbiert oder sogar geviertelt – nämlich immer dann, wenn man sicherstellen wollte, dass der Getötete durch keinen noch so starken Zauber wieder zum Leben erweckt werden konnte. Man zerteilte den toten Körper der Länge oder der Breite nach und verscharrte die Hälften oder Viertel nach Möglichkeit an weit voneinander entfernten Orten. Um einen solchen Leichnam durch teuflischen Zauber wieder zum Leben zu erwecken, müsste der Magier innerhalb von sieben mal sieben Stunden sämtliche Teile des Körpers auffinden und zusammentragen. Doch das war schon wegen der Kürze der Frist in den meisten Fällen so gut wie unmöglich, und da selbst Satan persönlich nur vollständige Leiber wieder zum Leben erwecken konnte, war das Zwei- oder Vierteilen des Leichnams ein wirkungsvoller Schutz vor unerwünschter Wiederauferstehung.
Sanno hatte diesen Erklärungen mit wachsendem Grauen zugehört. »Aber ihr glaubt doch nicht . . .« Er war beinahe dankbar, dass ihn die Zwillinge nicht aussprechen ließen.
»Warum sollten wir es nicht glauben? In Godobars Wagen sind

wir jahrelang im ganzen Land herumgefahren und haben oft genug von solchen Geschichten gehört. Gerät irgendwo ein Bauer oder Köhler in Verdacht, ein heidnischer Hexer zu sein, dann dauert es meist nicht lange, bis sein Haus überfallen und der arme Kerl mit seiner ganzen Sippe massakriert wird. Die Gebäude stecken sie an, die Leute löschen sie aus – und zur Sicherheit wird jeder Leichnam, ob Mann oder Weib, Kind oder Greis, auch noch in zwei Hälften zerteilt.«

Sanno musste sich wieder hinsetzen, so sehr zitterten ihm die Beine. Die Zwillinge taten es ihm nach und hockten sich auf ihrer Seite des Feuers hin.

»Und so ist es anscheinend auch uns geschehen«, fuhren sie fort, »nur mit dem Unterschied, dass in unserem Fall wohl ein Magier zur Stelle war, dem es gelungen ist, unsere Hälften wieder zusammenzusetzen. – Allerdings nur schlecht und recht«, fügten sie nach einer kurzen Pause hinzu.

Trotz der Nachtkühle saßen die Brüder noch immer mit entblößtem Oberkörper da. Ohne sich sonderlich um die anderen zu bekümmern, fingen sie nun an, einander zu betasten, an Kopf und Rumpf des anderen herumzupressen. Huck legte seine Hand um den Kopf seines Bruders, und Muck verfuhr ebenso mit Hucks Schädel. Ihre Armmuskeln schwollen an, als sie mit schrecklicher Gewalt ihre Kopfhälften gegeneinanderdrückten. Schließlich hielten sie keuchend inne, die Gesichter vor Schmerz und Anstrengung verzerrt.

»Der Wulst ist einfach zu dick«, erklärte Huck atemlos. »Wir haben schon hin und her überlegt, wie wir ihn verkleinern können, damit sich unsere Kopfhälften leichter darüberschieben lassen.«

»Und nicht anders ist es hier unten.« Muck legte seine Hand um die Körperseite seines Bruders, und Huck tat es ihm nach. Stöhnend und röchelnd versuchten sie ihre Rumpfhälften näher zusammenzuschieben.

Bald schon gaben die beiden auch diesen Versuch auf. Ihre Haut glänzte vor Schweiß, ihre Brust hob und senkte sich wie ein Blasebalg.

»Der Zauberer, der unsere Hälften zusammengefügt hat«, erklärte Huck schließlich, »war entweder ein Pfuscher, oder die sieben mal sieben Stunden waren schon verstrichen – mit der Folge, dass unser Leib hier in der Mitte tot geblieben ist.« Sein Finger fuhr den senkrechten Strich von der Kehle bis zum Gürtel entlang.

»Und unser Kopf hier in der Mitte auch«, ergänzte Muck. Mit der Handkante zeichnete er die Linie zwischen ihren beiden Gesichtern nach. »Deshalb können wir uns auch an nichts erinnern, was mehr als fünf Jahre zurückliegt.«

In Sannos Innerem begann es zu schreien. Sein Herz klopfte auf einmal so rasend schnell, dass es ihm beinahe die Brust auseinanderriss. Auf seinem Arm spürte er Lunjas Hand, doch selbst diese sonst immer so tröstliche Berührung nahm er kaum wahr.

»Als wir damals zu uns kamen«, sagte Huck, »waren wir vielleicht zehn oder elf Jahre alt. »Wir lagen auf einer Strohschütte in einer Hütte irgendwo tief im Wald. Neben uns auf dem Boden lag ein wenig Rauchfleisch, daneben stand ein Bottich mit schalem Wasser. Wir wussten überhaupt nicht, was mit uns geschehen war. Wer wir waren, wie wir dorthin gekommen waren.«

»Nur mit Mühe konnten wir aufstehen, in der Hütte umhergehen«, ergriff sein Bruder das Wort. »Wir waren nackt bis auf ein paar Lumpen, und in unseren Wunden und Narben hauste ein kaum erträglicher Schmerz. Aber noch viel ärger war der Schrecken in Seele und Herz. Wir konnten uns an nichts aus unserem früheren Leben erinnern, und doch spürten wir, dass etwas Grässliches geschehen war. Dass wir früher eins gewesen waren, doch dann waren wir durch irgendeine Macht entzweigehauen worden. Dass wir wieder zusammengefügt worden waren, aber so stümperhaft oder gleichgültig, als ob wir nur eine zerbrochene Vogelscheuche wären, von nachlässigen Händen neu zusammengesteckt.«

»Und dann eines Tages«, fuhr schließlich wieder Huck fort, »als unsere Vorräte an Wasser und Rauchfleisch aufgebraucht waren, erschien Herr Godobar in jener Hütte. Wahrscheinlich hatte der Magier, der uns zum Leben erweckt hat, uns anschließend an Godobar verkauft – ja, manchmal glauben wir sogar, dass er uns absichtlich so schlecht zusammengefügt hat, um einen besseren Preis herauszuschlagen. Denn gesunde Burschen, bei denen alles zusammenpasst und keine Nähte zwischen Kopf- oder Leibeshälften zu sehen sind, gibt es ja schließlich mehr als genug. Jedenfalls hat Herr Godobar uns damals mitgenommen, und seitdem sind wir in seinem Monstren-Wagen mit ihm durchs Land gezogen.«

Das Feuer war unterdessen zu einem Haufen Glut und Asche heruntergebrannt, aus dem nur ab und an noch kleine Flammen zuckten. Für einige Momente schwiegen nun alle, und Sanno schien es, als ob sämtliche Augen auf ihn gerichtet wären.

»Kannst *du* dich denn erinnern, Sanno?«, fragte schließlich einer der Brüder. »Weißt du noch, wie du als kleiner Knabe warst? Erinnerst du dich an deine Mutter, an irgendetwas aus deiner Kindheit – oder ist in deinem Innern auch bloß ein Abgrund, so schwarz und leer und bodenlos wie bei uns?«

Lunjas Finger krampften sich in Sannos Unterarm, mit einer wütenden Bewegung schüttelte er sie ab. »Ihr irrt euch«, sagte er mit heiserer Stimme. »Ich erinnere mich an alles aus meiner Kindheit, an meine Mutter, an das Haus, in dem wir damals gewohnt haben – und an den Tag, als Mutter Heidlinde an meiner Seite bei einem Kutschunglück gestorben ist. Daher kommen auch die Narben auf meinem Kopf.« Er stand auf und ballte, fast ohne es zu merken, die Hände vor seinem Bauch. »Ich bin nicht wie ihr, Huck und Muck.«

Er spürte die Enttäuschung der beiden Brüder, die förmlich in sich zusammensackten. Alles, alles hätte Sanno in diesem Moment dafür gegeben, wenn er nur selbst seinen Worten ein klein wenig hätte glauben können.

31

Der Kerkerwagen war bestens ausgerüstet mit Gerätschaften für jeglichen Bedarf. Herr Godobar hatte nicht nur Peitschen und Ketten, Arkebuse und Pistole, Dolch und Säbel mitgeführt, sondern auch Schaufel und Hacke, an denen sogar noch Erdbrocken klebten.

»Noch nicht so lange her, dass ich diese Sachen zuletzt in Händen hatte«, brummte Larian. Er drückte Sanno die Schaufel in die Hand, griff seinerseits zur Hacke und ging voraus zu der Stelle, die sie vorhin ausgesucht hatten.

Nahe dem Bach öffnete sich das Gestrüpp zu einem schmalen Pfad, der auf eine zweite, viel kleinere Lichtung führte. Eine Weile lang hackte Larian schweigend auf den moosbedeckten Boden ein, und Sanno schaufelte ebenso stumm die Erdbrocken aus der Grube, die nur sehr langsam tiefer wurde. Unter der Moosschicht war der Boden hart, mit Steinen und Wurzeln durchsetzt.

Es war der Morgen nach ihrer Freudenfeier, und heute früh schien auch Larians Stimmung gedrückt. Immer wieder strich er sich mit der Hand über Stirn, Arme oder Brust und brummelte kummervoll. Obwohl sie ihm erst gestern am späten Abend das Fell vom Leib geschabt hatten, war seine Haut schon wieder weithin mit Stoppeln bedeckt.

Schließlich mussten sie eine Pause einlegen, der Schweiß tropfte ihnen nur so aus den Haaren. Larian hatte Wams und Hemd längst abgestreift und mit nacktem Oberkörper gearbeitet. Sanno aber hatte sich nur seines tannengrünen Umhangs entledigt, das Gewand darunter wollte er keinesfalls ablegen, auch wenn es ihm schon feucht auf Brust und Rücken klebte.

Larian deutete auf einen großen, bleich schimmernden Wurm, der sich rasch zwischen Wurzeln und Schollen dahinschlängelte. »Du kennst doch diesen Aberglauben, Sanno«, sagte er, »dass sich umherirrende Seelen oftmals in Würmern oder Schlangen verkörpern?«

»In Schlangen?« Erschrocken schaute Sanno dem Wurm hinterher. Genau solche Schlangen oder großen Würmer, durchfuhr es ihn, hatte er schon einmal gesehen – damals, in jenem Verlies.

»Ob es nun stimmt oder Ammengeschwätz ist, kann ich dir nicht sagen – aber es heißt, dass viele Leute fest daran glauben.« Larian griff wieder zur Hacke, sprang in Godobars Grab, das ihm mittlerweile bis zu den Knien reichte, und begann erneut auf Erde und Wurzeln einzuhacken. »Wenn ein Leichnam nicht nach christlichem Brauch beerdigt wird, irrt die Seele angeblich in der Nähe der Grabstätte herum und sucht verzweifelt nach einer Möglichkeit, sich aufs Neue zu verkörpern. Am leichtesten findet sie in Würmern oder Blindschleichen Unterschlupf, aber manche Zauberer können die Seele angeblich in jeden Körper locken, wenn sie nur im rechten Moment zur Stelle sind und die nötigen Beschwörungen kennen.

»Um Tote wieder zum Leben zu erwecken«, schallte Larians Stimme aus der Tiefe des Grabes empor, »nehmen manche Magier angeblich den Wurm oder die Blindschleiche und schieben sie durch eine Öffnung hier hinten in den Schädel des Leichnams, der wiederauferstehen soll.« Er neigte den Kopf und deutete auf seinen Nacken, der gleichfalls wieder mit dichten Stoppeln übersät war. »Aber wie gesagt, es handelt sich wohl nur um einen Aberglauben.«

Stumm standen sie alle um das offene Grab und sahen auf den Leichnam hinab, der in Ermangelung eines Sarges lediglich in ein Leintuch eingehüllt war. Die Sonne schwebte schon über den Baumwipfeln. Sanno schaute in die Grube hinab und dachte an die Würmer und Schlangen, die er damals, als kleiner Knabe, im Haus an der Felsenküste gesehen hatte.

Aber wie er sein Gedächtnis auch marterte, er konnte sich nicht erinnern, was es damals mit den Schlangen auf sich hatte. In der Nacht war er im Traum wieder in jenem Verlies gewesen, und der Junge mit der honiggelb leuchtenden Haut war abermals vor ihm auf und ab gegangen. Dieser goldene Knabe hatte mein Gesicht, dachte Sanno, wenn auch mit starren, wie leblosen Zügen – wie ist das nur alles möglich? Und wo ist der Zusammenhang? Denn diesen Zusammenhang musste es geben, eine Verbindung zwischen all diesen so rätselhaften wie grässlichen Geschehnissen, das spürte er ganz deutlich.

Die Vögel sangen, die Sonne brannte auf die kleine Lichtung herab, und noch immer hatte niemand ein Wort gesprochen. Schließlich stießen die Zwillinge mit dem Fuß einen Erdbrocken in die Grube hinunter. »Verflucht seist du, Godobar, deine Seele soll niemals Frieden finden«, sagte Muck. »So wie du uns an jedem einzelnen Tag gepeinigt hast«, ergänzte sein Bruder, »in Angst und Schrecken versetzt, gedemütigt und geschlagen, so sollst du selbst bis ans Ende der Zeiten leiden.«

Erschrocken über diese grausame Verfluchung schauten alle wortlos von den Brüdern zu Godobar hinab. Der Erdbrocken war auf seine Brust gefallen und zu Krumen zerborsten, die das helle Leintuch wie mit einem Aussatz sprenkelten.

Als Nächste bückte sich Madeleine, nahm ein wenig Erde in die Hand und richtete sich wieder auf. Ihr Haar schimmerte wie Gold. Die Dämonin auf ihrem Rücken schien zu Sannos Erstaunen zu schlafen – der kleine Schrumpfkopf von Mademoiselle Ira

war vornübergesunken, die boshaften Augen waren geschlossen.
»In deinem Leben warst du grausam und gierig, Godobar«, sagte Madeleine mit glockenheller Stimme. »Ruhe dennoch in Frieden – ich verzeihe dir.« Sie streckte die Hand aus, öffnete sie und ließ die Erde auf den Leichnam herniederrieseln.
Sanno spürte ein Brennen in der Kehle. Neben ihm stand Lunja, und als er sie anschaute, sah er, dass auch ihre Augen schimmerten.
»Die Wut und den Schmerz der Zwillinge kann ich sehr gut nachempfinden, Godobar.« Larian trat hart an den Rand des Grabes, die Schaufel in der Hand. »Aber ich will es nicht – ich will dich nicht verfluchen und nicht hassen, ich will nur noch vergessen.« Er begann, Erde auf den Leichnam hinabzuschaufeln, rasch und immer rascher. »Ich will leben, Godobar. Niemals mehr will ich daran denken, was wir durch dich erleiden mussten. Ich will endlich in Freiheit leben.« Atemlos stieß er die Schaufel in den Erdhaufen neben dem Grab. »Ich verfluche dich nicht, und ich vergebe dir nicht – ich will dich einfach nur nicht mehr sehen. Dich vergessen, immer tiefer vergessen, bis es mir vorkommt, als ob es dich niemals gegeben hätte.«
Aber du wirst von ihm träumen, dachte Sanno. Doch er sagte nichts, sowenig wie Lunja, die stumm ein wenig Erde aufnahm und aus ihrer Hand ins Grab rieseln ließ. Sanno nahm die Schaufel von Larian, der nun auch zu weinen begonnen hatte, und schippte so schnell wie möglich Godobars Grab zu.
Auf Madeleines Bitte hatten sie aus zwei Brettern ein Kreuz zusammengenagelt, das Sanno schließlich in die sorgsam festgestampfte Erde rammte.
Als Letztes traten die Zwillinge noch einmal neben das Grab, beugten das Knie und schlangen eine rostige Kette um Godobars Kreuz. »Jetzt können wir weiterfahren.«

32

Wäre Sanno eine Wahl geblieben, er hätte den Verlieswagen lieber heute als morgen davonrumpeln lassen und sich mit Lunja auf eigene Faust weiter nach Norden durchgeschlagen. Aber der rollende Kerker bot ihnen bestmöglichen Schutz vor argwöhnischen Blicken, und aus Dankbarkeit für ihre Befreiung hätten Larian, die Brüder und Madeleine sie mit Freuden an jeden beliebigen Ort gefahren, den man mit einem eisernen Wagen und zwei unermüdlich dahintrottenden Ackergäulen erreichen konnte. Selbst vor einem Überfall brauchten sie sich kaum zu fürchten – die Beschläge waren so dick, dass sie notfalls sogar Gewehrkugeln standhalten würden. Wahrscheinlich waren die Mordgesellen ja längst wieder aus dem Schlummer erwacht, in den Jerzys Schlafgift sie versetzt hatte, aber diesmal würden sie es sehr viel schwerer haben, Sanno aufzuspüren oder gar einzufangen. Jedenfalls solange er den Schutz des Verlieswagens nicht aufgab, und so stimmte er Lunja letztlich immer wieder zu – natürlich, alles sprach dafür, dass sie bei ihren neu gewonnenen Freunden blieben.
Abgesehen davon, dass Sanno sich mit jedem Tag, jeder Nacht im Verlieswagen noch beklommener fühlte, noch mehr von Angst und Grauen erfüllt. Die düstere Enge des Verschlags, in dem er an Lunjas Seite nächtigte, schien ihm so schwer erträglich wie Madeleines erwartungsvolles Lächeln oder wie die freundschaftlichen Blicke der Brüder, die ihn unerschütterlich für einen der Ihren zu halten schienen – ein zerteilter Leichnam, durch teuflischen Zauber wieder zum Leben erweckt. Aber er war keiner der Ihren, das spürte er doch ganz genau, und noch weniger konnte er der Retter von Madeleine sein, die ihn seit dem ersten Tag ihrer gemeinsamen Reise wieder und wieder angefleht hatte, ihre Erlösung nicht länger hinauszuzögern.

Manchmal, wenn sie es mit der Dämonin nicht mehr aushalten könne, erklärte ihm Madeleine, stoße sie ihren Kopf mit aller Kraft gegen den viel kleineren und schwächeren Hinterkopf von Mademoiselle Ira. »Dann wird sie ohnmächtig, und ich habe wenigstens für ein, zwei Stunden Ruhe – auch wenn ich nachher schrecklich dafür büßen muss.«
So hatte sie es auch vor der Beerdigung gemacht, denn sonst hätte sie niemals aussprechen oder auch nur denken können, dass sie Herrn Godobar vergebe. »Obwohl Mademoiselle unablässig ihre Lippen bewegt, spricht sie niemals, kein einziges Wort. Aber sie versteht es, ihre boshaften Befehle unter meine Gedanken zu mischen – auf diese Weise zwingt sie mir ihren Willen auf. Nur wenn ich sie durch einen Stoß gegen ihren Kopf in Schlaf versetze, habe ich für kurze Zeit Ruhe. Aber sowie ich auch nur versuche, darüber nachzudenken, wie ich mich ihrer für immer entledigen könnte, kommt sie zu sich und lenkt meine Gedanken in eine andere Richtung. Es ist ein Albtraum, Sanno, doch du kannst mich retten, denn über dich hat Mademoiselle Ira keine Macht.«
Und so ging es seitdem jeden Tag – wann immer sie ihn zu sehen bekam, zog Madeleine ihn in einen stillen Winkel oder gleich in ihre Zelle und flüsterte mit flehentlichem Gesichtsausdruck auf ihn ein. »Töte sie! Du kannst es, ich weiß es genau! Du bist mein Retter, Sanno, von dessen Ankunft ich seit vielen Jahren geträumt habe – und jetzt bist du wirklich da! Die Zwillinge und Larian haben Angst vor Mademoiselle, im Lauf der Zeit hat sie ihren Willen untergraben und so viel Macht über sie errungen, dass sie niemals mehr die Hand gegen sie erheben könnten. Aber du, Sanno – du bist nicht wie wir, du bist ein gesunder Bursche, stark und frei! Töte sie! Doch nein, was sage ich da – die arme Mademoiselle.« Ihr Gesicht verzog sich zu einem falschen Lächeln – untrügliches Zeichen, dass Mademoiselle Ira ihre Gedanken ver-

wirrt und umgelenkt hatte. »Vergiss alles, was ich eben gesagt habe, Sanno«, fuhr sie fort, »Ira ist ja meine beste Freundin, Blut von meinem Blut.«

Mademoiselle Ira zu töten sei im Grunde ganz leicht, behauptete Madeleine tags darauf wieder, schließlich sei die Dämonin nicht größer als ein Laib Brot und körperlich nahezu kraftlos. Sanno müsse nur seine Hände um ihren Rumpf legen, sorgsam darauf achten, dass sie ihren lähmenden Blick nicht in seine Augen bohren könne – und dann die Dämonin aus ihrem Rücken herausreißen! »Oder du schneidest sie von mir ab, Sanno, mit Herrn Godobars Dolch – aber nein, was rede ich da, die arme Mademoiselle! Sie ist ja meine beste Freundin, Blut von meinem Blut . . .«

Und so ging es immer wieder hin und her – Madeleine flehte und widerrief ihre Mordpläne, bettelte Sanno an, Mademoiselle zwischen ihren Schultern herauszureißen, und behauptete gleich darauf, ohne die Dämonin keinen Tag länger leben zu können. Und wenn Sanno dann den Fehler machte, um Madeleine herumzugehen und Ira ins verschrumpfte Frätzchen zu schauen, dann glaubte er manchmal zu spüren, dass Mademoiselle schon begonnen hatte, auch seinen Willen zu untergraben. Er sah in ihr furchiges Dämonengesicht, das in unablässiger, krampfhafter Bewegung war, er starrte in die gelben, boshaft stechenden Augen und dachte, dass doch eigentlich Mademoiselle Ira das bedauernswertere Geschöpf sei – zwischen Madeleines Schulterblättern gefangen, in ihren Rücken eingesunken und ihrer Freiheit beraubt. Was auch immer zu ihrer grausigen Gemeinschaft geführt hatte – letztlich waren auch Madeleine und Mademoiselle zwei Seelen, zwei Geister in einem gemeinsamen Leib. Anders als Huck und Muck waren sie überdies miteinander verfeindet, dennoch schien es Sanno, dass Ira ein ebenso großes Anrecht hätte, in dem Körper zu leben, in den sie nun einmal genauso wie Madeleine eingekerkert worden war.

»Sanno, Sanno, hüte dich vor ihrer Macht!« Mit Mühe riss er sich aus dem Bann der dämonischen Augen los. »Töte sie, Sanno«, rief Madeleine mit lieblich heller Stimme. »Du kannst es! Schneide sie aus mir heraus. Aber was rede ich da, sie ist doch meine beste Freundin, Blut von meinem Blut . . .«

Wilde Schafe standen wie hingetupft in dürren Wiesen, dann wieder war die Ebene bis zum Horizont wie entflammt von blühendem Heidekraut. Lange schon hatten sie Leipzig hinter sich gelassen, mit jedem Tag drangen sie weiter in die endlose märkische Ebene vor. Der Boden war sandig und karg bewachsen, und manchmal schien der Wind schon den salzigen Geruch des Nordmeers mit sich zu führen.
Meist saß Larian vorn auf dem Kutschbock und lenkte die gutmütigen Gäule auf sandigen Wegen gen Norden. Fast immer saß Sanno bei ihm, auf dem kanariengelben Sessel in Herrn Godobars Verschlag, der sich ganz vorn im Wagen befand und ein unvergittertes Fenster zur Kutschbank hin besaß. Von diesem Versteck aus konnte er die weite Landschaft überblicken, für halbe oder ganze Stunden die beklemmende Enge des Kerkerwagens vergessen und blieb doch seinerseits unsichtbar, solange er sich nicht aus der Fensterluke beugte.
Larian hatte es längst wieder aufgegeben, sich am ganzen Leib zu balbieren – je verbissener er sich schabte, desto rascher und dichter wuchs ihm der Affenpelz nach. So fuhr er sich mit Herrn Godobars Messer alle paar Stunden nur noch über Gesicht und Hals, Hände und Unterarme und verbarg seine sonstige Gestalt unter Gewändern und Tüchern.
»Mein Traum wird in Erfüllung gehen«, sagte er einmal zu Sanno, »wenn auch auf andere Weise, als ich so viele Jahre glaubte. Aber ich werde mit meinen Freunden glücklich zusammenleben, wir werden Freude und Sorge miteinander teilen und sogar neue Ge-

fährten gewinnen, die von weither kommen werden, um mit uns zu leben. Und so werde ich schließlich auch noch die Liebe kennenlernen, das spüre ich ganz deutlich! Sieh mich nicht so erstaunt an, Sanno – du wirst schon noch erkennen, wie recht ich mit meiner Voraussage habe.«

Mittlerweile konnte Sanno zwischen den beiden Welten fast nach Belieben hin und her wechseln. Das Seelenbild trug er noch immer in seiner Herztasche bei sich, aber er hatte es seit vielen Tagen nicht mehr hervorgezogen. Wenn er in seiner Aufmerksamkeit nur ein wenig nachließ, sprang schon das magische Fenster vor ihm auf, und wo eben noch Lärchenwald oder sandige Heidelandschaft war, klaffte im nächsten Moment ein schwarzes Loch, das ihn in die andere Welt hinübersog. Und dann saß er wieder im finsteren Verlies, drei oder vier Jahre alt, mit eisernen Ringen um seine Fußknöchel gefesselt. Und der Knabe neben der Tür erhob sich, leuchtend wie das Fleisch der Engel, aus dem er wahrhaftig geschaffen schien, und ging mit hölzernen Schritten auf Sanno zu, während der Hüne mit übergeschlagener Kapuze wieder in der weit geöffneten Tür stand. Und hinter ihm die Schreie, und der Knabe sah wirklich ganz genauso wie Sanno aus, er hatte seine Augen, seine Nase, seine Lippen, doch sein kummervoller Gesichtsausdruck änderte sich nie.

Und dann fällt er vor Sanno hin, mit einem hellen, harten Knall, aber diesmal mischen sich andere Laute hinzu – Knirschen, Bersten, Splittern. Mit einem Satz ist der riesige Mann bei ihm, Sanno sieht das Funkeln seiner Augen, das Schimmern von Zähnen, und der Mann hebt den goldenen Knaben behutsam auf, und dann stöhnt er vor Wut oder Entsetzen – die Brust des goldgelben Knaben ist zerborsten, brockenweise liegt das Fleisch der Engel auf dem Boden herum, und aus dem Loch in seiner Brust rieseln und kollern weitere Bruchstücke hervor – kleine Kugeln und Halbkugeln, schlanke Stäbchen, leuchtend gelb wie Götterbrand und mit einem hellen, undurchsichtigen Kern . . .

»Sanno? Was ist mit dir?«

Die vertraute Stimme riss ihn aus dem Haus an der Felsküste heraus, zurück in Godobars Verschlag. Auf der Kutschbank hockten jetzt die Zwillinge, die offenbar von Larian die Zügel übernommen hatten, während er in jener anderen Welt gewesen war.

Wie erstarrt saß er im kanariengelben Sessel, steinern wie jedes Mal, wenn ihm sein goldenes Ebenbild erschienen war – als ob die Starre jenes Knaben auf ihn übergesprungen wäre. Eine künstliche Kreatur, dachte er, geschaffen aus Stäben, Kugeln und dem Fleisch der Engel – aber wie konnte sie mit hölzernen Schritten auf und ab gehen? War es eine Marionette, mit unsichtbaren Fäden gelenkt – oder eine magisch belebte Kreatur? Er tastete nach seiner Gürteltasche, wo er die beiden Halbkugeln und Stäbchen aus Lamberts Keller verwahrte. Also hatte der Vater diese goldenen Dinge damals aus dem Haus an der Felsküste mitgenommen, aus dem er ihn befreit hatte, das stand nun endgültig fest. Verstohlen schob sich Sanno eine Hand unters Gewand und begann auf seinem Bauch herumzutasten. Haut und Fleisch fühlten sich dort hart und holzig an – aber doch nicht so kalt und hart wie die Schicht aus Bernstein, von der jener Knabe überzogen war! Natürlich nicht!

»Sanno, bitte höre uns an. Lass uns in Ruhe ein paar Worte miteinander reden.«

Mit Mühe gelang es ihm, seinen Kopf nach links zu wenden. Die Zwillinge hatten ihr überweites Gewand angelegt, wie immer, wenn sie sich auf offener Straße sehen ließen. Eine große Kapuze verhüllte beide Köpfe zusammen – für den flüchtigen Blick eines Reiters, der etwa an ihnen vorübersprengte, und selbst für den bedächtigen eines Fußwanderers, der ihnen langsam entgegenkam, mussten Huck und Muck wie ein breitschultriger Bur-

sche aussehen, der seinen missgestalteten Riesenschädel verbarg. Wer allerdings unter die Kapuze zu schauen versuchte, würde von eisigem Entsetzen ergriffen werden, da ihm zwei Augenpaare aus dem Dunkel entgegenfunkelten.
Sanno nickte den beiden zu – was blieb ihm auch anderes übrig. Seit Tagen wich er ihnen aus und gab vor, ihre auffordernden Blicke nicht zu bemerken. Ein klärendes Gespräch konnte er ihnen nicht gut verwehren, allerdings würde er ihre Hoffnungen auch diesmal nicht erfüllen. Ich bin nicht wie ihr, ein Monstrum vielleicht auch, aber nicht von eurer Art, nicht aus Leichnam und Seelenwurm gezaubert, dachte er beschwörend, doch es half nichts – Muck hatte schon begonnen, in drängendem Tonfall auf ihn einzureden.
»Du bist auf die gleiche Weise wie wir geschaffen worden, Sanno, es kann gar nicht anders sein! Du hast ja neulich ein Kutschunglück erwähnt, das deine Entstellungen erklären soll, aber diesen angeblichen Unfall hast du dir nur eingeredet, um das Schreckliche nicht wahrhaben zu müssen, da hilft nun einmal nichts! Die Narbe auf deinem Kopf lässt sich ja anders gar nicht erklären – dein Körper war schon tot, aber dann hat ein Zauberer dich wieder zum Leben erweckt. Anders kann es nicht gewesen sein! Er hat deinen Schädel geöffnet, damit die Blindschleiche oder der Wurm mit der neuen Seele hineinschlüpfen konnte – deshalb erinnerst du dich an nichts, was vorher war! Und die Narben auf deinem Körper, die du so krampfhaft vor jedem Blick verbirgst, Sanno – wo sonst sollen sie herrühren, wenn nicht von dem Säbel oder Schwert desjenigen, der deinen Leichnam damals in zwei Hälften zerhackt hat – genauso wie bei Huck und mir!«
Ein Bauernwagen kam ihnen entgegen, und Muck verstummte. Sein Bruder zog die Kapuze tiefer in ihre Stirnen, während Sanno sich aus dem Fenster beugte und zu dem Alten auf der Eselskarre hinüberwinkte. »Gott und dem Kaiser zum Gruß!«

Der runzlige Alte deutete auf ihren gewaltigen Wagen. »Was fahrt ihr da in der Heide herum, ihr Burschen?«
»Wir sind auf Geheiß des Inquisitors unterwegs«, antwortete Sanno, denn so hatten sie es untereinander besprochen. »Der Wagen ist voll gefangener Hexen, die in Stralsund auf dem Scheiterhaufen verbrannt werden sollen – also sieh nicht hin, denn ein Blick aus den Zellenfenstern kann dich dein Seelenheil kosten. Und verrate niemandem, was du gesehen hast, so befiehlt es der Inquisitor – diese Fuhre ist streng geheim!«
Der Bauer bekreuzigte sich so rasch, wie Keta es früher immer gemacht hatte, und trieb seinen Esel mit der Peitsche zu schnellerer Gangart an. Den Blick zu Boden gesenkt, rumpelte er ohne ein weiteres Wort davon.
Sie schwiegen noch ein paar Augenblicke, bis die Karre außer Hörweite war. »Ich bin nicht wie ihr«, sagte Sanno dann. Er hatte es in freundlichem Ton sagen wollen, aber nun klangen seine Worte in seinen eigenen Ohren abweisend und hart. »Warum lasst ihr mich nicht endlich mit dieser Sache in Ruhe?«
Huck zog ihnen die Kapuze wieder ein wenig aus der Stirn, und Sanno sah die Bestürzung in ihren Gesichtern. »Du machst uns traurig«, sagte Muck. »Ich dachte, wir wären Freunde«, ergänzte sein Bruder.
»Freunde, natürlich – aber nicht von derselben Art!« Sanno wand sich innerlich, am liebsten wäre er vom Kutschbock gesprungen und auf und davon gelaufen. »Wie könnte ich wie ihr sein, von einem Zauberer aus Leichnam und Seelenwurm geschaffen – wenn ich mich doch ganz genau an meine Mutter erinnere? An Mutter Heidlinde, wie sie neben mir in der Kutsche saß, wie ihr Arm auf meinen Schultern lag, ihre Hand meine Hand umfasste. Es war ein milder Tag, in der offenen Droschke fuhren wir hart am Rand der Steilküste dahin. Der Kutscher trieb die beiden Pferde zu munterem Trab an, denn wir waren in Eile – am Mittag sollten

wir in Wolgast mit dem Pastor zusammentreffen, der mich examinieren sollte. Ich war sieben Jahre alt«, erzählte Sanno, »und meine Eltern wollten, dass ich vom Herbst an die Lateinschule besuchte. So genau, als ob es erst gestern gewesen wäre, erinnere ich mich an das Brausen des Nordmeers tief unter uns, an die Schreie der Möwen und den Geruch nach Salz und Fisch. Auf den Sandbänken vor dem Strand lagen Robben und bewegten träge ihre Flossen, und das Wasser flimmerte an manchen Stellen silbrig, so viele Fische wimmelten dort herum.«
Sanno schloss die Augen, er sah jetzt wirklich alles ganz genau so vor sich, wie Vater Lambert es ihm hundertmal geschildert hatte. Und er hörte die Schreie der Möwen und hatte den Meeresgeruch in der Nase, und nun erblickte er auch den Reiter, der ihnen auf seinem schwarzen Hengst entgegengesprengt kam.
»Unsere Pferde scheuten«, sagte er, »aus irgendeinem Grund erschreckten sie sich so sehr vor dem galoppierenden Rappen und dem Mann im Sattel, der mit seinem schwarzen Umhang, dem schwarzen Hut und Bart genauso finster wirkte wie sein schnaubender Hengst. Jedenfalls brachen unsere Pferde nach rechts aus, als der Reiter eben an uns vorbeijagte, und sie stürzten zwanzig Meter in die Tiefe, aufs Felsenufer hinab, und rissen uns mit sich ins Verderben.«
Als er die Augen wieder öffnete, sahen ihn Huck und Muck aus dem Dunkel ihrer Kapuze heraus aufmerksam an. »Und was ist dann geschehen?«, wollte Muck wissen.
»Ihr glaubt mir nicht«, rief Sanno. »Ich sehe euch doch an, dass ihr mir nicht glaubt!«
»Aber glaubst du selbst denn, was du uns erzählt hast?«
»Warum sollte ich euch denn belügen?«
»Nicht uns, Sanno – dich selbst.«
Zu Hunderten standen wollige Schafe wie angewachsen im Kraut und glotzten ihnen hinterher. Selbst das Blau des Himmels hatte

einen sandigen Unterton angenommen, und die Sonne über dem Lärchenwald schien einen sandfarbenen Schleier zu tragen, wie die Beduinen, die auf Lamberts Kupferstichen die Wüsten Arabiens auf Kamelen durchquerten.

»Aber ich weiß es ja alles noch ganz genau«, widersprach Sanno, und je länger er darauf beharrte, desto lebendiger schien die Erinnerung tatsächlich zu werden. In seinem Innern spürte er, dass dies alles nicht so ganz echt und wirklich war, aber er klammerte sich an die Fetzen, die Vater Lambert wieder und wieder an die Innenwand seines Gedächtnisses gemalt hatte – er war nicht wie Huck und Muck! Das spürte er, und daran würde er festhalten, wie sehr sie ihn auch bedrängten.

»Wie lange ich damals ohne Bewusstsein war, weiß ich nicht«, fuhr er fort, »aber ich erinnere mich, dass ich am Unglücksort zumindest einmal kurz zu mir gekommen sein muss – da lag ich in den Armen von Mutter Heidlinde, sie umfing mich von hinten, und als ich den Kopf zu ihr zurückdrehte, waren ihre Augen ganz starr, und aus ihrem Mund rann ein dünner Faden Blut. Wir waren aus der Droschke geschleudert worden und lagen auf dem Fels, direkt neben der zerborstenen Deichsel. Splitter aus dem Deichselholz, einige so dick wie ein Männerfinger, hatten sich in meinen Bauch gebohrt, und mit dem schmerzlichen Gedanken, dass Mutter Heidlinde tot war und ich wohl auch sterben musste, verlor ich wieder das Bewusstsein.«

Sanno musste innehalten. Niemals hatte er das Kutschunglück lebendiger mitempfunden als in diesem Moment. Noch immer schien ihm die Erinnerung nicht ganz vertrauenswürdig, aber das kam vielleicht nur daher, dass er seinen Argwohn so lange und hartnäckig genährt hatte. »Das Nächste, woran ich mich dann wieder erinnere«, sagte er abschließend, »ist meine Kammer in Lamberts Gutshaus – der Vater hatte mich in einen Heilschlaf versetzt, aus dem ich erst viele Wochen nach dem Unglück

wieder erwachte. Da waren meine Verletzungen schon halbwegs verheilt, die Wunden vernarbt.«
Huck und Muck zogen plötzlich die Zügel an. »Ho, ho.« Die beiden Kaltblüter machten noch zwei langsame Schritte und blieben dann stehen. »Die Narben an deinem Leib«, sagte Muck sanft, »zeigst du sie uns?«
»Wenn sie nicht verlaufen wie bei uns«, fügte Huck hinzu und fuhr sich mit dem Finger von der Kehle abwärts, »oder entlang dem Gürtel, denn auch so kann man natürlich einen Leichnam zweiteilen« – mit der Handkante fuhr er an ihrer Leibesmitte entlang –, »dann ist ja ein für allemal klar, dass du wirklich nicht wie wir bist. Und dann werden wir auch nie mehr auf diese Angelegenheit zurückkommen – das schwören wir dir!« Sie hoben jeder ihre eine Hand und sahen Sanno feierlich an.
Unbehaglich saß Sanno da und wusste nicht, was er machen sollte. Er lauschte nach hinten, aber von Lunja und Madeleine war nichts zu hören. Die beiden Mädchen durften auf keinen Fall die scheußlichen Wülste auf seinem Bauch sehen! Aber die Zwillinge – eigentlich hatten sie ja recht, dachte Sanno, sogar sehr viel mehr recht, als sie zu ahnen schienen. Wenn er ihnen die Narben auf seinem Bauch zeigte, konnten sie niemals mehr behaupten, dass er von ihrer Art sei. Sein Leib war nie entzweigehackt worden, weder der Länge noch der Breite nach.
Noch während er überlegte, begann er, an seinem Gewand zu nesteln. Er schlug den Umhang zur Seite, zog sich das Hemd bis zum Hals hoch und erhob sich halb, damit die Brüder ihn durch die Luke in Augenschein nehmen konnten. »Da seht ihr es selbst«, sagte er mit gedämpfter Stimme, um nicht doch noch Lunja oder Madeleine herbeizulocken. »Diese Narben stammen von dem Unfall, wie ich es euch gesagt habe – Splitter aus der Deichsel haben sich in meinen Bauch gebohrt. Der Medikus hat alles wieder zusammengeflickt, aber es sieht schrecklich aus.«

Er schloss die Augen, um seine Tränen zu verbergen. »Es tut mir leid, Huck und Muck, dass ich so ein Geheimnis darum gemacht habe, aber ich kann einfach nicht anders – ich schäme mich so für diese Entstellung, ich weiß auch nicht, warum. Wo einmal mein Nabel war, sind jetzt diese grässlichen Narben und Wülste, aber es kommt mir noch viel ärger vor – so als ob ich damals nicht nur meinen Nabel, sondern ein Stück von meiner Seele verloren hätte.«

Als er die Hände der Brüder auf seinem Bauch spürte, hielt er den Atem an. Es war ihm schrecklich unangenehm, aber er zwang sich stillzuhalten. Er machte die Augen wieder auf, doch sein Blick war verschwommen. Er hörte, wie die Brüder miteinander tuschelten. Schließlich ließen sie wieder von ihm ab.

»Du hast recht, Sanno«, sagte Huck, »wir haben uns geirrt, du bist wohl doch nicht ganz von unserer Art. Aber wir glauben, dass auch du dich getäuscht hast, oder genauer, dass du getäuscht worden bist.«

Sanno ließ sich zurück in den Sessel fallen und wischte sich über die Augen. Mit der anderen Hand zog er sich das Hemd wieder herunter. »Was meinst du damit?«, fragte er.

»Vielleicht war es gerade andersherum, als du anzunehmen scheinst – vielleicht haben die Narben deinen Nabel überhaupt nicht zerstört.«

»Für uns hat es jedenfalls ganz diesen Anschein«, bekräftigte Muck, »und glaube uns bitte – mit Narben, Wülsten und solchen Dingen kennen wir uns ziemlich gut aus.«

Sanno verstand nun überhaupt nichts mehr. Müde schüttelte er den Kopf.

»Soweit wir es beurteilen können«, ergriff wieder Huck das Wort, »wurden diese Narben in deinen Leib geschnitten, um zu verbergen, dass du niemals einen Nabel besessen hast.«

Unruhig warf sich Sanno auf dem Strohlager in Godobars Verschlag hin und her. In dieser Nacht würde er kein Auge zutun, das spürte er genau. An seiner Seite lag Lunja, ihr Atem ging sanft und regelmäßig. Seit sie mit dem Kerkerwagen unterwegs waren, waren sie tagsüber kaum mehr miteinander allein gewesen. Lunja saß oft stundenlang mit Madeleine zusammen, und dann schwärmten die beiden Mädchen von Dingen, die Sanno teilweise kaum dem Namen nach kannte – Geschmeide, Juwelenkronen, vornehmen Gewändern. Sie malten sich aus, wie sie Bälle in Adelspalästen besuchten, von edlen Jünglingen zum Tanz gebeten wurden und wie sich ihr Leben in einen Wirbel aus Glück und Schönheit verwandelte.
Vorhin, ehe sie eingeschlafen war, hatte Lunja in sein Ohr geflüstert: »Was Madeleine und ich da plappern, ist nur törichte Schwärmerei. Hör nicht drauf, Sanno – ich hab ja nur dich lieb, ich will keinen andern, mein ganzes Leben nicht, mein liebster Freund.«
Und er lag auf ihrem Strohlager, warf sich hin und her und dachte: Die Mordbrenner, die uns durchs halbe Land verfolgt haben, sind es die Häscher von Monsignore Taurus? Seit Wochen und Wochen war er unterwegs, aber im Grunde war er keinen Schritt weitergekommen. Was würde sie im Haus am Nordmeer erwarten? Ob sich das düstere Gemäuer überhaupt noch dort an der Steilküste befand? Vielleicht war es von Brandstiftern in Schutt und Asche gelegt oder durch einen Sturm vom Felsen gefegt worden – und dann wäre ihre ganze weite Reise vergebens gewesen, statt einer Erklärung für all die grässlichen Rätsel am Grund seiner Seele würden sie nur ein paar rußgeschwärzte Steine finden.
Aber eigentlich glaubte er nicht daran. Nein, dachte Sanno, dort auf der Landzunge werde ich meine Wahrheit finden. Und ihm graute so sehr davor, dass er sich zusammenkrümmte und noch ruheloser hin und her warf.

Wer war der Hüne, der uns in jenem Haus gefangen gehalten hat, mich und die anderen Kinder, dachte er wieder. War es ein heidnischer Zauberer wie jener Wittiko, von dem Jerzy erzählt hat – ein Magier, der sich auf die teuflische Kunst verstand, Kreaturen durch Götterbrand zu erschaffen oder aus der Geisterwelt herbeizubeschwören? Aber meine Haut und mein Fleisch gleichen den Leibern anderer Menschen, dachte er dann wieder, ich bin nicht aus Engelsfleisch geschaffen worden – und noch weniger aus einem entzweigehackten Leichnam wiedererweckt.
Aber warum sonst, fragte sich Sanno, sind mein Kopf und mein Leib durch diese Wülste verstümmelt – wenn nicht durch jenes Kutschunglück? Während er Huck und Muck erzählt hatte, wie die Kutsche abgestürzt war, hatte er Augenblicke lang selbst beinahe geglaubt, dass sich alles so abgespielt hatte. Aber nur beinahe. Nicht lange danach war der Eindruck wieder verblasst, und wenn er jetzt an die tausendmal gesehene Szene dachte – an den herbeisprengenden Reiter, seinen schnaubenden Hengst, ihre in den Abgrund gerissene Droschke –, waren es doch wieder nur Bilder jener Art, wie sie Vater Lambert zu Tausenden in seinen Kopf gebannt hatte, flächig, gläsern, leblos.
Was sonst also war dort im Haus an der Steilküste geschehen, was nur? Wenn Sanno auch nur flüchtig an die Behauptung der beiden Brüder dachte, dass er niemals einen Nabel besessen hätte, durchschnitt ihn ein unerträglicher Schmerz. Bis in sein Innerstes begann er dann zu frieren, seine Lippen wurden taub, und sein Herz krampfte sich zusammen. Mein Herz wie ein hohler Apfel, vom Wurm meiner Ängste zernagt. Nein und nein, dachte Sanno, es konnte nicht sein, er war keine verworfene Kreatur, auf teuflischen Wegen ins Leben gerufen, er war ein Mensch wie alle anderen, von einer Mutter zur Welt gebracht.
Doch da war wieder diese Stimme in seinem Innern, die ihm leise und beharrlich widersprach. Du hattest recht, Sanno, du bist

nicht wie Huck und Muck, wie Larian Fellmann oder Madeleine und Mademoiselle Ira. Du bist kein Monstrum von ihrer Art – mit dir steht es tausendmal ärger.

33

Lange schon waren das prächtige Leipzig und das bröcklige Wittenberg hinter ihnen versunken, und weiter nördlich schien es kaum mehr Siedlungen zu geben, in denen mehr als ein paar Dutzend oder hundert Seelen hausten. In den märkischen Weiten konnte man tagelang auf sandigen Wegen dahinziehen, ohne einem Menschen zu begegnen oder auch nur einem streunenden Hund. Ebenso gut hätten sie mit ihrem schwarzen Eisenwagen über den Mond oder die Milchstraße rumpeln können. Ab und an trafen sie auf einen Schäfer, der sie von weither mit seinem Knotenstock grüßte, oder auf einen Bauern mit der Karre voller Rüben. Einmal schwatzten Sanno und Larian mit einem wandernden Gesellen, der bei seiner Seligkeit schwor, dass auch der große Herr Faust auf dem Weg nach Norden sei.

Als sie die Türme der freien Stadt Rostock am Horizont erblickten, neigte sich der August schon dem Ende zu. Seit Tagen war der Meergeruch immer stärker geworden, und mittlerweile meinte Sanno sogar ab und an schon Möwengeschrei zu hören, das der Wind von der See zu ihnen hertrug.

Mit ihren geschnürten Bündeln saßen Sanno und Lunja neben Larian auf der Kutschbank. Langsam und gleichmäßig trotteten die Kaltblüter voran. Es wurde Zeit, Abschied zu nehmen.

Am Vorabend hatten die Zwillinge, Larian und Madeleine sich noch einmal lange besprochen, doch ihr Plan stand seit vielen Tagen fest. Sie würden Lunja und Sanno bis vor die Tore von

Rostock bringen, dort jedoch umkehren und auf derselben Straße, auf der sie gekommen waren, zurück ins Landesinnere fahren.
»Wir haben die Freiheit gekostet, meine Freunde«, sagte Larian mit wohlklingender Stimme, »endlich einmal sind wir als unsere eigenen Herren mit dem Kerkerwagen durchs Land gefahren, ohne Angst vor Godobars Peitsche, ohne die schreckliche Gewissheit, in der nächsten Stadt wieder als Monstren vorgeführt und den Grausamkeiten des Publikums ausgeliefert zu sein. Ihr könnt euch kaum vorstellen, Lunja, Sanno, wie sehr es uns beglückt, von Godobars Tyrannei befreit zu sein.«
Er strich sich mit der Hand über Stirn und Wangen, die durch das häufige Balbieren wund und aufgeschürft waren. Nur noch wenige Wochen, dann würde Larian den Kampf gegen sein Affenfell wieder aufgeben – und diesmal für immer, wie er ihnen erklärt hatte. »Aber unser Platz ist nicht bei den Menschen«, fuhr er fort, und ein wehmütiges Lächeln huschte über sein Gesicht. »Wir sind nun einmal Monstren, und in einer Welt, die von einköpfigen Leuten mit glatter Haut beherrscht wird, würden wir über kurz oder lang doch nur wieder in die Hände eines Monstrenfängers geraten, der uns womöglich noch schlechter behandeln würde als Godobar.«
An einer Wegbiegung wenige Meilen vor dem Stadttor von Rostock hielt Larian den Verlieswagen an. Sanno und Lunja sprangen herab, beide trugen wieder die tannengrünen Umhänge, Gewänder und Hauben, die ihnen die freundliche Försterin im Thüringer Wald geschenkt hatte.
Auch Larian stieg vom Kutschbock, hinten ging quietschend die Tür des Kerkerwagens auf, und Madeleine kam heraus, gefolgt von Huck und Muck.
Feierlich nahmen sie voneinander Abschied. Die Zwillinge zogen Sanno an ihre breite Brust und klopften ihm auf die Schultern.

»Du wirst das Rätsel lösen, das dich so sehr quält und ängstigt«, sagte Muck, »ich spüre es ganz deutlich.«
»Viel Glück auf deinem Weg, Sanno«, fügte Huck hinzu. »Wir werden dir immer dankbar sein.«
Sannos Augen begannen schon wieder verdächtig zu brennen, und in seiner Kehle steckte ein dicker Klumpen. Er konnte den Brüdern nur wortlos zunicken, und als er sich umwandte, flog Madeleine an seine Brust.
So zierlich und zart lag sie in seinen Armen, dass er sich kaum zu rühren wagte, aus Sorge, ihren Feenleib versehentlich zu zerdrücken. »Liebster Sanno, mein Retter.« Den Kopf in den Nacken gelegt, die Haare schimmernd wie schieres Gold, strahlte sie zu ihm hinauf. »Ich werde auf dich warten – eines Tages wirst du wiederkommen und mich von Mademoiselle befreien.«
In seiner Verwirrung fuchtelte er mit den Händen hinter ihrem Rücken herum und bekam plötzlich den Leib von Mademoiselle Ira zu fassen. Er fühlte sich ekelhaft an, unter der dünnen Haut spürte Sanno einen knochigen Klumpen. Seine Arme sanken herab, er taumelte zurück.
Auch Madeleines Augen füllten sich mit Tränen. »Schwöre mir, dass du mich niemals vergessen wirst, Sanno. Dass du eines Tages kommen wirst, um mich von der Dämonin zu erlösen. Schwöre es, ich flehe dich an!«
Aber er konnte sie nicht retten, nicht erlösen, und selbst wenn er den falschen Schwur hätte leisten wollen, er hätte kein Wort herausgebracht. So nickte er auch Madeleine nur stumm zu und war erleichtert, als Larian seine Hand ergriff und ihn zu sich heranzog.
»Sanno, mein treuer Gefährte. Und auch du, Lunja, meine selbstlose Freundin, kommt zu mir.« Mit der Linken griff er nach ihrer Hand und zog auch sie herbei. »Bisher haben wir euch nur gesagt«, fuhr er fort, »dass wir uns ein sicheres Plätzchen irgendwo

im Land suchen wollen. Doch für die Zwillinge, Madeleine und mich steht eigentlich seit Tagen schon fest, wo wir unser restliches Leben verbringen wollen – auf dem Platz, wo wir unsere Befreiung mit euch gefeiert haben und wo unser einstiger Herr und Peiniger begraben liegt.«
Sanno und Lunja sahen voller Erstaunen von einem zum anderen. »Dort gehören wir hin«, fuhr Larian mit klangvoller Stimme fort, »dort werden wir ein kleines Paradies für menschliche Monstren wie wir selbst errichten – ein Paradies ohne Schlange und ohne zornigen Gott.« Er küsste erst Lunja auf die Wange, dann Sanno auf die Stirn. »Kommt uns eines Tages besuchen, meine Freunde – ich bin sicher, dass nach und nach weitere Monstren den Weg zu uns finden werden.« Er lächelte sie an, auch seine Augen glitzerten. »Wir werden unser Glück finden – und ihr beide, Sanno und Lunja, auch.«

Dritter Teil:

Maledun

34

Die See rollte und wogte, brauste und schäumte. Möwen kreisten über dem Wasser, fielen plötzlich wie Steine hinab und durchstießen den schimmernden Spiegel. Ihre Schreie hallten in Sannos Kopf wider, vermischten sich mit dem intensiven Salzgeruch und dem Gefühl prickelnder Wärme auf der Haut.
Neben Lunja stand er am Strand, die Zehen im feuchten Sand vergraben. Endlich am Nordmeer! In diesem Moment fühlte er sich so unbeschwert wie kaum jemals vorher. Die Sonne schien vom wolkenlosen Himmel, dessen strahlendes Blau mit der Bläue der See zu wetteifern schien. Alles schien zu hüpfen und zu schaukeln, jedes träge Ding, jeder schwermütige Gedanke bekam eine tänzerische Leichtigkeit, wenn man nur lange genug auf die schwankende See hinaussah.
Auch in Sannos Gliedern begann es zu kitzeln und zu zucken. Er warf seinen Umhang in den Sand und fing an, Räder zu schlagen, auf den Händen zu laufen, er konnte nicht anders! Der warme weiche Sand unter seinen Fingern fühlte sich einfach großartig an. Taumelnd lief er dem zurückweichenden Wasser hinterher – und dann auf hastigen Händen wieder ins Trockene, als auf einmal eine riesige Welle auf ihn zugeschossen kam.
Schließlich ließ er sich in den Sand fallen, erhitzt und atemlos. »Ich spüre es mit jeder Faser, Lunja – hier bin ich geboren, hier komme ich her!«
Sie setzte sich neben ihn und sah zu, wie er Steine in die Luft warf und wieder auffing – erst sechs, dann sogar acht kleine Kie-

sel. In den Augenwinkeln bemerkte er, dass sie ihn wieder so schmerzlich, so voller Mitleid anschaute, wie er es überhaupt nicht mochte – als ob er zum Tode verurteilt wäre, zu ewigem Höllenfeuer, und Lunja allein wüsste davon und brächte es nicht übers Herz, ihm die Wahrheit zu sagen.

Doch ebenso wenig konnte Sanno sich überwinden, sie neuerlich zur Rede zu stellen. Sag mir doch endlich, warum du mich immer wieder so anschaust! Sie würde ihm doch wieder nur eine ausweichende Antwort geben. Und er wollte es auch gar nicht wissen, nicht jetzt, da ihn mit jeder anbrandenden Welle, jedem Möwenschrei aufs Neue das Gefühl durchrieselte, dass alles doch noch gut werden würde. Alle Angst, alles Grauen, alle schlimmen Ahnungen würden sich auflösen wie Nebelfäden im Sonnenschein, das spürte er ganz genau!

Sanno ließ die Steine in den Sand fallen und legte schüchtern seinen Arm um Lunjas Schultern. »Vielleicht hätten wir doch versuchen sollen, nach Rostock hineinzukommen?«

Sie hob die Schultern unter seinem Arm und ließ sie ganz langsam wieder sinken. »Es war schon besser so, dass wir gleich weitergegangen sind. Mir ist dieser Herr Faust wirklich nicht geheuer, und ich verstehe sowieso nicht recht, was du dir überhaupt von ihm erhoffst. Und außerdem, du hast es ja selbst gesagt – wo Faust ist, da sind die Hexenjäger nicht weit.« Sie schüttelte sich und schmiegte sich dann enger an Sannos Seite. »Wenn ich nur dran denke, wie dieser Monsignore Tausendfuß mich damals angesehen hat. Und dann erst sein Sekretär, der hagere Kleine, wie hieß er noch gleich?«

»Savorelli.« Auch Sanno überlief ein Frösteln, wie immer, wenn er an den Hexenjäger mit dem Aussehen eines ältlichen Knaben dachte. »Du hast recht, Lunja, was brauche ich jetzt noch den Herrn Faust – wir sind ja kurz vor dem Ziel.« Worin immer dieses Ziel bestehen mag und was immer uns dort erwartet.

Eine Weile schauten sie wieder schweigend aufs Meer hinaus. Auch Sanno selbst graute immer mehr vor dem Herrn Faust, je länger ihre Begegnung in Gelnhausen zurücklag. Wie der Magier damals auf dem Obermarkt die tausendköpfige Menge verzaubert hatte! Mit seinem Blick, der wie ein glühend roter Finger in den geheimsten Seelenwinkeln umhertastete. Und mit der schauerlichen Kreatur, die er aus dem gläsernen Behältnis hervorgeholt und in seinen Hut gesetzt hatte! Nein, es war gut so, dass sie in gebührendem Abstand an der östlichen Stadtmauer von Rostock vorbeigegangen waren, geradewegs dem Nordmeer entgegen.
Eine Möwe landete ein paar Schritte neben ihnen im Sand und äugte mit ruckendem Kopf zu ihnen herüber. Ein zweiter, kleinerer Vogel stürzte sich auf sie, und beide Möwen stoben kreischend wieder in die Lüfte empor. »Wie es Madeleine und den anderen jetzt gehen mag?«, sagte Sanno leise.
»Noch ein paar Tage, dann haben sie es geschafft – ganz bestimmt.« Lunja sah ihn lächelnd von der Seite an, ihre schwermütige Stimmung schien mit den Möwen davongeflogen. »Larian wird schon dafür sorgen, dass sie unbehelligt durchkommen.«
Erst vor Stunden hatten sie von den Gefährten Abschied genommen, und doch kam es Sanno so vor, als ob ihre Reise im Kerkerwagen eine halbe Ewigkeit zurückläge. Oder mehr noch – als ob es nur ein verworrener Traum gewesen wäre, viel weniger wirklich als das Brausen des Nordmeers, die irren Schreie der Möwen oder das plumpe Boot, das er auf einmal da draußen auf dem Wasser erblickte.
Er zeigte Lunja den stumpfnasigen Kahn, und sie beide kniffen die Augen zusammen und beobachteten die wuchtige Gestalt, die sich eben über das Heck beugte und ein Netz mit schimmerndem Inhalt an Bord zog.
Bei der Vorstellung frischer Fischstücke, die in einer Pfanne brut-

zelten, lief Sanno das Wasser im Mund zusammen. »Schau, der Fischer setzt ein Segel«, sagte er. »Bestimmt bringt er seine Beute an Land.«
Sie sprangen auf und warteten gespannt, in welche Richtung er lossegeln würde. Zu ihrer Enttäuschung wendete er nach links und steuerte sein Schiffchen entlang der Küste gen Osten. Doch es wehte nur ein schwacher Wind, und so kam er bloß langsam voran, kaum schneller als ein hurtiger Wanderer an Land.
»Rasch hinterher«, sagte Lunja. »In zwei Stunden wird es dunkel – wenn wir Glück haben, lässt er uns in seiner Kate übernachten.«
»Und bewirtet uns vorher mit ein paar Fischen aus seinem Netz!« Sanno ergriff mit der Rechten Lunjas Hand, klaubte mit der Linken seinen Umhang aus dem Sand, dann rannten sie dem Boot hinterher, das in einer Entfernung von höchstens zweihundert Schritten am Strand entlangschipperte.
Doch im nachgiebigen Sand zu laufen war mühsamer, als Sanno erwartet hatte. Obwohl sich das Boot kaum schneller als sie selbst zu bewegen schien, gewann es unaufhaltsam an Vorsprung. Über mehrere Meilen verlief die Wasserlinie schnurgerade, sodass sie den Kahn zumindest im Blick behalten konnten. Doch dann ging der Strand in eine lang gezogene Felsenbucht über, an der der Fischer einfach vorbeisegeln konnte, während Sanno und Lunja gezwungen waren, dem bauchigen Verlauf der Küste zu folgen. Felsige Abschnitte wechselten sich mit Sandhügeln ab, die mit messerscharfen Schilfgräsern überwuchert waren. Einmal tauchten zwei Berittene in prächtigen Uniformen zwischen den Sandhügeln auf, und Sanno und Lunja flohen Hals über Kopf in eine Felshöhle. Wenig später kamen ihnen drei Männer entgegen, die Netze und Angelruten mit sich trugen, als ob es Fischer aus der Gegend wären. Aber ihre Haut war bleich, nicht von Sonne und Seeluft gegerbt, und nach einem raschen

Blickwechsel verbargen sich Lunja und Sanno hinter einem Wall aus Schilfrohr, bis die drei Männer vorbeigezogen waren. Als sie sich endlich wieder aus ihrem Versteck hervorwagten, dämmerte schon der Abend, und von dem Fischerboot draußen auf dem Meer war weit und breit nichts mehr zu sehen.

Zwischen aufgequollenen Baumstämmen und sonstigem Strandgut, das von der Flut an Land geworfen worden war, blieben sie schließlich stehen. »Da drüben ist ein Wäldchen«, sagte Lunja. »Vielleicht finden wir dort einen Unterschlupf für die Nacht.« Sie deutete auf ein kleines Waldstück einige Meilen landeinwärts.

Aber Sanno wollte nichts davon wissen. »Lass uns noch ein wenig hier am Wasser weitergehen. Bis zur Hütte des Fischers kann es nicht mehr weit sein, und die Sonne geht erst in einer Stunde unter.«

Diesmal sollte Sanno recht behalten —sie kämpften sich durch ein Sandfeld, in dem sie bei jedem Schritt bis unter die Knie einsanken, und gelangten schließlich zu einer weiteren kleinen Bucht. Blutrot ging eben die Sonne draußen im Nordmeer unter. Das Brausen der See klang auf einmal bedrohlich. Vor einer Felswand am Rand der Bucht stand eine Hütte, die wenig anheimelnd wirkte. Das Holz der Wände war vor Nässe und Alter fast schwarz. Die Fensterläden waren verrammelt, die Tür hing schief im Rahmen. Nur wenige Schritte davor, halb im flachen Wasser, halb auf den Strand hinaufgezogen, lag der stumpfnasige Nachen. Das Segel war wieder eingeholt worden, das über dem Bug ausgebreitete Netz bis auf ein paar schimmernde Schuppen leer.

»Wir klopfen an«, sagte Sanno, »oder?« Aus irgendeinem Grund war er beinahe sicher, dass gerade dieser Fischer ihnen weiterhelfen würde.

Lunja hob die Schultern und nickte.

Die Tür schwang vor ihnen auf, noch bevor sie angeklopft hatten. Auf der Schwelle stand ein stämmiger Mann mit dichten schwarzen Haaren, die von grauen Strähnen durchzogen waren. Argwöhnisch musterte er die beiden Fremden – ein halbwüchsiges Pärchen in tannengrünen, schlotternd weiten Gewändern. »Was wollt ihr«, sagte er mit müder Stimme, »wir sind arme Leute, die selbst kaum genug zum Beißen haben.«

Hinter ihm in der düsteren Stube bemerkte Sanno eine Frau, die mit gebeugtem Rücken am Tisch saß und mit einem Messer Fische ausweidete, ohne sich um sie zu bekümmern. »Wir wollen nicht betteln«, sagte er rasch, denn der Fischer machte schon Anstalten, ihnen die Tür vor der Nase zuzuschlagen. Er holte seine vorletzte Münze hervor und schloss die Faust um das kleine Silberstück. »Wir kommen von weither«, fuhr Sanno fort, »und wir suchen ein Haus, das hier an der Küste des Nordmeers stehen muss. Ich bitte Euch, gebt uns zu essen und einen Winkel mit ein wenig Stroh für die Nacht. Wenn Ihr uns überdies helft, das Haus zu finden, so soll dieser Weißpfennig Euch gehören.«

Er öffnete seine Hand, und der Fischer starrte wie bezaubert auf die Münze, die im Schein des hinter ihm flackernden Herdfeuers funkelte. »Bist du von Sinnen, Junge – so viel Geld für so wenig Mühe?« Er legte seine sehr viel größere Hand um Sannos Rechte und schloss diese erneut zur Faust. »Steck es lieber wieder weg, ehe ich doch noch schwach werde. Weißt du, wie viele Fische ich fangen und verkaufen muss, um auch nur ein Viertel deines Weißpfennigs zu erlösen?« Er trat zur Seite und deutete in die Hütte. »Also kommt meinetwegen herein. Aber lass dir eines gesagt sein, Bursche – für ein paar Happen Fisch und ein Nachtlager würde ich selbst in der Goldenen Robbe in Rostock höchstens zwei Kupferpfennige bezahlen.«

An der wuchtigen Gestalt des Fischers im löchrigen Leinenhemd vorbei zwängten sie sich in die Hütte. Noch immer hatte die Frau

nicht zu ihnen herübergesehen. Ihr Haar war dünn und grau, die ganze Gestalt wirkte verhärmt. »Nimm die große Pfanne, Weib«, rief ihr Mann, indem er die Tür schloss und mit dem hölzernen Querbalken verriegelte. »Siehst du nicht – wir haben Gäste!«
»Gott zum Gruß, gute Frau.« Beim hellen Klang von Lunjas Stimme sah die Fischerin auf. Ihr Gesicht lag im Schatten, doch ein Lächeln schien über ihre Züge zu fliegen. »Wir sind Euch sehr dankbar«, fügte Lunja hinzu, »dass Ihr uns Gastfreundschaft gewährt.«
»Ihr müsst schon entschuldigen. Vor bald zehn Jahren wurde unsere Hütte von Räubern überfallen, als ich mit dem Boot draußen auf dem Meer war.« Der Fischer trat hinter seine Frau und legte ihr eine Hand auf die Schulter. Mit der anderen griff er zum Schürhaken und fachte das Herdfeuer an. »Sie haben uns genommen, was uns teurer als alles auf der Welt war«, fuhr er fort. Seitdem hat sich meine arme Frau völlig aus der Welt zurückgezogen. Die Trauer hat sie stumm gemacht.«
—»Es tut mir so leid für Euch.« Sannos Hand zitterte, als er abermals unter sein Gewand griff. Er zog den Tuchfetzen aus der Tasche und spannte ihn so vor seiner Brust aus, dass das Seelenbild vom Herdfeuer beschienen wurde. »Wegen diesem Haus sind wir wochenlang bis hierher gewandert«, sagte er. »Und mein Wort gilt, guter Mann – wenn Ihr uns sagen könnt, wie wir dorthin gelangen, sollt Ihr den Weißpfennig bekommen.«
Jetzt erst fiel ihm auf, dass das breite Gesicht des Fischers einen verstörten Ausdruck angenommen hatte. Die Frau stieß plötzlich klagende Laute aus, und ihr Mann tätschelte ihre Schulter, doch sein Blick haftete auf Sannos Seelenbild.
»Ein verwunschener Ort«, sagte er schließlich. »Besser, ihr haltet euch von der Halbinsel fern.«
»Ihr kennt das Haus also?«, fragte Sanno.
Der Fischer nickte sichtlich widerstrebend. »Die Landzunge kenne ich und die Steilküste – bin früher oft genug mit dem Boot

dran vorbeigefahren. Aber das Haus? Soweit ich weiß, steht es seit vielen Jahren nicht mehr, doch ganz sicher bin ich mir da nicht.« Er fuhr sich mit der Hand über die Augen. »Der ganze Bau wurde wohl mit Steinen aus dem dunklen Fels von Maledun errichtet – so heißt die verfluchte Halbinsel –, und zumindest bei dunstigem Wetter hatte es immer schon den Anschein, als ob dort oben über der Steilküste gar kein Haus stünde. Als ob das Ganze einfach eine senkrechte Felswand wäre mit ein paar Löchern darin, die im Vorübersegeln wie Fensterluken aussehen. Aber wahrscheinlicher ist wohl, dass der Bau vor Jahren vom Feuer zerstört wurde.«

Der Fischer schüttelte den Kopf und starrte wieder auf Sannos Seelenbild. Als er weitersprach, klang es wie abergläubisches Murmeln in der Dunkelheit. »Seitdem soll kein Christenmensch mehr Maledun betreten haben. Nirgendwo ist der Wald dunkler, heißt es, und unwegsamer als dort. Dämonen hausen in dieser Wildnis. Wer sich dorthin verirrt, wird nie wieder . . .« Er unterbrach sich, seine Augen wurden eng, und abermals trat der argwöhnische Ausdruck in sein Gesicht. »Aber wie kommst du überhaupt zu diesem Bild, Bursche – und warum fragt ihr ausgerechnet nach dem Teufelshaus?«

Während Sanno noch überlegte, was er darauf antworten sollte, mischte sich Lunja ein. »Gestattet auch mir eine Frage, guter Mann. Was haben die Räuber Euch damals so Teures genommen – war es etwa Euer Kind?«

Der Fischer senkte den Kopf. »Unsere beiden Kleinen, Knabe und Mädchen. Gorro war drei Jahre alt, Alia ein Jahr jünger – wir haben nie wieder von ihnen gehört.«

Abermals begann die Frau zu schluchzen. Ihre Hand mit dem Messer zuckte, plötzlich fing sie an, wie rasend auf den Fisch einzuhacken, der vor ihr auf der Tischplatte lag.

Der Mann beugte sich von hinten über sie und entwand ihr das

Messer, dazu murmelte er ihr beruhigende Worte ins Ohr. Eine Weile zuckte die kleine weiße Hand noch unter der braunen Pranke des Fischers, endlich sackte die ganze verhärmte Gestalt in sich zusammen, und das Schluchzen ging in leises Wimmern über.

»Hier drinnen kein Wort mehr.« Mit einem Schritt war der Fischer beim Herd, griff in die Esse und zog zwei Streifen Räucherfisch hervor. »Kommt mit mir vor die Tür.«

Umständlich riegelte er wieder auf, bedeutete Sanno und Lunja, die Hütte zu verlassen, und trat hinter ihnen in die Nacht hinaus. Das Meer heulte und brauste. Dünne Wolkenschleier bedeckten den Himmel. Der Mond sah aus wie ein riesiger Krummdolch, mit weißer Kreide auf schwarze Leinwand gemalt.

»Hinter der Hütte ist ein Verschlag, da könnt ihr meinetwegen die Nacht verbringen«, sagte der Fischer. »Aber wenn ich morgen bei Sonnenaufgang herauskomme, müsst ihr verschwunden sein.« Er warf Sanno die Fischstreifen zu. »Hier, gegen den ärgsten Hunger.« Damit wandte er sich um und machte Anstalten, in seine Hütte zurückzukehren.

Sanno stand wie betäubt in der Dunkelheit und schaute ihm hinterher. Gedankenfetzen wirbelten durch seinen Kopf. Wären ihre Kinder ein paar Jahre früher geraubt worden, so könnten diese Fischersleute meine wahren Eltern sein ... Dann wäre ich dieser Gorro ... Der stämmige Mann mit den grau gesträhnten Haaren wäre mein Vater ... Und die Frau drinnen meine Mutter – oh gütiger Gott ...

»Bitte erlaubt mir noch eine Frage«, sagte er zu dem Fischer, der schon dabei war, die Tür aufzuziehen. »Wurden noch weitere Kinder hier in der Gegend verschleppt – vor zehn Jahren oder auch in der Zeit davor?«

Grimmig schaute ihn der Fischer an, doch im nächsten Moment zerfloss sein Gesicht in bekümmertem Mitgefühl. »Ach so«, mur-

melte er und spuckte aus. Er ließ die Tür los, wandte sich wieder um zu ihnen und schaute einen Moment lang schweigend hinaus aufs dunkle Meer. »Wir leben hier sehr einsam und kommen nur selten mit anderen Leuten zusammen – ihr seht es ja selbst. Aber soweit ich weiß, sind damals auch aus anderen Hütten und Höfen kleine Kinder geraubt worden. Jahrelang ging das so. Schließlich haben wütende Fischer eine ganze Zigeunersiedlung weiter westlich am Meer niedergebrannt, aber das mit den Kindern hörte trotzdem nicht auf. Später habe ich hier und dort munkeln gehört, dass die verschwundenen Kinder nach Maledun verschleppt worden wären. Aber ob das stimmt oder bloße Ammenmärchen sind . . .«
Er hob die Schultern und spuckte aufs Neue aus. »Wie auch immer – meine Frau und ich beten seit damals jeden Tag, dass der liebe Gott unsere Kleinen zu uns zurückkehren lässt oder uns zumindest ein Zeichen sendet, dass sie bei Ihm droben im Himmel sind und sich wohlbefinden.« Seine schwielige Pranke zeichnete ein unbeholfenes Kreuz auf seine Stirn und Brust. »Und damit genug – Gott schütze euch auf eurem Weg.«
»Und ebenso Euch und Eure arme Frau«, antwortete Sanno. »Bitte sagt uns nur noch eines – wie kommen wir zur Halbinsel Maledun, wo früher das Teufelshaus gestanden hat?«
Der wuchtige Mann deutete mit dem Kopf nach rechts. »Drei Tagesmärsche ostwärts, immer die Küste entlang. Ihr könnt es gar nicht verfehlen – direkt hinter dem Weiler Althoff erstreckt sich die Landzunge hinaus ins Meer.« Er zog die Tür auf, verharrte auf der Schwelle und lauschte nach drinnen. »Was immer ihr auf Maledun sucht«, sagte er abschließend, »ihr werdet nichts finden außer Angst und Entsetzen, Teufelsspuk und Tod.«

35

Der Verschlag hinter der Kate erwies sich als windschiefes Gestell aus Pfählen und Brettern. Der Sandboden war weich und noch sonnenwarm, doch der Wind blies unablässig Sandkörner durch Ritzen und Fugen. Bald schon waren ihre Gewänder und Haare voller Sand, genauso ihre Ohren und Nasen, Mund- und Augenwinkel. Gierig machten sie sich über den Räucherfisch her, und selbst zwischen ihren Zähnen knirschte Sand.
Am Nordmeer waren die Nächte bereits im Spätsommer empfindlich kühl. Fröstelnd schmiegten sie sich aneinander, und bald schon war Lunja eingeschlafen. Sanno aber lag mit offenen Augen im Dunkeln und starrte durch die Bretterdecke zur verschleierten Mondsichel empor.
Ob irgendwo hier an der Küste seine Eltern lebten – von Schmerz und Kummer verdüsterte und verhärmte Leute wie der Fischer und seine arme Frau? Aber warum kann ich mich an meine wahre Mutter, meinen wirklichen Vater noch immer nicht erinnern, fragte sich Sanno – weshalb reicht mein Gedächtnis nur bis zum Verlies im Teufelshaus und keinen Tag weiter zurück?
Du kennst die Antwort, Sanno, antwortete eine innere Stimme, du kennst sie seit Langem – auch wenn du es immer noch nicht wahrhaben willst.
Wieder das Gefühl, als ob ihm ein Messer mitten durchs Herz schneiden würde. Nein, schrie es in ihm auf, das ist nicht wahr! Ich bin ein Mensch wie alle anderen, von einer Mutter geboren, von liebenden Eltern aufgezogen – bis eines Tages das Unglück über uns hereingebrochen ist!
Die See heulte und brauste. Hinter der dünnen Holzwand erklangen leise die Klagerufe der Fischerfrau. Schließlich fiel Sanno doch noch in unruhigen Schlaf.
Im Traum sitzt er wieder in jenem Verlies, die Tür ist angelehnt,

ein dünner Lichtstreifen dringt zu ihm herein. Doch diesmal bleibt der Riese mit Umhang und Kapuze fern, auch die Tür gleitet nicht weiter auf, nur die anderen Kinder irgendwo im Haus weinen und wimmern so grässlich wie an jedem Tag. Und da steht Sanno auf, wunderbarerweise trägt er keinerlei Fesseln, weder an den Fußknöcheln noch um seinen Hals. Er tappt zur Tür, sein Herz hämmert wie ein tobsüchtiger Klopfspecht, aber da draußen ist nichts und niemand – nur ein leerer Vorraum, mit brennenden Fackeln an den Wänden, und auf der anderen Seite wieder eine Tür, die gleichfalls offensteht.

Und da rennt Sanno los – im Traum ist es ein seltsames Gefühl, mit diesem kleinen, höchstens vier Jahre alten Körper zu rennen. Die Beine fühlen sich ein wenig taumelig an, die nackten Füße patschen über den Steinboden.

Hinter der zweiten Tür sind die Schreie, das Wimmern und Weinen noch lauter. Links und rechts zweigen dunkle Gänge ab, vor ihm steigt eine Treppe empor, und oben ist eine weitere Tür, auch sie halb offen, sodass er in die Nacht hinaussehen kann. Ein Schimmern von Sternen, ein irisierendes Halbdunkel, denn das Sternenlicht spiegelt und bricht sich tausendfach in der See.

Lange bleibt Sanno am Fuß der Treppe stehen, zerrissen zwischen Wagemut und Angst. Wenn der riesige Mann ihn hier draußen erwischt, er wird ihn zu Tode prügeln! Aber der Drang zu fliehen ist stärker – im nächsten Augenblick rennt Sanno die Stufen hinauf, huscht durch den Türspalt und ist einen Herzschlag später im hoch ummauerten Hof.

Wie eigenartig, selbst das Hoftor mit den schweren Eisenstäben, die oben in Pfeilspitzen übergehen, ist unverriegelt – Sanno packt es mit beiden Händen, zieht es mühsam einen Spaltbreit auf und zwängt sich hindurch.

Irgendwo hinter, unter ihm, brüllend und brausend, die See. Plötzlich das Gefühl, als ob er noch niemals hier draußen gewesen wäre. Als ob er sein ganzes Leben drinnen im Verlies gesessen, im Dunkeln gelauscht und gelauert hätte, auf jene seltenen Momente, wenn der riesenhafte Mann seine Tür aufschloss, um ihm einen Kanten Brot hinzuwerfen oder an seinem Ofen mit Bottichen und eigenartig geformten Glasgefäßen zu hantieren.

Und nun aber – drei Schritte vor Sanno der finstere Wald. Alarmrufe von Vögeln, trappelnde Pfoten, das langsam emporschleifende Jaulen, das er so oft von seinem Verlies aus gehört hat – Wölfe!, denkt Sanno im Traum. Da läuft er schon los, ist im nächsten Moment vom Dickicht verschlungen, spürt Laub und Nadeln, Steine und Wurzeln unter seinen Füßen, und Äste, Dornenranken peitschen ihm im Dunkeln gegen Arme, Wangen, Brust. Bald ist sein dünnes Hemd zerfetzt, er stolpert, rafft sich wieder auf, läuft weiter, jetzt aber mit einem Schluchzen und Brennen in der Kehle, das er mit Gewalt wieder herunterschlucken will.

Im Gebüsch glühen Augen. Mit pfeifendem Flügelschlag streicht ein gefiederter Räuber dicht an seinem Kopf vorbei. Er will zurück ins Haus! Lieber im Verlies hocken, als von diesen Bestien gerissen und gefressen zu werden. Lieber das Wimmern im Kerker hören als aus nächster Nähe das unheimliche Wolfsgejaule. Wieder fällt er hin, und wie er so auf dem Bauch im Dreck liegt, hört er die stampfenden Schritte irgendwo hinter sich. Jemand verfolgt ihn! Bestimmt ist es der riesige Mann, sein Kerkermeister, und bestimmt ist er außer sich vor Zorn, weil Sanno aus dem Verlies geflohen ist.

Er rappelt sich abermals auf, rennt taumelnd weiter, ohne irgendeine Ahnung, wo er ist, wohin er rennt, vielleicht im Kreis herum, vielleicht geradewegs auf die Steilküste zu, auf den Abgrund dreißig Meter oder mehr über dem Meer. Aber er muss weiterrennen, so schnell er irgend kann – der Verfolger kommt immer näher, schon hört Sanno das Knacken von Zweigen unter schweren Stiefeln, das Rauschen und Flattern des Umhangs, den keuchenden Atem. Und Sanno schreit und schreit – er ruft nicht um Hilfe, denn da ist niemand, der ihm helfen könnte, im ganzen Wald nicht, auf der ganzen Welt nicht, er war immer schon ganz allein. Und doch schreit er, alles in ihm kreischt, sein Herz schreit, seine Seele schreit, jede Faser seines Leibes kreischt und knirscht ihr Entsetzen, ihr Grauen, ihre Todesangst aus sich heraus, Angst seit dem ersten Atemzug, Entsetzen, seit er am Leben ist, Grauen in jedem einzelnen Moment seines gottvergessenen Daseins.

Und dann die Hand, die ihn im Nacken packt, wie eine Katze hochreißt, ganz dicht vor das Gesicht des Kapuzenmanns. Und Sanno macht die Augen zu, ganz fest zu, er will das Gesicht nicht sehen – alles wäre aus, alles vorbei, ich müsste sterben, denkt er, ich würde es nicht ertragen, sein Gesicht zu sehen. Er hat das Gefühl zu brennen, von Kopf bis Fuß, sein ganzer Körper brennt, vor Angst, vor Erschöpfung, vor heißem Schweiß, und er schreit und schreit, während der Mann ihn im Nacken gepackt hält und sein keuchender Atem über Sannos Gesicht fährt . . .

»Sch, sch, Sanno – nur ruhig, mein liebster Freund.«

Er wand sich in ihren Armen – er wusste, dass es Lunjas Arme waren, aber zugleich spürte er weiterhin die Hand in seinem Genick. Und er schrie noch immer, er konnte einfach nicht aufhören, er war gleichzeitig in beiden Welten – in der Hand des Riesen und in Lunjas Armen, im Wald von Maledun und in diesem Bretterverschlag am Meer. Er war nackt, denn der Mann hatte ihm das Hemd heruntergefetzt, oder es war durch Dornen und Äste zerrissen worden. Er spürte das tannengrüne Gewand auf seiner Haut, und genauso spürte er die Hände, den Atem des Mannes auf seinem Körper, er zappelte und wand sich zwischen den Händen, schreiend, kreischend, außer sich vor Entsetzen,

und er spürte Lunjas Arme, die ihn umschlangen, festzuhalten versuchten.
»Ruhe, verfluchter Bursche!« Die Stimme kannte er, aber woher nur? »Hör auf zu schreien – oder ich stopf dir das Maul!«
»Er ist ja schon still.« Das war Lunja. »Nur ein Traum, hört Ihr, nur ein Traum.«
»Zum Teufel mit euch.« Vor dem Nachthimmel die Umrisse einer gedrungenen Gestalt – der Fischer! Jetzt fiel Sanno alles wieder ein. Er lag in dem Verschlag hinter der Fischerkate. Aber noch immer spürte er die Hände, den keuchenden Atem, wand sich zwischen den Händen, nackt, hilflos, und in seinem Innern schrie er noch immer, kreischte und heulte, auch wenn kein Laut mehr aus seinem Mund hervorkam.
»Meine arme Frau«, sagte der Fischer, »das Gerede am Abend war sowieso schon zu viel für sie. Also Ruhe jetzt, Bursche!« Er beugte sich zu Sanno herunter und fuchtelte drohend mit seiner gewaltigen Faust vor ihm herum.
»Bitte verzeiht, ich bin schon still«, sagte Sanno. Seine Stimme hörte sich seltsam verzerrt an – hoch und gepresst und atemlos.
Endlich richtete sich der Fischer wieder auf, brummelte noch etwas Unverständliches und schlurfte in seine Kate zurück. Sanno sah ihm hinterher, dem stämmigen Schattenriss vor dem Hintergrund der schwarzen See.
»Bitte lass mich.« Er wand sich aus Lunjas Armen, setzte sich aufrecht hin.
Lange saß er schweigend da und lauschte seinem Herzen, das sich nur ganz langsam wieder beruhigte. Den Schreien in seinem Innern, die nur zögernd erstarben. Der Angst, dem Entsetzen, dem Grauen, die in ihm umherflogen wie große, unersättliche Vögel.
»Als ich damals weggelaufen bin«, sagte er irgendwann, mehr zu sich selbst als zu Lunja, »als ich in tiefer Nacht durch den Wald

gestolpert bin mit drei, vier Jahren – da wollte ich nicht den lieben Gott auf seinem Berg besuchen, wie Vater Lambert mir weiszumachen versucht hat.«

»Wohin wolltest du denn sonst?« Lunjas Stimme, sanft wie ein Hauch.

»Da hab ich wohl eher versucht, vor dem Teufel zu fliehen.«

Seine Hände um Sannos Brust. Wie für immer trug ihn der Mann vor sich her, zurück in sein Verlies, ohne sich um Sannos Zappeln und Schreien zu kümmern.

In mir ist nichts als Angst und Nacht, dachte Sanno. Ich bin verloren, niemand kann mich retten, auch Lunja nicht.

36

Für einen gewöhnlichen Abend mitten in der Woche war die Schankstube im Gasthaus zu Althoff unerwartet voll. An drei langen Tischen saßen die Zecher dicht gedrängt – allesamt einheimische Fischer mit blonden oder grauen Bärten und von Sonne, Salz und Wind gegerbter Haut. Nur das runzlige Männchen mit den dünnen weißen Haaren, das einsam auf einem Schemel im hintersten Winkel hockte, fiel ein wenig aus dem Rahmen, aber fürs Erste nahm niemand von ihm Notiz.

Etwas größeres Aufsehen erregten die beiden dürren Gestalten in zerschlissenen grünen Gewändern, die Glockenschlag neun in die Schankstube traten, grüßend die Hauben von den Köpfen zogen und beim Wirt, der rund und rot hinter seinem Tresen thronte, Bratfisch und Apfelmost bestellten.

Aber die Männer an den langen Tischen waren viel zu aufgeregt, um sich lange mit diesem halbwüchsigen Pärchen aufzuhalten. So verstört der schlaksige Bursche um sich blickte, so gefasst wirkte daneben die Maid – sie lächelte scheu in die Runde, nahm ihren Gefährten bei der Hand und zog ihn zu einem schmalen Tisch weiter hinten in der Stube, wohin nur wenig Laternenlicht drang.

Die Fischer von Althoff schienen auch gleich wieder zu vergessen, dass überhaupt irgendwelche Fremden anwesend waren und zu Ohrenzeugen ihrer erregten Wortwechsel wurden. »Und ich sage – es geht wieder los!«, rief einer von ihnen, ein älterer Mann von bärenhafter Gestalt, und sah grimmig von einem zum andern.

»Fang doch nicht wieder damit an, Karst!«, schrie ein jüngerer Fischer. »Wie kann es denn gerade jetzt losgehen, nachdem acht Jahre lang überhaupt nichts passiert ist!« Der Zorn verfärbte sein Gesicht so feuerrot, als ob gleich das Blut aus seiner Haut hervorspritzen wollte. »Was hat der Teufelsmagier denn deiner Ansicht nach die ganze Zeit über da draußen gemacht? Vielleicht Maulwürfe gezüchtet?« Er lachte meckernd und verstummte gleich wieder, da niemand in sein Gelächter einstimmte.

»Na, er hat sich eben eine Weile still verhalten«, brüllte der alte Karst zurück, »aber jetzt ist der Teufel in ihm anscheinend wieder aufgewacht!«

»Zum Teufel mit dir und deinen Ammenmärchen!«, gab der Jüngere zurück. »Da draußen steht kein Stein mehr auf dem anderen, wo soll er denn all die Jahre gehaust haben?«

»Na, im Wald von Maledun eben, in einer Höhle, oder er hat sich eine Hütte gebaut – was weiß denn ich!« Der alte Karst fuhr sich mit gespreizten Fingern durch den langen grauen Bart. »Wann war denn einer von uns zuletzt da draußen? Woher wollt ihr denn wissen, wie es da heute aussieht?« Er unterbrach sich, nahm einen gewaltigen Schluck aus seinem Krug und wischte sich mit dem Handrücken über den Mund. »Damals hat es jedenfalls ganz genauso angefangen«, fuhr er fort, »ein Kind ver-

schwindet, und alle denken: Ein Unglück, die See wird den Kleinen verschlungen haben! Aber dann kommt das nächste abhanden und dann noch eins – drei unserer Kinder, ihr Männer von Althoff, in einer einzigen Woche! Ja, wollt ihr denn wirklich noch länger hier herumsitzen, saufen und blöde Reden schwingen, während der Teufelsmagier da draußen sein Unwesen treibt?«
Für einen Moment schwiegen alle und sahen Karst erwartungsvoll an. Doch als er nicht weitersprach, begannen sie wieder wild durcheinanderzuschreien.
»Entschuldigt, wenn ich mich einmische.« Der Bursche im tannengrünen Gewand nestelte an seinem Umhang, zog schließlich einen zerlumpten Tuchfetzen hervor. »Mein Name ist Sanno, und das hier ist Lunja«, fuhr er fort. »Wir kommen von weither – vom Bosengrund im Spessart, wenn diese Namen hier hoch droben im Norden überhaupt eine Bedeutung haben. Erlaubt mir bitte eine Frage, ihr guten Männer – kennt ihr das Haus hier? Habt ihr eben vielleicht sogar von diesem Gemäuer geredet?«
Er stand auf, trat ins Licht der Laternen, die über den Köpfen der Zecher aufgereiht hingen, und rollte sein Seelenbild aus. Die Wirkung war ungeheuerlich – beinahe so gewaltig wie damals, als Sanno das Bild vor Vater Lambert entrollt hatte. Die Männer starrten abwechselnd ihn und die Kohleskizze an. Einige Gesichter waren grau geworden, zitternde Hände tasteten nach Steinkrügen. In ihren Mienen las Sanno, dass sie mit dem Haus am Rand der Steilküste ähnlich grässliche Erinnerungen verbanden wie er selbst – an Schrecknisse, die damals ihren Kindern oder vielleicht auch ihren kleinen Geschwistern widerfahren waren.
»Wo hast du das her, Bursche?«, fragte schließlich der jüngere Fischer, der vorhin den graubärtigen Karst angeschrien hatte.
»Ein alter Mann hat es mir gegeben – auf dem Jahrmarkt in Gelnhausen.« Die Antwort schien die Fischer zu erstaunen, sie runzelten die Stirn und wechselten zweifelnde Blicke, fragten aber zu

Sannos Erleichterung nicht weiter nach. »Handelt es sich um das Haus, von dem ihr vorhin gesagt habt«, fragte er stattdessen, »dass dort kein Stein mehr auf dem anderen steht?«
»Allerdings.« Auch das vorhin noch feuerrote Gesicht des jüngeren Fischers war fahl geworden. Er stand auf, ging um die Tische herum und schüttelte erst Sanno, dann Lunja die Hand. »Ich bin Soren – mein kleiner Junge, Mika, wurde letzte Nacht aus meiner Hütte verschleppt. Erst vor einer Woche haben wir seinen dritten Geburtstag gefeiert.« Er wischte sich mit der Hand übers Gesicht und sah einen Moment lang gedankenverloren ins Leere, dann kehrte er mit schleppenden Schritten an seinen Platz zurück.
Auch Sanno setzte sich wieder auf seinen Stuhl, das zusammengerollte Seelenbild in der Hand. Er spürte den Blick des alten Karst auf sich, und als er zu ihm herübersah, glaubte er Argwohn oder sogar Feindseligkeit in seinen Augen funkeln zu sehen.
Bis vor acht Jahren, berichteten unterdessen Soren und einige andere Männer, wobei sie einander immer wieder ins Wort fielen und sich gegenseitig überschrien – bis zum Sommer 1509 A.D. habe auf Maledun ein Teufel in Menschengestalt mit seinen Gehilfen gehaust. Kinder von nah und fern habe er in seinen Verliesen gefangen gehalten, grausamen Heidengötzen habe er die Kleinen geopfert in gotteslästerlichen Messen und Ritualen. Lange Zeit hätten sie hier in Althoff von seinem Treiben nichts bemerkt, da die Halbinsel seit altersher als verwunschen galt und deshalb von den Leuten aus Althoff gemieden wurde. Außerdem habe er in den ersten Jahren immer nur Kinder aus entfernteren Weilern oder Höfen verschleppt. Aber dann seien kurz hintereinander drei Kinder aus ihrem eigenen Dorf verschwunden, und da hätten sie einen Suchtrupp zusammengestellt, der schließlich auch auf die Landzunge vordrang. Die Männer durchsuchten Wald und Moore und gelangten endlich zu dem Haus an der

Steilküste. Schon von Weitem hörten sie jämmerliches Weinen von einem Dutzend Kinder oder mehr, und in ihrer Wut und Sorge griffen sie das Haus des Teufelsmagiers auf der Stelle an.

»Ich selbst war bei dem Angriff auf das Satanshaus dabei«, nahm schließlich wieder der alte Karst das Wort. »Wir waren nur zu sechst – außer mir noch der lange Krol da drüben, dessen Stirn damals mit dem Säbel von einem der Teufelsdiener zusammengestoßen ist, und vier andere, die bei dem Kampf wohl ihr Leben gelassen haben. So genau wissen wir das allerdings nicht, denn vor seiner Flucht hat der Teufelsmagier das ganze Anwesen in Brand gesetzt, und wie es aussieht, sind unsere Gefährten in den Flammen umgekommen.«

Er unterbrach sich und sah einen Moment lang sinnend ins Leere. »Das Haus da draußen war riesig«, fuhr er schließlich fort, »eine kleine Burg mit Seitengebäuden und Nebenhöfen, und bis heute fragen Krol und ich uns immer wieder, ob wir besser erst in unser Dorf zurückgekehrt wären, um Verstärkung zu holen. Aber nachdem wir das herzzerreißende Wimmern hinter den Fensterluken gehört hatten, gab es für uns kein Besinnen mehr – wir stürmten die Teufelsburg, erschlugen die Gehilfen des Satansmagiers, sprengten alle Kerkertüren auf und ließen die gefangenen Kinder frei.«

Wieder strählte er sich mit gespreizten Fingern den brustlangen Graubart. Als er sich vorbeugte und das Laternenlicht voll auf sein Gesicht fiel, bemerkte Sanno erneut die argwöhnische Miene des Alten, der ihn keinen Moment lang aus den Augen ließ – so als ob er herausfinden wollte, wie Sanno seine Erzählung aufnahm.

»Aber der Teufelsmagier selbst ist entkommen«, nahm schließlich der lange Krol den Faden auf. »Wir hatten alle Ausgänge überwacht, trotzdem fanden wir keine Spur von ihm.« Gedankenverloren fuhr er mit dem Zeigefinger über die Narbe, die seine Stirn waagrecht zerteilte wie ein zweiter Mund. »In den Verliesen fanden wir ein ganzes Rudel verwilderter Kinder, die weder Karst noch ich jemals hier in der Gegend bemerkt hatten. Kaum hatten wir die Kerker geöffnet, da liefen sie auf und davon und wurden nie wieder gesehen. Ob der Teufelsmagier sie wieder eingefangen hat oder ob sie den Weg zu ihren elterlichen Hütten und Katen gefunden haben, wir wissen es nicht. Während wir noch nach ihm suchten, brach das Feuer aus, und im Nu brannte das ganze Gehöft bis zu den Dächern hinauf.«

Karst ballte beide Hände zu Fäusten und ließ sie vor sich auf den Tisch krachen, dass die Bierkrüge schepperten und tanzten. »Zum Teufel mit den Bälgern von Rügen oder Stralsund!«, schrie er. »Ihre Leben haben wir gerettet, aber was ist mit unseren Kindern? Stundenlang sind wir damals in dem verfluchten Gemäuer herumgeirrt, haben jeden Winkel abgesucht, unablässig die Namen unserer drei Kleinen gerufen – aber von Thoro, Lida und Sanis fanden wir nicht die kleinste Spur. Kein Lebenszeichen, auch keinen Gewandfetzen, kein Knöchelchen, nichts.« Grimmig sah er wieder Sanno und Lunja an, als ob sie die Schuld am Tod der Kinder von Althoff trügen.

»Und damit uns so etwas nicht noch einmal widerfährt, damit wir nicht wieder zu spät kommen, Männer von Althoff« – der lange Krol erhob sich zu seiner vollen Größe, seine Stirnnarbe leuchtete –, »deshalb lasst uns jetzt gleich hinausgehen, noch diese Nacht, und draußen auf Maledun nach unseren Kindern suchen.«

Wieder fingen alle an durcheinanderzuschreien. Auch Soren war aufgesprungen und fuchtelte mit den Händen, und der alte Karst durchbohrte Sanno mit seinem Blick.

Doch Sanno nahm es kaum mehr wahr – abermals flog das magische Fenster vor ihm auf und riss ihn mit der Gewalt einer Flutwelle hinüber in das düstere Haus.

Er hockt wieder im Verlies, in dem Raum mit dem Ofen, den Bottichen, dem Bildnis des brüllenden Drachen an der Wand. Und doch ist diesmal alles ganz anders.
Der Mann hat ihn in eine Wandnische gesetzt, hoch über dem Boden. Wie eine Steinfigur kauert Sanno auf dem Mauersims und wagt sich nicht zu rühren – aus Angst, in die Tiefe zu stürzen oder, viel schlimmer, den Zorn des riesigen Mannes zu erregen.
Im Ofen lodert ein Feuer, und oben auf dem gewaltigen, rußgeschwärzten Eisenkasten stehen zwei eigenartig geformte Glasgefäße. Das eine ist eine große Kugel mit gläsernen Brüsten darüber, wie der Leib einer schwangeren Frau. Der riesige Mann deutet darauf, sieht Sanno durchdringend an und erklärt: »Deine Mutter!« Diesmal verbirgt er sich nicht unter einer Kapuze. Eine schwarze Ledermaske umschließt seinen Kopf, nur für die Augen sind zwei Löcher ausgespart. Durch die Maske hört sich seine Stimme dumpf an, als ob er aus der Tiefe der Erde emporriefe. Es ist das erste Mal, dass Sanno ihn überhaupt sprechen hört.
Sanno zittert unablässig vor Angst. Er bebt und schlottert am ganzen Leib, er spürt, dass gleich etwas ganz und gar Grässliches geschehen wird. Der Mann wird ihn töten, oder nein – er wird vor seinen Augen ein anderes Kind umbringen. Deshalb hat er Sanno auch auf den Mauersims gesetzt – damit er gezwungen ist, alles mit anzusehen.
Der Mann deutet auf das zweite Glasgefäß, sieht Sanno wieder mit stechendem Blick an und ruft aus: »Und das bist du!«
Sanno schüttelt den Kopf wie im Krampf. Das zweite Glasgefäß hat die Form eines ausgestreckt daliegenden Säuglings. Darin bemerkt er jetzt ein winziges Kinderskelett. Es liegt bäuchlings im Glasgefäß, mit dem Rücken und Hinterkopf nach oben, und Sanno erkennt, dass der winzige Totenschädel vom Nacken aufwärts entzweigespalten ist.

Wie bei mir, wie bei mir, denkt Sanno. Er tastet über den Wulst auf seinem Kopf.
Währenddessen hat der Mann die beiden Glasgefäße durch gläserne Röhren und eiserne Muffen miteinander verbunden. In die ›Mutter‹ gießt er nun eine rote Flüssigkeit und einen staubfarbenen Schleim.
Die Flammen im Ofen fauchen. Der Mann verschließt beide Gefäße mit gläsernen Deckeln, die oben mit kleinen, verpfropften Öffnungen versehen sind. Geschäftig geht er vor seinem Ofen hin und her. Vor der Wand mit dem roten Drachen bleibt er stehen, bewegt einen Stein, da geht ein Türchen im Rachen des Drachen auf. Dahinter funkeln Phiolen und Flaschen. Er holt einige davon heraus, mischt und schüttelt, gibt einen Spritzer in die gläserne Mutter, dann wieder ein paar Tropfen in das gläserne Kind.
Sanno in seiner Wandnische zittert und schlottert. Immer wieder muss er zu dem Kinderskelett hinübersehen, während der Mann mit der Ledermaske das Feuer schürt, Tinkturen mischt, Muffen und Pfropfen überprüft.
Irgendwann muss Sanno eingeschlafen sein. Lautes Weinen und Schreien weckten ihn. Er schreckt hoch, und da kommt der Mann eben wieder zur Tür herein, in der Hand ein Glas, das zur Hälfte mit einer schimmernden, durchscheinenden Flüssigkeit gefüllt ist.
Neben dem Ofen kniet er sich hin und hebt eine Steinplatte aus dem Boden heraus. Sanno muss sich in der Mauernische weit nach vorn beugen, um zu sehen, was dort unten geschieht – und dann wäre er vor Entsetzen beinahe von seinem Sims gestürzt. Unter der Steinplatte wimmeln bleiche Würmer, so feist und lang wie dicke Männerfinger. Der Mann gießt die schimmernde Flüssigkeit über die Würmer. *Es sind Tränen,* denkt Sanno. Deshalb bringt er die Kinder da draußen immer wieder zum Weinen – weil er die Würmer mit ihren Tränen nährt!

Es ist so grauenvoll und ekelhaft, er kann es nicht länger ertragen. Sanno setzt sich wieder aufrecht hin, schaut erneut zum Ofen hinüber, doch der Anblick dort ist nicht weniger grässlich – durch die Glasröhre, die beide Gefäße miteinander verbindet, rinnt ein grau-weißer, rosig schimmernder Gallert. Die sämige Substanz tropft in das vordere Gefäß, den gläsernen Säugling, und schmiegt sich nach und nach um das Kinderskelett.
Das Herz hämmert ihm in der Brust. Der Mann mit der Maske öffnet einen Pfropf im gläsernen Säugling und gibt einen kräftigen goldenen Spritzer hinzu. »Nicht mehr lange, dann schlägt er die Augen auf!«, sagt er mit dumpfer Stimme in Sannos Richtung. Er wirft Hände voll bunten Staubs ins Feuer, und ein fieberfarbener Qualm erfüllt das Verlies und benebelt Sannos Sinne. Er verliert das Bewusstsein und fällt abermals in tiefen Schlaf.
Als er zum dritten Mal erwacht, hat der Mann begonnen, Zauberformeln zu schreien. Es sind Wörter, die Sanno noch nie gehört hat, eine Sprache, die mehr nach Schnalzen und Grunzen als nach menschlichen Lauten klingt. Dazu wirft der Mann die Arme empor oder verbeugt sich in Richtung Boden. Der bunte Qualm hat sich verzogen. Sanno sieht, dass der Mann einen weißen Kreis auf den Boden gemalt hat, um die Steinplatte herum, unter der vorhin die dicken Würmer umhergekrochen sind.
Das Feuer im Ofen ist erloschen. Die Glasröhre zwischen der ›Mutter‹ und dem ›Säugling‹ hat der Mann offenbar entfernt, ebenso wie den Deckel über dem vorderen Gefäß.
Sanno sieht, dass das kleine Skelett jetzt gänzlich mit dem grauweißen Gallert umschlossen ist. Die sämige Substanz ist in der Form des Glasgefäßes erstarrt – zu der Gestalt eines ganz kleinen Kindes, das auf dem Bauch liegt, sein Gesicht in den Untergrund gedrückt.
Der Mann hört plötzlich auf, Zauberformeln zu schreien. Stattdessen holt er einen Wurm unter der Steinplatte hervor und

macht sich am Hinterkopf des Säuglings zu schaffen. Der breite Rücken verdeckt Sanno die Sicht, aber unwillkürlich fährt seine Hand zu seinem Nacken empor. Er betastet den Wulst auf seinem Kopf.

Der Mann schreit wieder in rasendem Singsang Zaubersprüche – mit Schnalzen und Grunzen und tiefen Kehllauten, als ob in seinem Innern ein urtümliches Tier hausen würde.

Und dann hebt er den künstlichen Knaben aus dem Glasgefäß heraus. Das kleine Gesicht ist Sanno zugewandt, die Augen sind weit geöffnet, mit Schleim verklebt, aber darunter leuchtend blau. Der Mann wiegt das Kindlein in seinen Armen. So kommt er langsam auf Sanno zu, hebt den Säugling zur Mauernische empor und sagt mit dumpfem Klang: »Schau nur, Sanno, dein neues Brüderchen – willst du es nicht ein wenig streicheln?«

Sanno hebt seine zitternde Hand und nähert sie dem winzigen Gesicht. Wie ein schuppiger Wurm liegt der Wulst über dem kleinen Schädel. Die Haut sieht fahl aus, aber der kleine Knabe lebt! Seine Wange zumindest fühlt sich warm an, und die grauen Lippen beben wie vor Freude oder Schmerz.

Die Hände des Mannes umschließen den mageren Brustkorb, die Finger liegen auf den Rippen wie auf den Tasten eines Klavichords. Unterhalb seiner Hände aber, dort wo die furchige Mulde eines Nabels sein sollte – dort spannt sich die Haut glatt über den Bauch der kleinen Kreatur.

Ein künstlicher Knabe!, denkt Sanno. Er will seinen Blick von dem nabellosen Bauch losreißen, aber er kann nicht. So bin auch ich geschaffen worden, denkt er, aus Totenknochen und jenem Gallert zusammengebacken und durch einen Seelenwurm in meinem Schädel zum Leben erweckt!

Wieder will er schreien, aber das Grauen verschnürt ihm die Kehle, und anstelle des Schreis dringt nur ein Stöhnen hervor, vermischt mit beißend scharfem Gallensaft.

»Sanno.« Er kam zu sich, Lunjas Hand auf seinem Arm.
Das Gasthaus von Althoff – einige Zecher an den langen Tischen starrten zu ihnen herüber, aber im allgemeinen Geschrei war sein Stöhnen anscheinend kaum aufgefallen. Nur der Blick des alten Karst ruhte noch längere Zeit auf Sanno, der nun mit zitternder Hand nach seinem Becher griff und den ekelhaften Gallegeschmack mit einem Schluck süßem Apfelmost herunterspülte.
Das Entsetzen jedoch, der Schmerz und das Grauen ließen sich nicht einfach so davonschwemmen. Die schreckliche Wahrheit, dachte Sanno. Wie versteinert saß er da. Hatte er es nicht die ganze Zeit schon geahnt – eigentlich bereits in Gelnhausen, als Herr Faust die unselige Kreatur aus dem Glasgefäß hervorgefischt hatte?
Ich bin ein Homunkel, dachte er, ein künstlicher Mensch, durch teuflischen Zauber geschaffen. Kein Gottesgeschöpf, von keiner Mutter geboren. Mit einem Wurm in meinem Kopf anstelle einer Seele. Ohne Nabel, ohne Hoffnung – und ohne das geringste Recht, auf dieser Welt zu leben! Um den nabellosen Knaben zu erschaffen, hat der Mann mit der Maske unzählige Gotteskinder gequält! Wegen künstlicher Geschöpfe wie mir wurden Kinder verschleppt und gefangen gehalten – vor zehn und fünfzehn Jahren und jetzt abermals. Teufelskinder sind wir, nichts anderes.
Nur allzu gut verstand Sanno jetzt auch, warum ihn der alte Karst die ganze Zeit so argwöhnisch ansah – für den Fischer mussten Teufelsjungen wie er ja mitschuldig sein an dem Unglück, das der Satansmagier über Althoff gebracht hatte. Und wenn er seinen Verdacht erst bestätigt sieht, dachte Sanno, wird Karst mich erschlagen wie einen herrenlosen Hund.
In diesem Moment war es ihm gleich. Zumindest empfand er nichts bei der Vorstellung, tot zu sein. Höchstens Erleichterung, dass es endlich vorbei wäre. Was war denn sein Leben bisher gewesen außer einer endlosen Folge von Angst und Entsetzen, Lü-

ge und Leid? Aber was bedeutete schon sein eigener Kummer, verglichen mit dem Schmerz, der durch ihn und seinesgleichen über die Leute von Althoff gekommen war? Es graute ihn vor sich selbst, und es ekelte ihn vor seinem eigenen Leib. Am liebsten wäre er aufgesprungen und hätte seinen Schädel gegen die Wirtshausmauer geschlagen, damit sich der Wurm aus seinem knöchernen Kerker wieder hervorwinden könnte – aber Sanno machte nichts dergleichen, er saß einfach nur da wie eine Figur aus Stein.

»Was ist mit dir«, wisperte Lunja. »Was hast du eben gesehen?«

Er schaffte es nicht einmal, seinen Kopf zu heben, sie anzuschauen. Aus Angst, dass sie ihn wieder so voller Mitleid ansehen würde. Und aus Widerwille gegen sich selbst – er verdiente es nicht, dass Lunja sich um ihn sorgte!

Ich bin ein Teufelsjunge, wollte er zu ihr sagen, halte dich fern von mir. Durch grässlichen Zauber bin ich zum Leben erweckt worden, und wo mein Herz sein sollte, klafft ein Loch – das habe ich ja seit Langem schon geahnt! Mein Ascheherz, mein Herz wie ein fauler Apfel, vom Wurm meiner Ängste ausgehöhlt.

Ein dröhnender Schlag riss Sanno aus seinen Gedanken. Der alte Karst hatte seinen Bierkrug so fest auf den Tisch geknallt, dass die Scherben durch die Luft flogen. Eine schaumige Lache bedeckte den Tisch, mitten hinein krachte seine Faust. »Also entscheidet euch jetzt, Männer von Althoff! Wer von euch den Teufel fürchtet und lieber unsere unschuldigen Kindlein opfern will, als sein elendes Leben zu wagen, der möge hier hocken bleiben oder sich am besten gleich daheim unter den Weiberröcken verkriechen. Wer aber an unseren Herrgott glaubt, der stärker ist als alle Finsternis, der folge mir und Krol auf der Stelle zur Halbinsel hinaus!«

Einen Augenblick schwiegen alle, dann schrien sie wieder wüst durcheinander. Aber diesmal schienen alle einer Meinung zu

sein. »Gut gesprochen!«, schrie einer. »Wohlan, lasst uns nicht länger zögern!«, stimmte ein anderer Fischer zu. Und sogar der junge Soren, der Karst und Krol vorhin noch verspottet hatte, weil sie nach Maledun hinauswollten, hob die Hand mit dem schwappend vollen Bierkrug und brüllte: »Also meinetwegen, ihr alten Sturköpfe, vielleicht habt ihr ja recht! Los geht's!«
Alle sprangen auf, griffen zu ihren Mützen und Waffen, und die Ersten waren schon bei der Tür, als eine dünne, pfeifende Stimme sie noch einmal innehalten ließ.
»Verzeiht mir, werte Herren.« Es war das hutzlige Männlein, das den ganzen Abend bescheiden in seinem Winkel gesessen und keinen Seufzer von sich gegeben hatte. Nun rutschte es von seinem Schemel und trat mit unsicheren Schritten, wie eine Fliege mit gebrochenen Flügeln, ins Laternenlicht. »Ich bitte Euch, Ihr guten Fischer«, sagte das Männchen mit pfeifendem Unterton, »macht Euch und Eure Familien nicht noch unglücklicher. Fordert Verstärkung an, am besten einen ganzen Haufen bewaffneter Landwehrknechte – und noch einmal so viele Hexenjäger, die sich darauf verstehen, teuflischen Zauber zu brechen.«

37

Alle starrten das Männchen an, niemand sprach ein Wort. »Aber wer bist du denn, du verrunzelter Zwerg«, rief schließlich Karst, »dass du dir solche Ratschläge anmaßt?«
Wieder begannen die Fischer durcheinanderzuschreien. »Bis hier Soldaten eintreffen, sind unsere Kinder geschlachtet und tot!«, brüllte der lange Krol, und seine Stirnnarbe leuchtete fiebrig rot.
Das runzlige Männchen machte beschwichtigende Bewegungen.

Es hatte den Körper eines ausgemergelten Knaben, aber die Haut eines Greises. Dünn und schlohweiß hingen ihm die Haare bis auf die Schultern. »Ich sehe ja ein«, sagte es mit pfeifender Stimme, »dass Ihr nicht noch tagelang warten wollt. Aber ich beschwöre Euch – geduldet Euch zumindest bis morgen früh, wenn wieder Gottes Licht vom Himmel scheint. Ihr macht Euch ja alle gar keine Vorstellung, was damals da draußen wirklich passiert ist.«

Die Fischer wechselten Blicke, in ihren Mienen spiegelte sich Bestürzung. »Was ist denn deiner Meinung nach damals auf Maledun passiert?«, wollte Soren wissen. »Dieser Teufelsmagier und seine Gehilfen hatten ein Dutzend Kinder entführt und einige schon ihren Satansgötzen geopfert. Bestimmt hätten sie noch weitere umgebracht, wenn Karst, Krol und die anderen damals nicht das Nest ausgeräuchert hätten. Und jetzt kommst du alter Runzelkerl daher und willst uns erzählen, dass in Wahrheit alles ganz anders war?«

Karst trat neben Soren und sah das Männchen argwöhnisch an. »Raus mit der Sprache! Was weißt du von diesen alten Geschichten? Du bist doch erst letztes Jahr hierhergekommen – als Schiffbrüchiger in deinem halb abgesoffenen Boot!«

»Ihr habt völlig recht, Ihr guten Fischer.« Das Männchen knetete seine Hände ineinander. »Aber ich habe auch recht – ich weiß, was damals passiert ist, weil ich dabei war.« Tränen schossen ihm in die Augen, er wollte weitersprechen, aber nur ein Pfeifen kaum aus seiner Kehle. »Ich war ... Ihr guten Herren ... ich war eins der Kinder, die damals von Euch befreit worden sind.«

Mit schreckgeweiteten Augen sahen alle das knochendürre Kerlchen an. Wie runzlig seine Haut war, wie weiß und dünn seine Haare – da konnte er doch nicht vor gerade mal acht Jahren noch ein Kind gewesen sein?

»Er ist nicht bei Sinnen.« Soren winkte in Richtung des Männchens ab. »Der Schiffbruch damals hat ihm den Verstand verdreht.«

Sanno aber sah unverwandt den greisenhaften Knaben an, und in seinem Innern fühlte er eine schreckliche Kälte und Leere. Er hat die Wahrheit gesprochen, dachte er – seine und meine Wahrheit. Der kleine Kerl erwiderte jetzt seinen Blick. Mit ängstlicher Miene, aus wässrigen Augen schaute er Sanno an, und wieder war es Sanno, als ob er durch ein magisches Fenster zurückgerissen würde in jenes Verlies.

Er schreckt aus dem Schlaf, das Haus an der Steilküste erbebt – Männer schreien, Schritte dröhnen, Schüsse krachen. Seine Verliestür fliegt auf, und Sanno tapst nach draußen – überall stehen Türen offen, Kinder rennen schreiend durcheinander. Vom Hof dringen Kampfgeräusche herunter, Säbelklirren, weitere Schüsse, aber Sanno nimmt das ganze Getümmel nur wie durch einen Nebel wahr. Aus der Eisentür ihm gegenüber tritt ein Kind hervor, ein Junge, etwa so alt wie er selbst. Unsicher sieht er sich um, dann fällt sein Blick auf Sanno. Seine Haare sind kurz geschoren, selbst im Halbdunkel ist der Wulst zu sehen, der sich von der Stirn aufwärts über seinen Schädel zieht.

»Lif . . .« Sanno fuhr sich mit der Hand über die Augen. Der Boden schien unter ihm zu wanken. Auf zittrigen Beinen machte er einen Schritt auf das Männchen zu. »Lif, oh mein Gott, bist du es?«

»Sanno.« Sie umarmten sich feierlich. »Ja, ich bin es, Sanno, aber sieh mich nur an, wie schlecht ich geraten bin – wie welk mein Fleisch, wie runzlig meine Haut, dabei bin ich nicht älter als du! Ich war wohl einer der ersten Versuche unseres Meisters.«

Er stammelte es in Sannos Ohr, zwischen Pfeifen und Seufzen waren seine Worte nicht leicht zu verstehen. Sanno fühlte sich bis in sein Innerstes erschüttert. Grässlich wölbte sich der Wulst unter Lifs dünnem weißem Haar hervor.

»Aber wie gut ihm bei dir alles geglückt ist«, stammelte Lif, »wie

stark deine Arme, wie glatt deine Haut!« Mit runzliger Hand tätschelte er Sannos Wange.
Nur mit Mühe konnte Sanno seinen Ekel verbergen. Ich bin nicht von deiner Art, dachte er wieder, aber zugleich wusste er, dass ihm nun keine Ausflüchte mehr halfen. Wir beide sind faulige Früchte vom selben Stamm, mit mir steht es nicht anders als mit dem unseligen Lif – tausendmal ärger als mit Huck und Muck, zehntausendmal ärger als mit Larian Fellmann. Anstelle einer Seele kriecht uns ein Wurm durch den Kopf, genährt mit den Tränen der Kinder von Althoff. Sachte löste er sich aus Lifs Umarmung.
»Meine Geduld ist zu Ende«, polterte Karst. »Entweder ihr beiden Burschen klärt uns jetzt auf, was es mit eurem Hokuspokus auf sich hat – oder zum Teufel mit euch!«
»Das eine wie das andere, guter Mann.« Ein klägliches Lächeln kroch über Lifs Gesicht. »Lasst mich nur rasch berichten, dann werdet Ihr gleich alles verstehen. Es verhält sich, kurz gesagt, so: Damals im Höllenverlies gab es zwei Arten von Kindern, nicht nur eine einzige, wie Ihr anzunehmen scheint. Die einen, die in ihren Zellen gequält wurden, um mit ihren Tränen die Würmer zu nähren, die der Magier brauchte, um in den alchimistischen Gefäßen die anderen zu erzeugen – künstliche Geschöpfe wie Sanno und mich.«
Sanno fühlte, wie seine Beine unter ihm nachgaben. Also verhielt sich wirklich alles so, wie er es vorhin in seiner Vision mit der gläsernen Mutter und dem gläsernen Kind gesehen hatte. Seine allerletzte Hoffnung zerfiel zu Staub.
Kräftige Hände führten ihn zum Tisch zurück. Er sackte auf seinen Stuhl, blieb reglos sitzen, das Gesicht in den Händen vergraben.
»Wegen diesem Teufelspack mussten unsere Kinder qualvoll sterben!«, hörte er Karsts dröhnende Stimme.

»Lass die armen Kerle«, sagte ein anderer. »Was können sie dafür. Sieh sie dir nur an – den Hutzligen sowieso, aber auch den anderen. Es sind arme Teufel. Ihre Schädel sind verstümmelt, ihre Herzen sind leer. Wo bei uns die unsterbliche Seele sitzt, ist bei ihnen nur Dreck.«
»Das mag ja alles sein«, grollte Karst, »aber vor allem sind es Teufelskreaturen. Wir müssen sie zumindest einsperren – sonst rennen sie noch in der Nacht hinaus zu ihrem Meister und verraten unseren Plan. Morgen können wir sie meinetwegen mitnehmen – mag sein, dass sie uns zeigen können, wohin sich der Teufelsmagier verkrochen hat.«

Sanno und Lif wurden in den Keller der Gastschänke von Althoff gebracht und in ein finsteres Loch gestoßen. Hinter ihnen schlüpfte noch eine dritte Gestalt über die Schwelle, dann fiel krachend die Tür zu. Eisen kreischte auf Eisen, als der Riegel ins Schloss stieß.
»Sanno, mein liebster Freund«, flüsterte Lunja. »Verliere nicht deinen Lebensmut, ich flehe dich an – was auch geschieht, ich werde immer bei dir bleiben.«
Auch Lunjas Nähe schien ihm auf einmal unerträglich. Ihr Flüstern, ihre Berührungen, ihre Lügen. »Spar dir die Mühe«, sagte er. »Du brauchst dich nicht länger zu verstellen, ich weiß jetzt, dass ich dir nichts weiter bedeute. Ich werfe es dir nicht vor, wie käme ich dazu – ich, ein Teufelsjunge! Schon deine vorgetäuschte Liebe, Lunja, war ja tausendmal mehr, als ich jemals verdient hatte oder mir erträumen durfte.«
Er konnte nicht weitersprechen, Tränen quollen aus seinen Augen, und ein Krampf presste ihm die Kehle zusammen.
Deine Liebe, Lunja, und genauso die Liebe von Vater Lambertus – beides hab ich nicht verdient. Immer schon, immer hab ich es geahnt, dachte Sanno: Alles, was Lambertus mir von frü-

her erzählt hat, war gelogen. Doch er hat mich aus Liebe getäuscht, aus Barmherzigkeit hat er mir eine menschliche Kindheit angedichtet, aus Fürsorge hat er mich von hier fortgebracht. Bestimmt hat Lambert zu den Männern gehört, die das Satansnest ausgehoben und Teufels- und Gotteskinder befreit haben. Aber der Satansmagier ist damals entkommen, und um mich vor ihm zu beschützen und mir ein halbwegs menschenartiges Leben zu erlisten, hat Lambert all die Mühen auf sich genommen und mir eine neue Heimat geschenkt, ein neues Leben im Spessart, hunderte Meilen vom Teufelshaus entfernt. Und beinahe an jedem Tag hat er mir Begebenheiten aus meiner erdichteten Kindheit erzählt – alles nur, damit mir verschleiert bliebe, dass ich eine Kreatur aus dem gläsernen Säugling bin, ein Teufelskind!

Sein Weinkrampf wurde immer ärger, die Tränen strömten nur so über sein Gesicht. Ach Vater, lieber Vater, dachte er, wie habe ich dir Unrecht getan! Wäre ich doch niemals zu Herbold gegangen, damit hat ja das neue Unheil angefangen. Denn natürlich ist Herbold niemand anderes als der damals entflohene Teufelsmagier, der mich seit acht Jahren landauf, landab sucht.

Und Lunja?, dachte Sanno dann. Ob sie wusste, in wessen Diensten sie stand? Auf wessen Geheiß sie die Gassen und Marktplätze aller Städte von Norden bis Süden absuchte? Wen sie für den falschen Seelenmaler aufspüren und ködern sollte – den Teufelsjungen, die von seiner Hand frevlerisch geschaffene Kreatur?

Er wischte sich mit dem Ärmel über die Augen. Sein ganzer Körper zuckte und schmerzte, nur allmählich ließ der Weinkrampf nach. »Hast du ... Lunja ...« Er musste schlucken, sich räuspern, nochmals einen dicken Klumpen herunterschlucken. »Hast du es gewusst?«

Sie legte ihre Hand auf seinen Arm, wie so oft schon, und ganz kurz überließ er sich noch einmal ihrem Trost, ihrer Zärtlichkeit.

Dann zog er den Arm fort. Es war alles falsch und faul und verlogen und hohl.
»Ich wusste nichts, Sanno, das musst du mir glauben«, flüsterte Lunja neben ihm. »Herbold hat mir niemals etwas erzählt. Er hat nur ab und zu, mehr aus Versehen, ein paar Andeutungen gemacht. Es hat lange gedauert, bis ich überhaupt gemerkt habe, dass er häufig das gleiche Bild malt. Immer wenn ich Jungen in deinem Alter herbeigeschafft habe, hat er das Haus an der Steilküste gemalt. Und dann hat er die Jungen gefragt, was das Bild in ihnen anrührt.« Sie hielt kurz inne, als ob sie hoffte, dass Sanno etwas einwerfen würde, aber er blieb stumm. »Erst mit der Zeit«, fuhr sie fort, »habe ich mir aus Herbolds Gemurmel zusammengereimt, warum er das alles immer wieder veranstaltet hat: Nach seiner Ansicht war der Junge, der im Haus auf der Landzunge sein geheimstes Seelenbild erkennen würde, ein künstlich geschaffener Mensch.«
Wieder unterbrach sie sich, doch abgesehen von den leisen Schluchzern, die immer noch aus Sannos Kehle drangen, blieb es im Kellerloch still. Auch von Lif, der irgendwo ihnen gegenüber vor der Wand kauern musste, war nichts zu hören außer seinem leise pfeifenden Atem.
»Was Herbold auf diesen eigentümlichen Gedanken gebracht hat«, sprach sie weiter, »habe ich nie verstanden. Ich dachte mir wohl einfach, dass er eben ein bisschen sonderbar wäre. Erst als ich damals in Gelnhausen gesehen habe, Sanno, wie sehr dich das Seelenbild aufgewühlt hat – erst da ist mir gedämmert, dass es mit dem Haus an der Steilküste wohl doch eine besondere Bewandtnis hat. Dass du dort etwas Schreckliches erlebt haben musstest und dass Herbold ja wahrscheinlich irgendwie in diese alte Sache verwickelt war. Warum hätte er dich sonst jahrein, jahraus gesucht? Und deshalb, Sanno . . .« Auch ihre Stimme wurde nun ein wenig brüchig. »Deshalb war ich ja in Gelnhausen we-

niger erschrocken als erleichtert, als die Hexenjäger plötzlich in Herbolds Zelt auftauchten – so waren ihm doch erst einmal die Hände gebunden. Und deshalb habe ich dich dort im Zelt auch zur Flucht verleitet – damit Herbold dir nichts antun konnte! Denn schon damals, mein liebster Freund . . .« Sie rückte wieder etwas näher an ihn heran. »Schon als ich dich zum ersten Mal gesehen habe, in der Langgasse beim Untermarkt in Gelnhausen – schon damals hab ich gespürt, dass ich dich immer lieb haben würde. Und dass ich auf dich achtgeben muss.«

Sie legte ihre Arme um ihn, aber er machte sich mit einer schroffen Bewegung von ihr los. »Lass mich, Lunja. Ich bin deine Berührungen, deine Worte und Gefühle nicht wert. Bitte versuch jetzt zu schlafen.« Er holte tief und zitternd Luft. »Aber lass uns vorher noch Abschied nehmen – morgen früh gehe ich mit den Männern dorthinaus. In den Stunden bis dahin will ich zu Gott im Himmel beten, dass Er mir dort draußen auf Maledun einen winzigen Strahl von Seiner unendlichen Gnade gewährt.«

»Um Gottes willen, was heißt das, Sanno? Was willst du tun?«

»Ich will sterben, Lunja, gleich morgen früh. Und meine letzte Tat soll darin bestehen, dass ich den Teufelsmagier töte, der mich mit Würmern und Beschwörungen frevlerisch ins Leben gezerrt hat. Sei still, Lunja, bitte – ich weiß schon, was du sagen willst. Aber ich kann nicht anders handeln. Niemals werde ich deiner Liebe wert sein, niemals der Zuneigung irgendeines Menschen. Auch Rumar und Uda waren noch viel zu gut für mich, denn schließlich sind auch Hund und Esel Geschöpfe Gottes, ich aber bin aus Tod und Teufelsdreck geformt. Und wenn ich schon keine unsterbliche Seele habe und keine Hoffnung, jemals in den Himmel zu gelangen, so will ich dem lieben Gott und dir doch zumindest gezeigt haben, dass ich nicht ganz und gar der Hölle angehöre.«

Er begann wieder zu schluchzen, aber seine Augen blieben trocken. Zugleich fühlte er sich ganz leicht und klar, so als ob er alle Schmerzen, alles Leid, alle Angst mit einem Schwall von Tränen aus sich herausgeschwemmt hätte. Ebenso alle Hoffnung, alle Sehnsucht.

Fieberhaft redete Lunja auf ihn ein, sie beschwor ihn unter Tränen, morgen nicht dort hinauszugehen, sich nicht töten zu lassen, bei ihr zu bleiben, für immer und alle Zeit. »Ich kann doch ohne dich nicht leben, Sanno«, rief sie ein ums andere Mal aus, aber Sanno gab ihr keine Antwort mehr.

Er hätte gar nicht gewusst, was er ihr noch sagen sollte. Er hörte sie sprechen und weinen und flehen, aber die Bedeutung ihrer Worte drang nicht mehr zu ihm durch. Eine Wand aus Glas schien sich um ihn herum aufzurichten – es kam ihm vor, als ob er sein ganzes Leben in einem Glasgefäß wie jenem verbracht hätte, in dem er erschaffen worden war. Als ob seine Haut aus dickem Glas wäre, von dem alles abprallte – Schmerzen, Liebe, Hoffnung, Angst.

Endlich schlief Lunja neben ihm ein, er hörte sie leise und regelmäßig atmen wie unzählige Nächte vorher. Das hier war das letzte Mal, doch es berührte ihn nicht, jedenfalls empfand er nichts, keinen Schmerz, kein Aufbegehren. Es gibt keinen anderen Weg. Keinen Ausweg aus dem Ekel vor mir selbst. Ein Teufelsjunge. Mit einem feisten, bleichen Wurm, der dir anstelle einer Seele im Kopf umherschleicht. Wie soll so etwas denn leben? Um Liebe winseln gar? Widerlich! Eine Satanspuppe bist du, Sanno, mit Lügen und Fäulnis angefüllt.

Aber ich werde euch zeigen, dass doch ein winziger Gottesfunken in mir glüht. Ich werde den töten, mit meinen eigenen Satanshänden, der mir und euch das alles angetan hat.

So verging die Nacht. Irgendwann kam Lif angekrochen und fing wieder an zu murmeln und zu stammeln, wie herrlich doch Sannos Leib geraten wäre. Er fühlte auf Sannos Armen und Brust herum und klagte sich selbst an, wie hässlich und misslungen sein Fleisch, seine Haut, seine ganze Hutzelgestalt dagegen seien. Aber Sanno stieß ihn so heftig von sich, dass das Männchen gegen die Tür ihres Kerkers prallte und unter Ächzen und Pfeifen liegen blieb. Und wieder empfand Sanno nichts, kein Bedauern, keine Reue, kein Mitleid. Lunja war durch den Lärm aufgeschreckt worden, sie untersuchte Lif lange, und irgendwann hörte Sanno sie flüstern, dass er sich glücklicherweise nichts gebrochen habe.

»Als ob es darauf noch ankäme«, sagte Lif mit einem Zittern in der Stimme. »Morgen will ich an Sannos Seite im Kampf gegen unseren Teufelsvater sterben.«

Teufelsvater! Das schreckliche Wort ließ Sanno doch noch einmal zusammenfahren. Lif hatte natürlich recht, dachte er, der Satansmagier, der sie frevlerisch erschaffen hatte, war in einem höllisch höhnischen Sinn niemand anderes als sein und Lifs Vater.

Aber auch das konnte an seinem Plan nichts mehr ändern. Wenn es sich so verhält, dachte er, dann werde ich mich eben der göttlichen Gnade würdig erweisen, indem ich meinen Teufelsvater töte.

Durch Ritzen im Fensterladen sickerte fahl das erste Taglicht zu ihnen herab. Sanno faltete die Hände.

Lieber Gott im Himmel, betete er, bitte sei so gnädig, und lass mich heute meinen Teufelsvater töten und dann selbst durch Deine Barmherzigkeit sterben, amen.

38

In der Morgendämmerung versammelten sich die Männer von Althoff auf dem kleinen Kirchplatz am Meer. Wer auch nur einigermaßen laufen konnte und mit Säbel oder Arkebuse umzugehen wusste, hatte sich der Retterschar angeschlossen. Noch in der Nacht hatten die Frauen Kreuzzeichen auf die Gewänder ihrer Männer oder Söhne gestickt und Schilde oder Brünnen mit frommen Symbolen bemalt. Auf Geheiß des Pfarrers von Althoff würden überdies drei halbwüchsige Burschen, nicht viel älter als Sanno, vornewegschreiten und abwechselnd ein mannsgroßes Kreuz auf der Schulter tragen. Dadurch sollte jeglicher böse Zauber von den Rettern abprallen, mit welchen Dämonen auch immer sie es auf Maledun zu tun bekämen – Werwölfen, Seelenfressern, heidnischen Götzen und natürlich dem Herrn über all diese Schrecknisse, dem Teufelsalchimisten selbst.
Während die letzten Vorbereitungen getroffen wurden, saßen die beiden Teufelsjungen und ihre Begleiterin bereits auf einem Eselswagen ähnlich der Karre, mit der Sanno so oft vom Bosengrund hinab zu Main und Kinzig gefahren war. Karst hatte angeordnet, dass Lifs und Sannos Hände hinter dem Rücken gebunden und beider Fesseln überdies durch einen Strick verknüpft werden sollten. Ein jüngerer Fischer namens Hark würde neben dem Wagen herlaufen und die Gefangenen bewachen. Lunja hatte die Männer angefleht, Sanno und Lif wieder loszubinden, aber Karst wollte nichts davon wissen. »Sie sind wütend auf den teuflischen Magier, der sie mithilfe der Hölle erschaffen hat – dadurch können sie für uns nützlich sein. Aber es sind dennoch Teufelsjungen, deshalb dürfen wir ihnen nicht trauen.«
Dabei blieb es. Während die Sonne aus dem Meer aufstieg, setzte sich der Zug in Bewegung – fast dreißig Burschen und Männer zwischen fünfzehn und fünfzig Jahren, vorneweg die drei jungen

Kerle mit dem riesigen Kruzifix. Es erinnerte Sanno an das Kreuz in der Kapelle auf Lamberts Gut – der Erlöser schien im Verhältnis zu den gewaltigen Holzschenkeln viel zu klein bemessen, so als ob sie einen acht- oder zehnjährigen Knaben darangenagelt hätten.

Während die Eselskarre am Ende des Zugs dahinrumpelte, sah Sanno starr auf das Nordmeer hinaus. Die ganze unendliche Fläche glitzerte wie ein in Milliarden Scherben und Splitter zerbrochener Spiegel. Auch er selbst fühlte sich noch immer wie von einer dicken Glasschicht umgeben. Und das hieß – er fühlte nichts. Nur Leere und Kälte. Sterben ist bloß ein Wort, dachte er. Schmerzen – ich habe sie alle längst kennengelernt. Und mehr Angst, als ich damals im Teufelshaus ausstehen musste, gibt es auf der ganzen Welt nicht – auch über die Angst, das Grauen und Entsetzen bin ich für immer hinaus.

Nur am Rande nahm er wahr, was Lunja mit dem jungen Fischer Hark sprach, während sie auf dem sandigen Küstenweg entlangrumpelten. Wer die vier anderen Männer gewesen seien, fragte sie, die damals mit Karst und Krol das Teufelshaus angegriffen hätten.

Hark zuckte mit den Schultern. »Sie sind wohl alle in den Flammen umgekommen.«

»Aber es waren Männer aus Eurem Dorf?«

Der junge Fischer kratzte sich im Nacken. »Drei von ihnen kamen aus Althoff, soweit ich weiß. Ich selbst war damals fast noch ein Knabe, aber ich habe die Alten oft genug davon erzählen gehört. Der vierte Mann war wohl ein Fremder – ein riesenhafter Kerl, der sich damals seit Tagen in der Gegend herumtrieb und jeden fragte, ob er nicht sein kleines Kind gesehen hätte.«

Wieder wollte Sanno die Kehle eng werden, wieder zwang er seinen Schmerz, seine Trauer in sein Innerstes zurück. Vater Lambert, dachte er, der hünenhafte Fremde musste Lambertus gewesen sein – und offenbar hatten der Teufelsmagier und seine Gehilfen auch ihm damals ein Kind geraubt. Einen kleinen Sohn! Deshalb hat Lambert mich nach unserer Befreiung mitgenommen – damit ich ihm sein geraubtes Knäblein ersetzte. Und was er mir dann später erzählt hat, das war also gar nicht erfunden und erdichtet – nur waren es die Erlebnisse eines anderen Kindes, seines eigenen Sohnes! Ach, lieber Vater!, dachte Sanno wieder, was musst auch du Tag für Tag gelitten haben, weil ich ein so schlechter Ersatz für deinen kleinen Jungen war. Nur eine Puppe mit hohler Brust, und alles, was du an Liebe und Erinnerung und Fürsorge und Zärtlichkeit hineingestopft hast, verwandelte sich in Lügen . . .

Er blinzelte eine Träne weg. Wenn ich jetzt ausatme, kommt wieder ein Schluchzer mit heraus, dachte er, aber ich will nicht mehr. Nicht mehr weinen, leiden, nichts mehr fühlen, auch kein Mitleid mehr. Vorsichtig atmete er aus. Kreischend flogen zwei Möwen über dem schimmernden Wasser im Kreis. Ein Fischerboot schaukelte weit draußen auf den Wellen, der stämmige Mann saß so reglos darin wie mit dem Kohlestift gemalt.

»Da vorne – Maledun.« Hark deutete auf die Landzunge, die sich eine Meile voraus aus dem Wasser erhob, gewaltig wie der Stiefelabsatz eines Riesen. Ein dunkler Fels, die Wände schroff und nackt, darüber die wuchernde Wildnis, ein Dickicht, wie Sanno noch keines gesehen hatte, dunkler selbst als die finstersten Schluchten im Spessart oder im Thüringer Wald.

Vom Küstenweg zweigte ein schmaler Pfad auf die Landzunge ab, doch schon nach der ersten Biegung verlor er sich in Dornen und Gestrüpp. Jemand hatte hier eine hölzerne Tafel aufgestellt, die von Sonne und Salzluft wie zerfressen war: *Lämmer Gottes, meidet Maledun!*

Die Warnung war offenbar beherzigt worden, die Wildnis da-

hinter schien seit langer Zeit kein Menschenfuß berührt zu haben.
Die Eselskarre musste zurückbleiben, ebenso die Pferde und Maultiere, auf denen einige Männer von Althoff hierhergeritten waren. Zwei junge Burschen wurden angewiesen, die Tiere und den Wagen zu bewachen. Lif und Sanno mussten absteigen, ihre Hände blieben hinter dem Rücken gebunden, ihre Fesseln mit einem Seil von kaum einem Meter Länge verknüpft.
Jemand murmelte ein Gebet, die Männer bekreuzigten sich, dann drangen sie je zu zweien ins Dickicht ein. Die Burschen, die bisher mit dem gewaltigen Kruzifix vorangegangen waren, mussten den Streitern mit Messern und Säbeln den Vortritt lassen, denn hinter der Warntafel gab es nicht einmal mehr einen Wildpfad. Der Wald von Maledun war eine Wand aus Stämmen, Ästen und Dornen. Und wenn sie in diese Wand eine Bresche geschlagen hatten, ragte dahinter die nächste Mauer aus steinhartem Holz und peitschendem Gezweig empor.
Um nicht in die Irre zu gehen, hielten sie sich möglichst nah am Meer. Doch hinter dem Dickicht war von der weiten See selten mehr als ein matter Schimmer zu sehen, auch wenn ihr Heulen und Brausen so laut zu ihnen emporschallte, als ob sie unten am Strand entlangwanderten. Die Sonne musste schon hoch am Himmel stehen, aber im Wald von Maledun war es immer finstere Nacht. Einige Männer hatten sogar Laternen angezündet, und fast alle murmelten Gebete.
Nachdem sie etwa eine Stunde weit in die Wildnis vorgedrungen waren, stießen sie erstmals auf Anzeichen einer wenig geheuren Geschäftigkeit. Kleine kreisrunde Lichtungen, offenbar von Menschenhand angelegt, die Bäume ringsum mit finster glotzenden Holzmasken und sonderbaren Zeichen aus Federn und Knochen behängt. Ritzzeichnungen in Baumstämmen, die höchstwahrscheinlich teuflische Symbole darstellten – grimmige Dämonen

mit gehörnten Schädeln oder eine kunstvolle Zeichnung, die ein bocksfüßiges Wesen bei unaussprechlichem Frevel zeigte.
Die Männer bekreuzigten sich wie rasend.
Um die dritte Stunde waren alle ermattet vom Kampf gegen das Dickicht und zerstochen von Dornen und Stechmücken, die wie kleine Teufelsheere jeden Busch verbissen verteidigten. »Da vorn scheint eine größere Lichtung zu sein«, sagte Karst, »dort können wir ein wenig rasten. Vom Teufelshaus trennt uns allenfalls noch eine Stunde, und wenn wir dort ankommen, muss jeder Mann wieder bei besten Kräften sein.«
Die Lichtung war in der Tat groß genug, um ihre ganze Schar darauf zu lagern. Aber mitten auf dem schmatzend feucht bemoosten Platz erhob sich ein Bau von so unheimlichem Aussehen, dass die Männer bei seinem Anblick erstarrten. Es war ein gewaltiger Holzbau, von der Form eines Spitzhutes, wohl vier Meter in die Höhe ragend und blutrot bemalt. Schnitzmasken von ungemein finsterem Ausdruck hingen außen an den Wänden, und ein Saum aus sonnengelben Steinen rahmte das Türloch, hinter dem sich die Schwärze der Hölle zu ballen schien.
Zögernd traten Karst und Krol näher an den Teufelstempel heran. Die sonnengelben Kugeln und Bröckchen waren aus Bernstein, das hatte auch Sanno auf den ersten Blick erkannt. Vielleicht hatte Jerzy sich hier, in dieser Hütte, mit dem Heidenpriester Wittiko getroffen? Was würden die Männer von Althoff wohl sagen, wenn ein solcher Zauberpriester jetzt vor ihren Augen aus dem dampfenden Götterbrand ihre toten Kinder auferstehen ließe, so wie damals Lonis geliebter Bruder vor Jerzys Augen aus dem Qualm emporgestiegen war?
»Verfluchtes Zauberzeug!«, knurrte Krol. »Wir zünden den Götzentempel an – aber erst auf dem Rückweg, um den Teufelsmagier nicht zu warnen.«
Im Angesicht der Hölle war an Rast nicht zu denken. Ohne Pause

zogen sie weiter, die Blicke auf den unheimlichen Tempel geheftet, bis er hinter ihnen wieder in der Wildnis versank.
Immer dunkler, immer dichter wurde der Wald. Gelbe und rote Augenpaare glühten im Unterholz. Irre Schreie, dröhnendes Lachen schallten durchs Dickicht, wie kein Tier, kein Christenmensch sie auszustoßen vermöchten. Einer der Männer, ein noch junger Fischer namens Pale, riss plötzlich seine Lanze hoch und schleuderte sie in Richtung der Baumwipfel. Ein klagender Schrei, dann stürzte, unförmig und schwarz wie ein Fladen schieres Pech, eine riesige Dohle herab und hätte um ein Haar den Burschen erschlagen, der gerade das Kruzifix von seinem Gefährten übernahm.
»Ein höhnischer Satansgruß«, murmelte Karst. Alle starrten auf das zerfetzte Dohlenaas. Das Echo des Todesschreis rollte durch die Düsternis. »Wenn einer von euch seinen Mut verloren haben sollte«, fuhr Karst fort, »kann er hier noch umkehren.« Er deutete auf das Gestrüpp, das sich wie eine Burgmauer vor ihnen erhob. »Hinter dieser Dornenwand haust der Teufel von Maledun.«

39

Spitzzackige Steintrümmer ragten in geringen Abständen aus dem sandigen Boden, schwarz vor Alter und Ruß. Das mussten die Überreste der Mauer sein, die früher das Teufelshaus umgeben hatte, doch für Sanno sahen sie aus wie die Zahnreihe einer riesigen Kreatur.
Er erkannte überhaupt nichts wieder, alles hatte sich verändert, nichts erinnerte mehr an die Szenerie auf dem Seelenbild oder in seinen Erinnerungs-Visionen.
Hinter den gezähnten Mauerresten, dort, wo sich früher das ge-

waltige Haus mit den schmalen Fensterluken und dem dunklen, tief heruntergezogenen Schieferdach erhoben hatte, war jetzt nur noch ein Ödfeld, mit Felsbrocken, geborstenen Mauersteinen, Überresten von Dachbalken oder Türstöcken übersät.
Von der See blies der Wind unablässig feinen Sand herauf, der sich mit dem Ruß und dem Möwenkot zu einer glitschigen Deckschicht vermischte.
Jetzt, da das Teufelshaus bis auf die Grundmauern zerstört war, bot sich von hier oben ein überwältigender Blick über das Meer. Gleichmäßig rollten die Wellen über die schimmernde Fläche. Schaumkronen tanzten darauf, und Möwen stürzten sich in die Fluten hinab, mit irren Schreien, die aus dieser Entfernung seltsam gedämpft klangen. Unwirklich, fern, dachte Sanno. Tatsächlich so, als ob er dies alles durch eine Glaswand wahrnehmen würde.
Warum ihre Schar denn gerade hierherziehen wollte, zum ehemaligen Teufelshaus, hatte Lunja unterwegs ihren Bewacher Hark gefragt. Aber der hatte abweisend den Kopf geschüttelt. »Darüber darf ich euch nichts sagen.«
Dabei lag die Antwort ja auf der Hand oder, genauer gesagt, unter ihren Füßen. Den oberirdischen Teil des Teufelshauses mochten die Flammen damals zerstört haben, doch alles, was sich unter der Erde befand, im Fels von Maledun, war höchstwahrscheinlich unversehrt.
Das Herz des Drachen, dachte Sanno.
Stumm beobachtete er, wie Karst und die anderen Männer auf dem Ödfeld umherliefen, prüfend an Felsbrocken rüttelten, Steintrümmer zur Seite wuchteten. Zu seiner Linken saß Lif auf einem mit Moos überzogenen Stein. Sein Atem pfiff lauter denn je, das schwache Männchen schien dem Ende seiner Kräfte nah zu sein.
Lunja kauerte neben ihm, flößte ihm Wasser aus einem Schlauch

ein und flüsterte ihm Trostworte zu. Ihre Hand auf Lifs Unterarm – Sanno sah es in den Augenwinkeln, und für einen ganz kurzen Moment durchfuhr ihn ein schrecklicher Schmerz. Weil ihre Hand nie mehr auf meinem Arm liegen wird, um mich zu beruhigen oder zu trösten. Weil das, was ich für ihre Liebe hielt, immer nur höchstens Mitleid war – oder gar bloß Erfüllung einer Pflicht, die ihr von Herbold, ihrem Meister, aufgebürdet worden war.

Denn auch das schien ihm immer noch möglich, ja wahrscheinlicher denn je – dass alles von langer Hand zwischen Herbold und Lunja abgekartet war. Dass sie ihn, den Teufelsjungen, auf entlegenen Wegen, den Blicken aller Späher entzogen, hierherbringen sollte, wo Herbold auf sie wartete. Lunjas Herr und Meister, der ihn, Sanno, vor fünfzehn Jahren erschaffen hatte.

Und wenn schon, dachte er. Wenn doch sowieso alles falsch und faul ist, verlogen und hohl – warum dann nicht auch Lunjas Liebe? Wie lachhaft, dass ihm gerade dieser Gedanke immer noch unerträglich schien. So viel Gefühl in deinem Satansleib, Sanno? Die irrsinnigste Angst damals im Teufelshaus hast du ertragen – und jetzt zerreißt dir der Gedanke, dass Lunja dich nie geliebt hat, du ihr nie etwas bedeutet hast, beinahe dein hohles Herz?

»Hier«, rief Soren mit gedämpfter Stimme und hob eine Hand. Der junge Fischer stand neben einem flachen Steintrümmer am Rand des Ödfeldes. Mit dem Fuß schob er den Brocken von der Form und Größe eines Mühlsteins noch ein wenig mehr zur Seite. Selbst aus zwanzig Schritten Entfernung sah Sanno, dass darunter ein Erdloch klaffte, höllenschwarz und anscheinend bodenlos.

Der Schacht aus meinem Traum. Der Brunnen, auf dessen Grund Mutter Heidlinde stand, und als ich ihr die Hand entgegenstreckte, um sie herauszuziehen, da hat sie mich zu sich hinabgezerrt, ins Verderben.

Aber dieser Traum würde bestimmt nicht mehr in Erfüllung gehen, dachte Sanno. Wie auch? Heidlinde war vielleicht die Mutter von Lamberts eigenem kleinem Knaben gewesen, den die Teufelsdiener geraubt hatten. Aber als Lambert beschlossen hatte, Sanno als Ersatz für seinen Sohn mit sich zu nehmen, da war von Mutter Heidlinde wohl schon nichts mehr übrig gewesen als jenes Ölbild, das nachher über dem Kamin in Lamberts Studierzimmer eine neue Bleibe fand. Bestimmt ist Mutter Heidlinde, sagte sich Sanno, vor Kummer über den Tod ihres Kindleins gestorben.
Aber er würde nicht weinen, keine Träne vergießen, niemals mehr.
Starr schaute er zu, wie die Männer die Felsplatte beiseitewuchteten, mit ihren Laternen in die Tiefe leuchteten. Karst winkte Krol herbei, und sie banden das Ende eines dicken Taus um eine Felsnadel, die nahe dem Schacht aus dem Trümmerfeld ragte.
Die drei Burschen hatten unterdessen das Ende des mannshohen Kruzifixes mitten auf dem Ödfeld in den Boden gerammt und ringsherum Felsbrocken aufgehäuft.
Karst nickte Krol zu, dann ließen sie das Tau langsam in das Felsloch hinab.
Die anderen Männer kamen nun auch herbei, und Karst und Soren erklärten ihnen, was jetzt geschehen sollte. Sie würden einer nach dem anderen dort hinuntersteigen, anders gehe es nicht.
Und was aber, fragte sich Sanno, wenn der Teufelsmagier ihre Annäherung längst bemerkt hatte? Wenn er dort unten mit seinen Gehilfen stand und sie ruhig jeden abschlachten würden, der hilflos am Tau zu ihnen herabgetorkelt kam?
Sanno zog an dem Strick, der ihn mit Lif verknüpfte, und das Hutzelmännchen raffte sich mühsam auf. »Hark«, sagte er zu ihrem Wächter, »bitte sagt Karst, dass ich mit ihm sprechen muss. Es

geht um Euer aller Leben«, fügte er hinzu, als Hark wieder abwehrend den Kopf schüttelte.
Mit sichtlichem Widerstreben brachte er sie schließlich zu dem alten Karst. Sanno kam sofort auf seinen Vorschlag zu sprechen.
»Wenn der Teufelsmagier dort unten eine Wache aufgestellt hat, werden sie Eure Männer einen nach dem anderen töten. Durch dieses Nadelöhr kommt Ihr nur mit viel Glück hindurch – oder wenn sich einer für Euch opfert.«
»Was soll der Blödsinn«, knurrte Karst. »Verschon mich mit deinem Geunke, Teufelsbalg.« Er hatte sich schon halb abgewendet, als ihm zu dämmern schien, worauf Sanno hinauswollte.
»Du meinst, dass du selbst . . .?«
Sanno nickte. »Lasst mich als Ersten hinab. Lauert dort unten ein Wächter, so wird er mich wohl töten. Aber ich schwöre Euch – ich reiße ihn mit in den Tod. Nutzt dann die Verwirrung und schickt Eure Männer so rasch wie möglich hinterher.«
Karsts argwöhnischer Blick bohrte sich in Sannos Augen. Doch schließlich nickte er bedächtig. »So könnte es gehen.« Er winkte Hark herbei. »Binde ihn los und führe ihn dort drüben zum Schacht. Aber lass ihn nicht aus den Augen, Hark.«

40

Dieser Bursche hier wurde durch teuflischen Zauber erschaffen, aber er scheint doch zu edleren Regungen imstande zu sein.« Karst legte seine riesige Hand auf Sannos Schulter. Zwei Schritte vor ihnen klaffte das Loch im Felsboden, rund und schwarz wie der Brunnenschacht in Sannos Traum. »Er wird als Erster in dieses Rattenloch hinabsteigen – und wenn er dort unten auf einen Wächter stößt, wird er sich im Kampf für uns alle opfern.«

Das Gemurmel der Männer klang beifällig. Sanno sah die Erleichterung in ihren Gesichtern und sogar hier und dort einen Anflug von Respekt. Aber die meisten schienen es für selbstverständlich zu halten – er war die Teufelskreatur, mit ihm und seinesgleichen waren Angst und Trauer über sie gekommen, also war er es ihnen verdammt noch mal schuldig, dass er sein wertloses Leben opferte.

Stumm stimmte Sanno ihrem Urteil zu. Irgendwo in seinem Rücken hörte er Lunja leise schluchzen, aber er wandte sich nicht mehr um zu ihr. Schenk deine Tränen besser einem Burschen, der eine unsterbliche Seele besitzt, Lunja, und nicht bloß einen ekligen Wurm unter dem Schädelwulst.

»Hark, gib ihm deinen Dolch«, befahl Karst.

Der junge Fischer zückte seine Waffe und wollte sie Sanno in die Hand drücken, aber der schüttelte den Kopf. Er holte sein eigenes Messer hervor. »Die Spitze ist abgebrochen«, sagte er leise, »aber es ist immer noch eine gefährliche Waffe.« Und vor allem ist es das Messer, das mir der Vater geschenkt hat, setzte er in Gedanken hinzu, das Einzige, was mir von Vater Lambert geblieben ist.

Karst zuckte mit den Schultern. »Du suchst den Tod, hab ich recht?« Der Wind zauste seinen langen grauen Bart. »Nun, an deiner Stelle . . . Also genug geschwätzt. Viel Glück – uns allen.«

Der Schacht war so eng, dass Sanno mit den Schultern fast an die Wände stieß. Mit einer Hand und den übereinandergelegten Fußknöcheln hielt er sich an dem armdicken Tau fest, seine Rechte umklammerte den Griff seines Hirschhornmessers. Mattes Sonnenlicht drang herein, erhellte wenige Meter narbiger Felsmauern und versickerte in der Schwärze darunter. Die Luft hier drinnen war feucht und roch unerwartet frisch – vielleicht führte dieser Schacht geradewegs bis hinab zum Meer.

Jetzt würde ihm einmal zugute kommen, dass er sich auf Lamberts Gutshof oftmals in schwierigen Gauklertricks geübt hatte – auf dem Seil vom Herren- zum Gesindehaus hinüberbalanciert war oder an Tauen wie diesem die lotrechte Hauswand emporgeklettert, zum Schrecken der Wildkatzen, die auf Mauersimsen und Dachfirsten in der Sonne lagen.
Am Seil mehr hinabfliegend als sich hinunterhangelnd, jagte Sanno in die Tiefe – so sausend schnell, dass das raue Tau ihm die Hand aufschürfte und die Hose an seinen Beinen ratschend zuschanden ging. Aber er musste so schnell wie irgend möglich hinab – falls da unten ein Wächter lauerte, würde er ihm das Messer in die Brust stoßen, ehe der Kerl auch nur gemerkt hätte, dass das Verhängnis auf ihn herniederflog.
Nach vielleicht fünfzehn Metern bemerkte er rechterhand eine Öffnung im Fels – eben groß genug, dass sich ein erwachsener Mann hindurchzwängen konnte. Sanno klemmte sich das Messer zwischen die Zähne, umklammerte das Seil mit beiden Händen und schlängelte sich mit den Füßen voran in den seitlichen Stollen hinein. Im letzten Moment ließ er das Seil los und schoss mit dem verbliebenen Schwung rücklings durch einen abschüssigen Kriechgang, der so eng und schwarz wie ein Ofenrohr war. Sein Gewand zerriss auch am Rücken mit lautem Ratsch in Fetzen, er spürte einen scharfen Schmerz zwischen den Schulterblättern, dann war er hindurch. Für einen Moment jähen Entsetzens war unter ihm nur Luft – seine Fantasie malte ihm vor, wie er in einen Abgrund hinabfiel, immer tiefer hinein in den Felsen von Maledun, bis er nach dreißig oder fünfzig Metern unten am Strand aufschlagen würde.
Aber stattdessen knallte Sanno einen Wimpernschlag später mit Hacken und Hintern auf feuchtem Steinboden auf. Das Messer fiel klirrend zu Boden. Er tastete danach, bekam es glücklich zu fassen und rappelte sich auf.

Um ihn herum war es so finster, als ob sein Kopf mit schwarzen Lappen umwickelt wäre. Dennoch spürte er sofort, wo er sich hier befinden musste – im Vorraum vor seinem einstigen Verlies. Im nächsten Moment hatten sich seine Augen so weit auf die Schwärze eingestellt, dass er zumindest einige Umrisse unterscheiden konnte. Sein Gefühl hatte ihn also nicht getäuscht: Rechter Hand war Lifs Zellentür, daneben ein Haufen Trümmer in einem Mauerloch – dort hatte damals die Treppe zum Hof hinaufgeführt. Und gegenüber davon, das musste die Tür zu seinem eigenen Kerkerloch sein, mit dem Drachenbild an der Wand.
Die Tür stand halb offen, dahinter schien sich noch tiefere Schwärze zu ballen. Sannos Herz pochte nun etwas schneller, doch er schluckte seine Angst hinunter und machte einen Schritt auf die Tür zu. Ganz kurz sah er dahinter den Glanz von Augen, umgeben von einem Schimmern wie von Gold und Kupfer – ein Wächter? Aber warum verbarg er sich hier, wieso hatte er sich nicht auf den Eindringling gestürzt?
Während Sanno noch überlegte, wurde die Tür vor ihm zugeknallt. Ein Riegel fuhr kreischend ins Schloss, dann hörte er rasche Schritte hinter der Tür. Was hatte das zu bedeuten? Warum ergriff dieser Gehilfe des Teufelsmagiers – denn nichts anderes konnte er ja sein – die Flucht vor ihm, warum hatte er ihn nicht angegriffen, als Sanno aus dem Stollen herausgepurzelt war, wie blind und völlig wehrlos?
Er drückte sein Ohr an das mit Eisen beschlagene Türblatt und hörte ein dumpfes Malmen, wie wenn sich Stein an Stein reibt, ein Knirschen und Dröhnen – dann nichts mehr.
»He, Bursche – was ist da unten los?« Fast genauso dumpf wie das steinerne Malmen drang Karsts Stimme zu ihm herab.
Sanno wandte sich um und ging zurück zum Kriechgang. Der Vorraum kam ihm viel enger und niedriger vor als in seiner Erinne-

rung, aber das lag nur daran, dass er damals eben ein kleiner Knabe gewesen war. Alles hier atmete das Grauen und die Angst, die er in diesem Gemäuer Tag für Tag und Jahr um Jahr erlitten hatte. Nicht daran denken, ermahnte er sich. Nicht jetzt und niemals mehr.

Er kauerte sich vor den Kriechgang und schob seinen Kopf so weit wie möglich hinein. »Kommt herunter«, rief er gedämpft. »Aber macht schnell!«

»Los geht's!«, hörte er Karst oben auf dem Ödfeld rufen. »Ich zuerst, dann Krol und Soren.«

Nur Augenblicke später rumpelte der alte Fischer durch den Kriechgang, mit den eisenbeschlagenen Stiefeln voran. In der Hand hielt er einen furchterregenden Krummdolch, an seinem Gürtel tanzte eine kleine Laterne.

Er sprang auf, nickte Sanno zu, war schon bei Lifs Zellentür und leuchtete hinein. »Leer! Sieht aus, als ob hier seit Jahren niemand gehaust hätte.«

Für einen Moment sah Sanno wieder vor sich, wie damals Lif aus genau dieser Tür getreten war, während oben auf dem Hof Schüsse knallten, Säbel gegeneinanderklirrten, Männer fluchten und vor Schmerzen schrien.

Er trat neben Karst und spähte über die Schwelle. Der Boden war mit einer dicken Schicht aus Staub und Schmutz bedeckt. Kleine Tierknochen lagen herum, Steinbrocken und Möwenfedern. Vielleicht ist ja alles ein Irrtum?, dachte er. Vielleicht ist der Teufelsmagier gar nicht hierher zurückgekehrt? Konnten die drei Kinder aus dem Dorf nicht auch auf andere Weise verschwunden sein? Und die schattenhafte Gestalt, die er vorhin hinter der anderen Tür gesehen hatte – vielleicht war es einfach ein Einsiedler oder ein Vogelfreier, der sich an diesem Ort niedergelassen hatte, ohne zu ahnen, dass er sich eine Stätte unsäglichen Schreckens zur Heimstatt erwählt hatte?

Aber Sanno glaubte es selbst nicht. Denn er spürte es ja ganz deutlich – das Herz des Drachen hatte wieder begonnen zu schlagen.
Währenddessen hatte sich der kleine Vorraum mit Männern gefüllt, einem Dutzend bärtiger Kerle mit Säbeln am Gürtel und Fackeln in den Händen.
»Wir müssen dorthinein.« Karst deutete auf die Tür zu Sannos einstigem Verlies. »Der Bursche hat gesehen, wie jemand diese Tür hinter sich verrammelt hat.«
Soren zog eine Axt aus dem Gürtel und schlug mit wenigen Hieben das Schloss entzwei. Er riss die Tür auf und warf eine Fackel in den stockfinsteren Raum. Vorsichtig spähten sie hinein, doch auch dort drinnen schien niemand zu sein. Die Männer zückten Säbel und Dolche, stampften über die Schwelle. Ihre Fackeln erleuchteten das Verlies so hell, wie es damals nie gewesen war – nicht einmal dann, wenn das Herdfeuer im Ofen gelodert hatte.
Hinter ihnen schlich Sanno ins Verlies. Auch dieser Raum war kleiner als in seiner Erinnerung. Die Decke so niedrig, dass der lange Krol beinahe mit dem Scheitel dagegenschrammte. Dort drüben, dachte Sanno, hab ich gesessen, Tag und Tag und Jahr um Jahr. Die Eisenringe im Boden waren noch da, das Eisenband an der Mauer darüber. In diesen rostigen Fesseln haben meine Füße gesteckt. Auf einmal spürte er wieder den Druck des eisernen Bandes um seinen Hals. Er wollte sich schon abwenden, aber dann ging er im Gegenteil näher heran, kauerte sich vor die Eisenringe, fuhr mit den Fingern darüber.
Meine Erinnerung ist wieder da, dachte er. Niemals mehr werde ich vergessen, was damals geschehen ist. Aber ich will den Schmerz, die Angst und das Grauen nicht noch einmal fühlen. Ich kann nicht mehr und ich will nicht mehr.
»Der arme Kerl«, hörte er hinter seinem Rücken murmeln. »Da hat er wohl seinen eigenen Karzer wiederentdeckt.«

»Teufel sind Teufel, ob arm oder reich«, knurrte ein zweiter Fischer, und als Sanno sich umwandte, standen hinter ihm Karst und Soren. Beide sahen ihn so grimmig an, dass er gar nicht hätte sagen können, ob der alte oder der junge Fischer ihn eben als Teufel bezeichnet hatte.
»Wie kannst du gesehen haben«, fuhr ihn Karst an, »dass jemand sich hier eingeriegelt hat? Wehe, du versuchst uns in die Irre zu führen, du Haufen Satansdreck! Schau dich doch um – auch dieses Loch ist leer!«
Sanno richtete sich langsam auf. »Ich hab Euch gesagt, was ich gesehen habe. Glaubt es oder lasst es bleiben, Karst.«
Der Alte hob drohend die Faust, aber Sanno ließ die beiden stehen und ging zu dem rußgeschwärzten Ofen hinüber, auf dem der maskierte Riese damals die gläserne Teufelsapparatur betrieben hatte. Daneben prangte noch immer das Bildnis des brüllenden Drachen an der Mauer, mit dem weit aufgerissenen Rachen, aus dem Feuergarben stoben bis zur Decke hinauf. Auch der Herd kam ihm unwirklich klein vor, und die eisernen Platten waren gleichfalls dick mit Staub bedeckt. Eben zog Soren die Klappe vor dem Feuerloch auf und stocherte mit dem Säbel darin herum, aber außer uraltem Ruß und Unmengen Asche enthielt der Ofen nichts.
Natürlich nicht. Sanno ahnte längst, wie es der Gehilfe des Teufelsmagiers geschafft hatte, aus diesem fensterlosen Raum zu entfliehen. Er wollte sich eben dem Drachenbild zuwenden, da hörte er hinter sich leises Pfeifen. Er wandte sich um – in der Tür stand mit kläglichem Lächeln Lif.
Mein Teufelsbruder, dachte Sanno, und sein Herz blieb ruhig. Aber dann bemerkte er Lunja, die neben Lif getreten war und ihn wieder mit diesem Ausdruck unendlichen Mitleids ansah.
Da zog sich Sannos Kehle zusammen, und seine Beine drohten unter ihm nachzugeben. Mit der Hand suchte er Halt am Ofen.

Sieh mich nicht so an, Lunja!, wollte er schreien, aber wenn er jetzt den Mund aufmachen würde – es würden keine Worte hervorkommen, sondern höchstens ein verwunschenes Krächzen. So wandte er sich nur stumm ab und trat vor das Drachenbildnis. Damals hatte der riesige Mann auf einen Stein in der Nähe des Drachenmauls gedrückt, woraufhin ein Türchen in der Mauer aufgesprungen war. Durch eine ähnliche Vorrichtung musste sich auch eine größere Tür in der Wand öffnen lassen – der Durchschlupf, durch den vorhin der Wächter entkommen war, anders konnte es gar nicht sein.

Wahllos drückte und tastete Sanno auf der Mauer herum. Die rot bemalten Steine fühlten sich überraschend warm an – so als ob es sich um wirkliches Feuer, nicht bloß um aufgemalte Flammen handelte. Oder als ob dahinter ein Höllenfeuer loderte.

Nachdem er eine Weile herumgetastet hatte, stieß er auf einen locker sitzenden Stein. Er versuchte ihn nach links und rechts zu drehen, dann aus der Wand herauszuziehen, ohne Erfolg. Doch als Sanno den Stein mit seiner ganzen Kraft tiefer in die Mauer hineindrückte, löste sich mit leisem Scheppern im Innern der Wand ein Riegel, und neben dem Ofen schwang eine Tür in der Mauer auf.

»Sag das doch gleich, Bursche.« Karst rempelte Sanno zur Seite und leuchtete mit seiner Laterne in die Dunkelheit hinein.

Hinter der steinernen Tür wand sich eine schmale Treppe in die Tiefe – und plötzlich flog irgendwo dort unten eine weitere Tür auf, und ein feuerroter Lichtschwall schwappte zu ihnen herauf. Flammen fauchten, gläserne Gefäße klirrten da unten gegeneinander. Zugleich war lautes Weinen und Wimmern von ganz kleinen Kindern zu hören.

»Wer immer da oben ist«, schrie eine dumpfe Männerstimme, »verschwindet oder verreckt!« Sanno erkannte sofort, dass es die Stimme des Mannes mit der Ledermaske war. Ein Schuss krach-

te, das Echo dröhnte in seinem Kopf. »Wer sich diese Treppe herabwagt, ist des Todes!«
Ein weiterer Schuss wurde dort unten abgefeuert, die Kugel prallte von der Felswand ab und schoss mit sirrendem Pfeifen dicht an Sanno vorbei. Hinter ihm schrie jemand auf, und Karst und er fuhren gleichzeitig herum – der junge Hark presste sich eine Hand auf die Brust. Sein Gesicht war grau wie Asche. Im nächsten Moment sackte er zu Boden.
»Die Tür dahinten zu!«, befahl Karst. Krol und Soren schoben die schwere Steintür in die Öffnung zurück, während der alte Fischer schon neben Hark kniete. »Er ist schwer verletzt, aber er lebt«, rief Karst den anderen zu. »Mach dir keine Sorgen, mein Junge«, fuhr er leiser fort. »So wahr ich hier neben dir knie, Hark – wir werden deinen kleinen Karol und die beiden anderen aus den Fängen des Satans da unten befreien.«
Die schwere Verwundung ihres Verwandten oder Freundes schien den wütenden Kampfesmut der Männer nur noch weiter zu schüren.
»Ein guter Plan, alter Kampfgefährte«, erschallte da vom Kriechgang her eine dröhnende Stimme. »Aber wer gegen den Teufel zu Felde ziehen will, sollte als Erstes die Teufelsbrut erschlagen – und nicht auf ihren Beistand setzen!«
Dem Gepolter nach zu urteilen musste draußen durch den Kriechgang soeben ein riesenhafter Mann zu ihnen herabgedonnert sein. Alle fuhren herum – in der Tür erschien ein Hüne mit schwarzem Umhang, schneeweißem Bart und Haupthaar. »Deine Wächter droben«, fuhr er fort, »haben mich schon ins Bild gesetzt, Karst – diesmal steckt der Teufel in eurer Falle fest. Und nur diese beiden hier können euren Sieg noch vereiteln und ihrem Meister unten im Felsloch abermals zur Flucht verhelfen.«
Mit zwei Schritten war er im Verlies, seine linke Hand packte Lif im Nacken und schleifte ihn mit sich, die rechte ergriff Sanno

und drückte sein Genick wie mit der Weinpresse zusammen. Das runzlige Männchen pfiff ganz leise vor Entsetzen, und Sanno hätte es ihm beinahe gleichgetan.
Zuerst hatte er den Mann gar nicht erkannt, denn er sah schrecklich verwandelt aus. Nase und Kinn waren unförmig zertrümmert und geschwollen, sein ganzes Gesicht mit Blutergüssen übersät. Und doch war der riesenhafte Mann, der Lif und ihn wie Katzen gepackt hielt, niemand anderes als der Seelenbildmaler Herbold.

41

Unterdessen waren weitere Männer vom Ödfeld herabgekommen, angelockt durch die Schüsse aus der Tiefe und die Kunde, dass Hark verletzt war. Sannos einstiger Kerkerraum war gedrängt voll mit blond- und graubärtigen Fischern, doch vor der wuchtigen Gestalt des Fremden, der die beiden Teufelsjungen wie Getreidesäcke vor sich hertrug, wichen alle zur Seite. Mit wenigen Schritten durchquerte Herbold den Raum, und da erst bemerkte Sanno, dass der hünenhafte Mann humpelte.
»Gott zum Gruß, meine alten Kampfgefährten.« Grimmig nickte er Karst und Krol zu, die ihm mit offenkundiger Verblüffung entgegensahen. »Ihr dachtet wohl, dass ich damals in den Flammen umgekommen wäre, aber das Schicksal hat mich mit einer dicken Panzerhaut bedacht, der weder Schläge noch Flammen viel anhaben können.« Mühelos hob er Lif und Sanno noch weiter an und warf sie wie zwei Stücke Treibholz auf den Ofen. Dann schüttelte er Karst und Krol feierlich die Hände. »Und jetzt lasst uns dort unten zu Ende führen, was wir vor so vielen Jahren begonnen haben. Aber vorher müssen wir diesen beiden da die Hälse umdrehen, anders geht es nicht.«

Er deutete auf Sanno und Lif, die auf dem Ofen lagen, wie Herbold sie hingeworfen hatte. »Erdrosseln oder ersäufen, erstechen oder erschießen«, fuhr der Seelenbildmaler fort, »die Kadaver anschließend vierteilen und die Aasstücke an möglichst weit entfernten Orten verscharren – nur dann könnt ihr sicher sein, dass kein Satanszauberer sie wieder erweckt.«
Lif stieß in schneller Folge leise Fieptöne aus, doch Sanno nahm Herbolds Gerede kaum wahr. Wie versteinert lag er neben seinem Teufelsbruder auf dem Ofen, so starr, als ob er bereits ersäuft und sein Leichnam in Viertelstücke zerhackt worden wäre. Wenn nicht Herbold der Satansmagier ist, der Lif und mich erschaffen hat, dachte er, dann bleibt nur noch eine einzige Möglichkeit übrig. Die grässlichste von allen.
»Und am liebsten«, polterte unterdessen Herbold, »würde ich auch diese ungetreue Maid gleich mit ersäufen!« Er fuhr herum, packte Lunja bei der Hand und zog sie zu sich heran. »Könnt ihr begreifen, meine alten Freunde«, fragte er Karst und Krol, »wie sich ein Mensch so undankbar und verräterisch gegen seinen Retter betragen kann – selbst dann, wenn es nur ein kleines Weib ist?«
Lunja wand sich unter seinem Griff, aber er hielt sie mit eiserner Hand fest. Die Schwellungen und Blutergüsse in seinem Gesicht schillerten im Fackellicht wahrhaftig wie die Panzerhaut eines urtümlichen Reptils. »Damals, als das Teufelshaus in Flammen aufgegangen war«, fuhr Herbold fort, »als ich erkennen musste, dass alles vergeblich gewesen war – der Satansalchimist entkommen und meine eigene kleine Tochter, die er aus meinem Haus verschleppt hatte, von dem Ungeheuer dort unten bereits geschlachtet und dem Höllenfürsten geopfert –, damals zog ich wochen- und monatelang ziellos durch die Lande und stieß eines Tages auf einen Hof in der märkischen Einöde, der von Räubern überfallen und bis auf die Grundmauern niedergebrannt worden

war. In einer steinernen Truhe am Brunnen saß diese Maid hier, ein Kindlein von nicht einmal sieben Jahren – in ihrem Versteck hatte sie als Einzige die Brandschatzung überlebt, doch aus eigenen Kräften hätte sie sich aus ihrem steinernen Sarg nicht mehr befreien können.«

Er ließ ihre Hand los und legte stattdessen einen Arm um ihren Hals, so eng, dass Lunja keuchend um Atem rang. »Ich nahm sie mit mir, kleidete und nährte sie wie meine eigene Tochter – tatsächlich an Kindes statt, nachdem meine kleine Ada von dem Teufel dort unten auf grässliche Weise zu Tode gebracht worden war. Und nachdem meine liebe Frau in ihrem unstillbaren Kummer mit nicht einmal dreißig Jahren ins Paradies gefahren war.«

Herbold fuhr sich mit der freien Hand über die Augen, und Sanno bemerkte, dass auch mehrere seiner Finger zerquetscht und unförmig zertrümmert waren. Aber er nahm es nur wie durch einen dicken Nebelschleier wahr – in seinem Innern schlich wieder das Grauen umher, das er doch niemals mehr hatte empfinden wollen. Nicht Herbold ist der Teufelsmagier, dachte er erneut. So bleibt nur noch eine einzige Möglichkeit, die ungeheuerlichste von allen.

»Anfangs hatte ich noch gehofft«, sprach Herbold unterdessen mit schwankender Stimme weiter, »dass der Teufelsmagier nicht weit kommen würde, dass ich ihn auf seiner Flucht noch stellen könnte. Ich jagte ihm zu Pferde hinterher, die Küste entlang und dann landeinwärts, und brachte bald in Erfahrung, dass er mit einer Kutsche gen Süden floh, begleitet von zwei kleinen Knaben, von denen es hieß, ihre Köpfe seien durch Wülste entstellt – so als ob ihre Schädel einstmals gespalten und von groben Händen wieder zusammengefügt worden wären.«

Erst Lunjas verzweifeltes Keuchen weckte Sanno aus seiner Erstarrung. Er richtete sich auf der Ofenplatte auf – Lunja rang röchelnd um Atem, ihr sonst immer feenblasses Gesicht war fast so violett verfärbt wie die Schwellungen auf Herbolds Kinn. »Ihr bringt sie ja um, Herr!«, rief Sanno dem Riesen zu. Und wenn der Seelenbildmaler ihn auf der Stelle erschlagen würde – er musste versuchen, Lunja vor seinem mörderischen Zorn zu bewahren. »Bitte verschont sie – Lunja mag Euch im Stich gelassen haben, aber sie hat Euch nichts Böses angetan.«

Mit offenkundiger Verblüffung blinzelte Herbold auf Sanno hinab. »Was sagst du da? Du willst mir Ratschläge erteilen, du Teufelsdreck?« Drohend schüttelte er seine Faust vor Sannos Gesicht, aber zugleich lockerte er seinen Griff um Lunjas Hals – zumindest so weit, dass sie wieder Atem holen konnte. Dankbar lächelte sie Sanno zu, immer noch keuchend und mit Tränen in den Augen, und dieses scheue, mühevolle Lächeln rüttelte Sanno noch weiter aus seiner inneren Betäubung auf.

Lunja hat dich nicht in Herbolds Auftrag hierhergeleitet, wisperte es in ihm. Sie hat immer schon gewusst oder wenigstens geahnt, wie es um dich steht, und deshalb hat sie dich auch oft so traurig angesehen – aber sie ist dennoch bei dir geblieben, hat dich getröstet und umarmt, über deine Gaukeleien gelacht und sich in kalten Nächten an dich geschmiegt. Ob sie also doch ein wenig mehr als nur Mitleid für dich fühlt?

Aber nein, törichte Hoffnung, schrie eine viel lautere Stimme in seinem Innern, wie kann sie mehr als Mitgefühl für einen wie dich empfinden – einen Teufelsjungen? Und selbst wenn sie ein wenig Liebe für dich fühlte, ja gerade dann, Unseliger, musst du sie zurückstoßen um ihrer selbst willen, denn Lunja würde sich ja gegen ihren Schöpfer versündigen und ihr eigenes Seelenheil verspielen, wenn sie einem Teufel wie dir die Treue hielte!

So wisperten und schrien die Stimmen in Sannos Innerem, und währenddessen sprach Herbold weiter. »Den schwächlicheren der beiden Homunkel hat der Teufelsmagier wohl bald schon am Wegrand zurückgelassen – diesen hier«, fügte er hinzu und versetzte dem reglos auf dem Ofen liegenden Lif einen Hieb. Das Männchen pfiff leise auf, sagte aber nach wie vor kein Wort. »Mit der anderen Kreatur aber floh er weiter kreuz und quer durchs Land, wechselte Namen, Kutschen, Reiserouten, und schließlich verlor ich ihn aus den Augen. Die zweite Kreatur, die er mit sich nahm, war diese hier.«

Herbolds Hand schnellte auf Sanno zu, packte sein Gewand vor der Brust und zerrte es ihm mit einem einzigen Ruck vom Leib. Sanno wäre fast vom Ofen hinabgeflogen, im nächsten Moment umfasste die Linke des Seelenbildmalers seinen Arm und riss ihn empor. »Hoch mit dir, Satansbalg, damit diese Christenmenschen deine Teufelsmale sehen!«

Die Männer umdrängten den Ofen, glotzten ihn an, bekreuzigten sich ein ums andere Mal, und Sanno ließ alles mit sich geschehen.

Eigentlich hatte er geglaubt, dass er sich wieder schrecklich schämen würde, wie sonst immer, wenn seine Wülste und Narben entblößt wurden. Aber diesmal erging es ihm anders – anfangs krümmte und wand er sich innerlich noch ein wenig, doch dann sagte er sich: Wozu soll es jetzt noch gut sein, dass ich mich für diese Verstümmelungen schäme? Sie gehören nun einmal zu mir, wie der Nabel zu einem Gottesgeschöpf gehört! Hat mir denn das elende Verstecken irgendetwas geholfen? Nein, ganz im Gegenteil.

Und nachdem er sich alles so zurechtgelegt hatte, konnte er die Blicke der Männer nicht nur ruhig ertragen, sondern verspürte plötzlich sogar etwas wie einen trotzigen Stolz auf den holzigen Wirrwarr, der seine Nabelgegend wie ein Irrgarten überwucherte. Ja, er verstand mit einem Mal, wie Huck und Muck sich gefühlt haben mussten, als sie zur Feier ihrer Befreiung von Godobar mit entblößten Oberkörpern umhergelaufen waren und ihre grausige Verwachsung allen Blicken preisgegeben hatten.

»Schaut nur hin, Männer von Althoff!«, schrie Herbold. »So sieht ein Teufelsbalg aus, der in der gläsernen Mutter durch Höllenbeschwörung erzeugt worden ist! Der Teufelsmagier, der da unter euch in der Falle hockt, hat ihm diese Zeichen in den Leib geschnitten, um zu verbergen, dass die Teufelsbrut keinen Nabel hat, weil sie nicht auf dem von Gott befohlenen Weg in diese Welt gekommen ist!«

Er stieß Lunja von sich, riss seinen Dolch aus dem Gürtel und schwang ihn in Sannos Richtung. »Die beiden Satansbälger müssen verrecken, auf der Stelle!«, schrie er. »Um ihretwillen wurden meine kleine Ada und unzählige andere Kinder geschlachtet! Sie sind schuld daran, dass meiner armen Frau das Herz gebrochen ist! Durch sie ist mein ganzes Leben in Trümmer zerfallen – früher war ich ein reicher Schiffsbauer, in Stralsund sesshaft, mit einem prächtigen Haus und einer angesehenen Werft. Aber durch diese verfluchten Teufel bin ich zum heimatlosen Schausteller geworden, zu einem verachteten Vagabunden, der von Markt zu Markt ziehen musste, jahraus, jahrein, immer auf der Suche nach den Ungeheuern, die mein Leben zerstört haben!«

Er machte einen Schritt in Sannos Richtung, riss ihn am Gürtel zu sich herunter und drückte ihm die Klinge an den Hals.

»Nur langsam, alter Gefährte, nimm dein Messer weg.« Karst hatte lange geschwiegen, jetzt schien ein Entschluss in ihm gereift zu sein. Er legte seine Hand auf Herbolds Arm, und Sanno spürte erleichtert, dass der kalte Druck von seiner Kehle wich.

»Dieser Teufelsjunge hat uns vorhin angeboten, sein Leben zu opfern, damit das Ungeheuer da unten endlich unschädlich gemacht werden kann«, fuhr Karst fort und strählte sich mit gespreizten Fingern den langen Graubart. »Ich denke, dass dieses Angebot immer noch gilt – und dass wir es jetzt unverzüglich annehmen sollten. Denn anders kommen wir nicht dort hinunter – die Bestie hat drei unserer Kinder in ihrer Gewalt, und sie

schießt auf jeden, der die Treppe hinter der Steintür zu betreten wagt.«
Er deutete auf das Drachenbildnis neben dem Ofen. »Der Teufelsjunge soll eine Feuerwaffe bekommen und die Stufen hinabrennen, so schnell er irgend kann. Wenn Gott will, wird ihn die erste Kugel verfehlen, und bis sie dort unten nachgeladen haben, muss er bei ihnen sein und seinerseits mit der Arkebuse auf den Teufel feuern.«
»Das nennst du einen Plan, Karst?«, rief Herbold mit höhnischem Lachen aus. »Ich nenne es Irrsinn! Ihr müsst wahrhaftig allesamt den Verstand verloren haben. Wenn du den Kerl da hinunterschickst, wird er sich seinem Herrn und Meister mit Freudengeheul an die Brust werfen!«
Mit einem Schritt war Herbold wieder bei Sanno und drückte seinen Hals so fest zusammen, dass Sanno meinte, augenblicklich sterben zu müssen. Seine Kehle brannte, als ob er Feuer geschluckt hätte. Er konnte nicht ein- und nicht ausatmen, verzweifelt riss er mit seinen Händen an Herbolds Arm, aber der lag wie einst das Eisenband um seinen Hals.
»Meister Herbold, ich flehe Euch an – haltet ein!« Lunja warf sich vor ihm auf die Knie. Sie reckte die gefalteten Hände zu Herbold empor. »Tötet mich, aber lasst ihn am Leben! Ich habe ihn zur Flucht verleitet, Sanno trifft keine Schuld! Bitte, Meister, ich will auch alles tun, was Ihr von mir verlangt! Für immer will ich Euch dienen, aber schont Sannos Leben. Er ist ja alles, was ich auf dieser Welt habe. Wenn Ihr ihn tötet, bringt Ihr auch mich um! Bitte, bitte, Meister – lasst ihn leben!«
So schrie und weinte und bettelte Lunja, und Sanno hörte es wie aus weiter Ferne. Die Sinne begannen ihm zu schwinden. Grellfarbene Lichtfunken tanzten vor seinen Augen. Er meinte zu spüren, wie der Wulst sich aufblähte und immer weiter aus seinem Kopf hervorquoll. Das ganze Verlies mit dem Ofen und dem Dra-

chen und den Männern mit ihren Waffen und Fackeln schwankte um ihn herum, als ob unter seinen Füßen nicht der Fels von Maledun, sondern das schaukelnde Nordmeer wäre.
»Also meinetwegen, du törichte Maid.« Herbold ließ ihn endlich los, keuchend und röchelnd sank Sanno neben Lunja auf den Boden. »Dann schickt den Teufelsjungen eben dort hinab, mit einer Kugel im Lauf der Arkebuse. Tötet er seinen Höllenvater, bin ich bereit, ihn zum Lohn in die Hände der Hexenjäger zu übergeben. Versagt er, so werde ich ihn und seinen Satansmeister bei lebendigem Leib in Stücke zerschneiden, so wahr mir der gütige Gott droben im Himmel helfe, amen.«

42

Vater Lambert, kommt heraus!« Sanno stand in der weit geöffneten Steintür, die Arkebuse in der Hand. Nach einer Biegung verlor sich die schmale Wendeltreppe im Dunkeln. »Ihr habt Euch mit dem Satan eingelassen«, schrie er. »Ihr habt Leid und Tod über so viele Menschen gebracht – und Ihr habt mich durch teuflischen Zauber erschaffen! Kommt heraus, Vater, damit ich Euch töten kann!«
Er lauschte die dunkle Treppe hinab. Hörte er nicht unterdrücktes Atmen dort unten? Ein leises Klirren wie von Eisen? Auf Zehenspitzen schlich er eine Stufe hinunter, dann noch eine.
Plötzlich raste in ihm wieder Angst umher, ließ sein Herz hämmern, das Blut in seinen Ohren rauschen. Hatte er sich nicht geschworen, nie mehr irgendetwas zu empfinden – weder Entsetzen noch Hoffnung, weder Angst noch Schmerz? Aber der Glaspanzer war längst wieder zersprungen, unter zwei heftigen Stößen zersplittert – zuerst, als er verstanden, endlich verstanden

hatte, wer sich unter der Ledermaske des Teufelsmagiers verbarg. Und dann vollends, als Lunja um sein Leben gefleht, als sie Herbold zugeschrien hatte, dass er, Sanno, alles sei, was sie auf dieser Welt habe.

Du darfst mich nicht lieben, Lunja. Du musst mich vergessen, so schnell wie irgend möglich, um deiner selbst willen. Ich bin ja nur ein Teufelsdreck, und wenn dein lieber Gott im Himmel es ein bisschen gut mit mir meint, dann lässt er mich jetzt meinen Satansvater töten und schenkt mir zugleich einen raschen Tod.

Er schlich die nächste Stufe hinab und spähte um die Windung der Treppe. »Geh nicht weiter, Sanno!«, rief der Vater von unten mit dumpfer Stimme. »Ich will dir nichts antun, aber wenn du weitergehst, bleibt mir keine Wahl!«

»Ihr wollt mir nichts antun?« Vor Erstaunen tappte Sanno die nächste und die übernächste Stufe hinunter, ohne es recht zu bemerken. »Ihr habt mich in Verliesen eingekerkert, Vater, mich verstümmelt und zu Tode verängstigt! Ihr habt mich gequält, Euch an meinem Entsetzen geweidet, habt mich belogen und betrogen ein Leben lang! Meine ganze Kindheit war nichts als Finsternis und Schrecken, und da sagt Ihr, dass Ihr mir nichts antun wollt?«

»Geh nicht weiter, mein Sohn!«

Aber er würde weitergehen, er hatte nichts zu verlieren außer Lunjas Liebe, und die musste er opfern, damit Lunja nicht um seinetwillen ihr Seelenheil verlor.

»Bleib stehen, Sanno – ich bitte dich!«

Aber er lief weiter und weiter. »Ihr habt mir immer befohlen, Vater – wie kommt es, dass Ihr mich auf einmal bittet?«

Da krachte unter ihm ein Schuss los, Sanno sah den Explosionsfunken aufblitzen, presste sich an die Wand, und die Kugel jagte pfeifend an ihm vorbei. Im selben Moment stieß er sich ab und sprang mit einem Satz in die Dunkelheit, auf die schwarze Gestalt am Fuß der Treppe hinab.

Vielleicht war Gott wahrhaftig mit ihm – Sannos Knie prallten mit solcher Wucht gegen die Brust des riesigen Mannes, dass der rücklings gegen die Tür geworfen wurde. Das Gewehr entglitt seiner Hand und schlitterte mit eisernem Kreischen über den Steinboden. In diesem Moment wurde die Tür aufgestoßen, und wieder schwappte ein flammend roter Lichtschwall in den Treppenschacht hinaus. Mit schreckgeweiteten Augen erschien auf der Schwelle eine schlanke, hochgewachsene Frau. Ihre rotgoldenen Haare waren verworren und von Staubfäden durchwirkt. In der Rechten hielt sie eine brennende Fackel.
»Mutter Heid. . . Heidlinde!« Sanno rappelte sich auf und wusste im selben Moment, dass es wieder nur Linda war. Seine Arkebuse hielt er gleichwohl auf Vater Lambert gerichtet – trotz aller Verwirrung und obwohl er mindestens so sehr schlotterte wie damals Keta, als sie im Bosengrund auf den Räuber angelegt hatte.
Der Vater erschien Sanno noch riesiger als in seiner Erinnerung. Er trug seinen schwarzen Umhang, dazu gewaltige Stulpenstiefel, als ob er nachher noch das Nordmeer durchwaten wollte. Mit einem Ruck riss er sich die Ledermaske vom Kopf. »Zurück an deinen Platz, Linda!«, befahl Lambertus mit wohlklingender Stimme. Er strich sich über das eisgraue Haupthaar. »Bleib mit der Fackel neben dem Kreis um die Kinder stehen, wie ich es angeordnet habe. Versucht eines von ihnen zu fliehen, oder will jemand von oben zu uns hereinkommen, dann senkst du die Flamme auf den Bannkreis.«
Er sah zu, wie Linda seinen Befehl ausführte. Auch Sanno schaute ihr hinterher, wie sie durch den riesigen Gewölbesaal ging. Zugleich behielt er Lamberts Gewehr im Auge, das neben ihm am Boden lag. Einen halben Schritt linker Hand klaffte ein kleines Felsloch im Boden. Anscheinend war der ganze Fels von Maledun hohl wie ein Schwamm, von natürlichen Stollen und Kriechgän-

gen durchzogen – Sanno hatte es kaum gedacht, da schnellte sein Fuß vor und schob Lamberts Arkebuse in das Loch hinein. Mit metallenem Scheppern trudelte die Waffe abwärts, prallte kreischend und schleifend zwischen den Wänden hin und her und schlug erst nach langen Augenblicken am Grund von Maledun auf.

»Sanno, was soll das denn.« Der Vater schüttelte wie in mildem Tadel den Kopf. »Aber Hauptsache, du bist wieder da.« Er legte Sanno eine Hand auf den Rücken und wollte ihn in den riesigen Felsensaal schieben, doch Sanno machte sich steif und blieb auf der Schwelle stehen.

»Geht Ihr hinein, Vater – ich bleibe hier draußen.« Die Hand des Vaters auf seinem bloßen Rücken war ihm wenig angenehm.

Wieder schüttelte Lambert den Kopf. Seite an Seite standen sie in der Tür und sahen in den Saal hinein. An der hinteren Wand war ein Kamin, in dem ein Feuer brannte, einige Schritte davor erhob sich ein großer eiserner Ofen. Tische und Schemel standen kreuz und quer daneben, überhäuft mit Flaschen und Tiegeln, Zangen und Stößeln, Bottichen und bauchigen Glasgefäßen in buntem Durcheinander. Weiter oben in der Felsmauer gab es tatsächlich eine Reihe schmaler, unregelmäßig geformter Löcher, dahinter waren Fetzen blauen Himmels zu sehen. Es war genau, wie jener Fischer gesagt hatte, dachte Sanno – von der See aus mussten diese Scharten im Fels zumindest für den flüchtigen Blick wie Fensterluken aussehen.

Schwer lag die Arkebuse in seiner Armbeuge. Auf einmal kam es Sanno vollkommen unwirklich vor, dass er neben dem Vater vor diesem unterirdischen Saal stand. Warum nur hat Lambert die Müllersmagd Linda mit hierhergebracht? Der Teufelsalchimist, der mich erschaffen hat! Irgendetwas tief in seinem Innern hatte es seit langer, langer Zeit geahnt. Und doch konnte Sanno es noch immer nicht glauben – es fühlte sich an wie ein wirrer

Traum, aus dem er gleich erwachen würde, zu Hause in seinem Bett unter dem Dach von Lamberts Gut. Aber zur gleichen Zeit wusste er, dass es weit mehr als ein bloßer Traum war.
In einer Nische in der linken Saalwand kauerten drei ganz kleine Kinder, eng zusammengedrängt – Karol, Gela und Mika, die verschleppten Kinder aus Althoff. Sie trugen nur ein paar Lumpenfetzen am Leib, und sie wirkten schläfrig, ihre Augen waren schmal, die Bewegungen träge. Linda trat neben sie, die Fackel in der Hand, aber die drei Kleinen drehten nicht einmal die Köpfe zu ihr hin. Auf dem Felsboden vor ihrer Wandnische entdeckte Sanno nun einen halbkreisförmigen Wulst, daumendick und dunkel schimmernd wie eine Schlange oder ein langer feister Wurm.
Ein magischer Bannkreis, dachte Sanno. Wenn Linda die Fackel darauf senkte, würde sich der Boden unter ihnen öffnen und sie alle verschlingen.
»Geht Ihr auch hinein, Vater«, sagte er wieder.
Lambert schaute ihn mit einem schmerzlichen Lächeln an. »Aber du gehörst zu mir, Sanno. Du musst mit mir kommen.«
»Geht hinein, Vater Lambert«, wiederholte Sanno. Plötzlich zitterte er so sehr, dass er die Arkebuse kaum mit zwei Händen halten konnte.
Über ihnen wurde die Steintür aufgezogen, und Karst rief mit dröhnender Stimme: »Was geht da unten vor, Drecksjunge? Hast du den Satan erwischt?«
»Nein«, sagte Sanno. »Er lebt.« Jetzt spürte er auch wieder dieses Brennen in der Kehle. Den Satan! Aber trotz allem ist er ja mein Vater! Ein Ungeheuer, ein Teufel in Menschengestalt – und dennoch mein Vater! Wie konnte ich nur glauben, dass ich imstande wäre, ihn zu töten?
Der Vater trat über die Schwelle zurück in den Gewölbesaal. »Du kommst doch mit mir, mein Sohn?« Sein Blick war so durchdrin-

gend, als ob er jeden Gedanken hinter Sannos Stirn mitlesen könnte.
Sanno wusste nun überhaupt nicht mehr, was er tun sollte. Hinter ihm polterten Karst, Krol und die anderen Männer die Treppe hinab. So als ob Herbold seinen Leib bereits entzweigeteilt hätte, so gespalten fühlte er sich in diesem Moment – zerrissen zwischen unbezwingbarer Neigung und unerfüllbarer Pflicht. »Ich kann nicht, Vater«, sagte er leise und meinte alles zugleich – den Vater töten, ihn am Leben lassen. Lambert verlassen oder mit ihm gehen.
Lambertus hob die Schultern. Ein nahezu heiteres Lächeln flog über sein meist so strenges und düsteres Gesicht. »Du bist immer willkommen, Sanno.« Mit raschen Schritten durchmaß er den Saal und trat neben Linda, die mit der Fackel in der Hand neben der Wandnische stand.
Eben hatten Karst und Herbold den Fuß der Treppe erreicht. Der Seelenbildmaler stieß Sanno zur Seite und wollte in den Saal stürmen, doch beim Anblick von Lambert und Linda neben den Kindern in der Mauernische blieben er und Karst wie angewurzelt stehen.
»Nicht über diese Schwelle«, sagte Lambert und strich sich mit Daumen und Zeigefinger den Spitzbart glatt. »Wenn auch nur ein Funke von der Fackel auf diesen Ring fällt, ist ganz Maledun beim Teufel.« Er deutete auf den Staubwulst vor der Mauernische.
»Was ist das für ein Zauberstaub, du Ungeheuer, mit dem du unsere Kinder gebannt hast?«, brüllte Karst.
»Eine bewährte Mixtur zur Beschwörung der Höllengeister. Wenn Linda den Staubring mit der Fackel berührt, springt der Felsen auf und verschlingt uns.« Lambert legte einen Arm um die Schultern der Müllersmagd. »Für alle Fälle habe ich aber auch eine gewisse Menge Schwarzpulver hinzugemischt.«

43

Auf allen Stufen die schmale Treppe hinunter standen die Männer von Althoff dicht gedrängt. Auch Lif und Lunja waren herabgekommen und hatten sich fast bis zur Tür hindurchgeschlängelt, wo Sanno zwischen Karst und Herbold eingekeilt war. Hinter ihm standen der junge Fischer Soren und der lange Krol.
»Gib unsere Kinder heraus«, rief Karst nun in den Gewölbesaal. Die Arkebuse hatte er Sanno ohne ein Wort aus der Hand genommen und sich am Lederriemen über die Schulter gehängt. »Dafür lassen wir die beiden Teufelsknaben zu dir herein. Was sagst du zu diesem Handel?«
»Dass du mich für schafsdumm zu halten scheinst, Fischer Langbart!« Lambert hatte seinen Umhang abgeworfen und ging in Hemd, Wams und Pluderhose vor dem Kamin auf und ab. Sanno hatte ihn kaum jemals so gelöst gesehen wie gerade jetzt. Man hätte beinahe meinen können, dass sie alle in sein behagliches Wohnzimmer hineinspähten, wo er mit seiner Gemahlin und ihren drei Kindern die unschuldigen Freuden des Familienlebens genoss. »Wenn wir die Kinder herausgeben, stürmt Ihr im nächsten Augenblick den Saal. Vor allem aber habe ich diese drei Kleinen ja nicht ohne Grund hierhergebracht – ich will doch einmal schauen, ob mir nicht endlich auch gelingt, was dem Herrn Faust in jüngster Zeit gleich mehrfach geglückt sein soll.«
Er krempelte sich die Ärmel auf, nahm Holzscheite und Schürhaken aus dem Korb neben dem Kamin und begann im Ofen ein Feuer zu schüren.
»Was treibst du da?«, rief Karst. »Was hast du vor, du Unhold?«
»Was ist das für eine Frage?« Das Feuer im Ofenloch loderte. Lambert richtete sich wieder auf und deutete mit dem Schürhaken zu Karst herüber, der reglos auf der Türschwelle verharrte. »Es ist nun einmal mein innigster Wunsch, einen künstlichen

Menschen zu erschaffen«, erklärte er mit wohltönender Erzählerstimme, »deshalb nennt ihr mich doch einen Teufelsmagier? Und nachdem diese schmucke Maid« – der Schürhaken schwenkte nach rechts und deutete auf Linda – »jüngst ihr Kindlein verloren hat, habe ich ihr eben versprochen, ihr Karlchen aufs Neue zu erschaffen, vermittels meiner Zauberkunst.«
Über Sannos Kopf hinweg wechselten Karst und Herbold Blicke. Auch Sanno kam die aufgeräumte Gesprächigkeit des Vaters wenig geheuer vor. Natürlich hatte es Lambert immer Freude bereitet, Geschichten zu erzählen – Geschichten aus der Vergangenheit, von denen Sanno nun endgültig wusste, dass sie samt und sonders erdichtet und erlogen waren. Aber das hier war dennoch etwas anderes, hier stimmte irgendetwas ganz und gar nicht, das spürte er doch genau!
»Du willst also vor unseren Augen deiner Teufelsbraut einen neuen Satansbalg backen?«, brüllte Karst.
Lambert schüttelte nur leicht den Kopf. Mit einem raschen Blick vergewisserte er sich, dass Linda weiterhin mit der brennenden Fackel neben dem Bannkreis aus Zauberstaub und Schwarzpulver stand, dann legte er den Schürhaken zur Seite, nahm eines der Glasgefäße auf und setzte es auf den Herd.
Es war die gläserne Mutter, Sanno erkannte sie sofort. Die bauchige Kugel, darüber die Brüste aus Glas. Ihm wurde ein wenig schwindlig, aber er zwang sich, stocksteif zwischen Herbold und Karst stehen zu bleiben und zuzusehen, was Lambertus da drüben an seinem Teufelsofen trieb. Er trat zu einem der Tische, nahm eine große Flasche auf und hielt sie prüfend gegen den Schein des Kaminfeuers. »Löwenöl«, rief er zu seinen Zuschauern hinüber. »Ob ihr Homunkel erschaffen oder Gold kochen wollt, werte Herren, für beides braucht ihr nicht allein den Beistand der Hölle, sondern auch reichlich Löwenöl.«
Ein seltsames Grinsen zuckte über sein Gesicht. Machte der Va-

ter sich vielleicht lustig über sie? Oder war er kurz davor, den Verstand zu verlieren? Beklommen spähte Sanno zu ihm hinüber. Ein solches schreckliches Grinsen hatte er niemals vorher bei Lambertus gesehen – als ob in seinem Kopf ein kleiner Dämon hauste, der von innen an seinen Knochen und Sehnen zerrte.
Lambertus gab einen großzügigen Schuss aus der Flasche in die gläserne Mutter. Es war eine dunkelrote Flüssigkeit, und als Nächstes goss er klares Wasser aus einem Bottich hinzu.
Hinter Sanno knirschte Krol vor ohnmächtiger Wut mit den Zähnen. »Was kommt jetzt, du Bestie?«, brüllte er. »Wage es, meiner Enkelin Gela ein Haar zu krümmen, und ich reiße dir eigenhändig die Augen aus deinem Satansschädel!«
Geschäftig ging Lambert hinter seinem Ofen hin und her. Er setzte ein zweites Glasgefäß auf die Herdplatte, und Sanno erkannte auch diesen grausigen Behälter von der Form eines ausgestreckt liegenden Säuglings sofort. »Auch an dich erinnere ich mich.« Lambert warf Krol einen raschen Blick zu, wieder verzerrte sich sein Gesicht zu einem irrsinnigen Grinsen. »Dich und den Graubart, der vor dir steht und dessen Kopf vor Wut immer roter wird – ihr beiden habt mich hier auf Maledun schon einmal heimgesucht. Damals waren wir freilich alle noch jünger – und doch hatte ich, um es frei heraus zu gestehen, schon damals keine Hoffnung mehr. Ich war gescheitert, damals schon – als Alchimist, als Zauberer und Geisterbeschwörer. Beinahe war ich euch dankbar, als ihr meine Teufelsburg gestürmt und mich gezwungen habt, ein ehrbares neues Leben anzufangen – als Magister Lambertus, Erfinder segensreicher Heilelixiere!«
Wieder dieses abscheuliche Grinsen. Wieso gescheitert?, dachte Sanno. Was sollte das bedeuten, warum hielt der Vater so seltsame Reden?
Lambertus trat zu einem Schemel und nahm ein kleines Leinen-

bündel auf, dessen Inhalt mit trockenem Klang gegeneinanderklapperte. »Die Verletzung auf deiner Stirn übrigens«, fuhr er zu Krol gewandt fort, »muss dir damals einer meiner Gehilfen zugefügt haben – Breker oder Todde, so hießen die wackeren Knechte, die für mich buchstäblich durchs Feuer gegangen sind. Da war ich allerdings schon mit der Kutsche auf der Straße nach Leipzig, bei mir die beiden Knäblein – den Missratenen und den Prächtigen, meinen lieben Sanno.«

Er nickte Sanno zu, mit diesem grässlich verzerrten Grinsen, und Sanno lief ein Frösteln zwischen den Schulterblättern hinab. Ohnehin war es hier unten im Fels von Maledun ziemlich kühl, und außer seiner Pluderhose, die bei der Rutschpartie durch den Kriechgang auch noch zerfetzt worden war, trug Sanno nichts am Leib.

»Beide Knaben hatte ich in Zauberschlaf versetzt, mit einem bewährten Trunk, der das Gedächtnis auslöscht – wenn man nach vielen Tagen wieder erwacht, erinnert man sich an nichts, was einem vorher widerfahren ist.« Er warf, wie um Nachsicht bittend, den rechten Arm empor. »Oder jedenfalls an nahezu nichts – das Gedächtnis gleicht dann wahrhaftig einer Wachstafel, deren Oberfläche wieder vollständig geglättet ist. Aber was sich tiefer in den Wachs eingekerbt hat, scheint mit der Zeit doch wieder emporzukommen.«

Er trat erneut hinter den Ofen, öffnete das Leinenbündel, und der Inhalt fiel mit trockenem Geklapper und Gepolter auf den Herd.

»Knochen«, murmelte Karst an Sannos Seite. »Ein ganzer Sack voller Kinderknochen.«

Mit geübten Fingern ordnete Lambert die zarten Gebeine. Offenbar waren es die Überreste eines ganz kleinen Kindes. Als Erstes legte er den Schädel in den gläsernen Säugling, mit dem knöchernen Gesichtchen nach unten, dann folgten Arm- und Beinknochen, Schultern und Becken, Rippen und Wirbel. Währenddessen begann sich das mit Wasser verdünnte Löwenöl in der gläsernen Mutter zu erwärmen, Dampf stieg auf, und vielleicht ging von den rötlichen Schwaden ja eine betäubende Wirkung aus – jedenfalls verharrten Linda und die drei kleinen Kinder ebenso reglos an ihren Plätzen wie Sanno und die Männer vor der Tür zum Felsensaal.

Der Vater hat sie alle mit seinen Zaubermitteln betäubt, dachte Sanno. Ihren Geist benommen gemacht, ihre Glieder mit Schläfrigkeit gefüllt. So behagt es ihm offenbar am besten – wenn alles um ihn herum von einem Bann befallen ist und er allein schalten und befehlen kann wie ein Gott. Auch die Männer von Althoff, die hier draußen dicht gedrängt standen, und selbst der riesenhafte Seelenbildmaler, der sogar Monsignore Taurus getrotzt hatte, standen wie verzaubert vor seiner Tür und schauten tatenlos zu, was dort drinnen auf Lamberts magischer Bühne geschah.

»Nun, ihr Väter und Großväter von Althoff«, ließ sich Lambert plötzlich vernehmen, »heute werdet ihr leibhaftig dabei sein und zusehen können, wie ich einen künstlichen Knaben erschaffe.« Er warf den rechten Arm empor, als ob er um Nachsicht ersuchen wollte. »Im Verlauf der Prozedur muss ich noch etliche alchimistische Tinkturen hinzufügen, und am Schluss werde ich einige Zauberformeln in Richtung Hölle schreien – und natürlich werden auch diese drei Kindlein noch zu ihrem Recht kommen . . .«

»Wage es, auch nur eines der Kleinen anzurühren – im selben Augenblick schieße ich dir eine Kugel durch den Kopf!« Karst hob seine Arkebuse und legte auf Lambert an.

»Und im nämlichen Moment«, erinnerte ihn Lambertus, »senkt Linda die Fackel auf den Bannkreis – und eure Kinder fahren zur Hölle hinab. Falls wir nicht sowieso alle in die Luft gesprengt werden«, fügte er hinzu, »was wegen des hinzugemischten Schwarzpulvers als wahrscheinlich anzunehmen ist.«

»Schluss jetzt mit dem Mummenschanz!«, brüllte Herbold. Mit der Linken versetzte er Lif einen gewaltigen Stoß, und das Männchen flog und kollerte durch den halben Saal, bis es nicht weit vor Linda zu Boden fiel und bäuchlings liegen blieb. »Wenn es nun einmal nicht anders geht«, schrie Herbold und stieß Sanno vor sich her ins Satanslabor, »dann müssen eben diese drei Kleinen auch noch ihr Leben lassen! Warum sollte es ihnen auch besser ergehen als meiner kleinen Ada und den vielen anderen davor? Du jedenfalls wirst heute verrecken, Satansmagier, und wenn ich Arm in Arm mit dir in die Hölle fahren muss. Du wirst dich nicht mehr herauswinden, welche Schliche du auch versuchst und welche Dämonen du auch anrufst, und deine beiden Teufelsknaben werden mit dir in die Verdammnis stürzen!«

44

Mit stampfenden Schritten ging Herbold auf Lambert zu, seine Knie stießen wie Fäuste in Sannos Rücken. Doch in gehöriger Entfernung zum Teufelsmagier blieb er stehen, Sanno wie einen Schutzschild an sich gepresst.

Über den Ofen hinweg schaute Lambert zu ihm herüber, sein Gesicht ließ echtes Interesse erkennen. »Du bist also der Mann, der mich in meinem Spessartwinkel aufgespürt hat?« Seine Stimme tönte so voll und wohlklingend wie Kirchenglocken. »Ich hatte immer geahnt«, sagte er, »dass so etwas eines Tages geschehen würde. Aber dass gerade einer wie du mich findet – ein Menschenfeind und verbitterter Jäger fast wie ich selbst? Wie bist du mir denn überhaupt auf die Spur gekommen?«

Eifrig gab Herbold ihm Auskunft – die Worte brachen nur so aus seinem Mund hervor. Unablässig sei er durch die Lande gezogen und habe immer nach Jungen in Sannos Alter Ausschau gehalten, die mit verlorenem Blick durch die Gassen irrten, dem wehmütigen Ausdruck der seelenlosen Kreatur. Dann endlich, nach acht Jahren des Reisens, Vagabundierens und Suchens, sei er auf Sanno gestoßen – und ausgerechnet in dem Moment, da er den Teufelsjungen gefunden hatte, seien die Hexenjäger in seinem Zelt erschienen und hätten ihn abgeführt! Eigentlich hätten sie ja nach dem Herrn Faust gesucht, aber dann sei auch er selbst diesem Monsignore Taurus verdächtig erschienen.

Lambert lachte wohltönend und schüttelte den Kopf. »Der grausige Herr Faust – auch in meinem Leben hat er eine wenig erbauliche Rolle gespielt. Aber erzähle nur weiter, Herbold! Merkst du auch, wie du mir mit jedem deiner Worte ähnlicher wirst? Ein Kinderjäger, Menschenfeind und schließlich sogar ein ausgemachter Teufel, der lieber auch noch diese Kleinen hier opfern würde, als mich noch einmal entwischen zu lassen!«

Herbold stützte sich schwer auf Sannos Schultern, sein Atem ging stoßweise. »Nenne mich nicht Teufel, du Abgesandter der Hölle!«, rief er aus. »Versuche bloß nicht, deine Gräueltaten gegen die Winterkälte aufzuwiegen, die in mein Herz und meine Seele gekrochen ist, seit du mir meine Liebsten genommen hast! Alles, alles habe ich durch dich verloren, du Ausgeburt des Satans – meine Familie und Freunde, meinen Reichtum und mein Lebensglück. Glaube nur nicht, dass du dich noch einmal aus der Klemme ziehen kannst. Es ist aus mit dir, Teufelsmagier, und nun wähle: Willst du diese drei Kleinen da und die Frau, die du dir sicher auch bloß durch Teufelei gefügig gemacht hast, mit in den Tod reißen – oder wirst du sie vorher freigeben, wofür dir dereinst vielleicht sogar ein paar Augenblicke von der ewigen Höllenqual erlassen werden?«

Mit offensichtlicher Verblüffung hatte sich Lambert diese Rede angehört. »Nicht schlecht gepredigt«, sagte er nun. »Aber bevor ich dir sage, für welche deiner Alternativen ich mich entscheide, will ich erst noch von dir hören, wie du es damals geschafft hast, meinem wackeren Sanno deine Mordgesellen hinterherzuhetzen – obwohl du doch, wie du selbst sagst, im unglücklichsten Moment von den Hexenjägern geschnappt worden bist?«

»Nun, ich hatte natürlich Vorsorge getroffen«, brüstete sich Herbold, »selbst für eine solche unglückliche Verkettung wie damals in Gelnhausen. Als mich die Hexenjäger davonschleppten, gab ich im Vorbeigehen meinen vor Jahren ausgewählten Gehilfen das längst verabredete Zeichen. Es handelte sich um Kerle von geringer Verstandeskraft und vielfach erprobter Bedenkenlosigkeit, wie man sie unter dem fahrenden Volk häufig findet. Ihnen hatte ich je einen Weißpfennig versprochen, wenn sie auf mein Zeichen hin dem Jungen, der gerade mein Zelt verlassen hatte, bis nach Hause folgen würden.«

Er presste Sannos Hals zusammen, lockerte aber seinen Griff gleich wieder. »Allerdings ging an jenem Tag dennoch einiges schief«, fuhr er fort, »die Gesellen begnügten sich nicht damit, die Wohnung des Jungen ausfindig zu machen, sondern führten noch in derselben Nacht einen Plan aus, der erst für einen späteren Zeitpunkt vorgesehen war. Vielleicht lag es daran, dass sie meine Verhaftung mit angesehen hatten und nun um ihre Entlohnung bangten, vielleicht hatte auch frommer Eifer ihre Köpfe verwirrt – denn einmal hatte ich mir entlocken lassen, dass es sich bei dem Burschen, dem sie folgen sollten, um eine Höllenkreatur handelte, und seitdem konnten sie es gar nicht erwarten, den Teufelsjungen zu jagen –, jedenfalls brannten sie in jener Nacht dein Haus nieder und schlugen alles tot, was ihnen unter den Knüppel oder Säbel geriet.«

»Der so genannte Teufelsjunge aber ist ihnen entwischt.« Wieder zuckte das dämonische Grinsen über Lamberts Gesicht, und für einen kurzen Moment verdrehten sich seine Augen so sehr, dass nur noch gelbliche Kugeln zu sehen waren, mit roten Adern durchzogen. »Damit ihr alle aber endlich versteht«, fuhr Lambert fort, »was es mit meiner frevlerischen Kunst auf sich hat, will ich euch jetzt einen wahrhaft künstlichen Knaben zeigen, den ich vor vielen Jahren erschaffen habe vermittels meiner Zauberkraft.«

Lambert ging neben dem Ofen in die Knie und hob eine runde Steinplatte aus dem Boden heraus. Darunter kam ein Loch zum Vorschein, er griff hinein und zog eine goldene Figur hervor – allem Anschein nach war es genau der künstliche Knabe, der sich damals in Sannos Verlies aufgerappelt hatte und steifbeinig auf ihn zugetorkelt war.

Er sieht wahrhaftig aus wie damals ich, dachte Sanno, als Kind von drei oder vier Jahren – mein Abbild aus leuchtendem Engelsfleisch, das Gesicht in einem Ausdruck unauslöschlichen Schmerzes erstarrt.

»Entscheidet selbst, ihr Männer von Althoff«, rief Vater Lambert, und sein ganzes Gesicht zuckte und verzerrte sich fast so schaurig wie die Züge von Mademoiselle Ira. »Sollte euch dieses Wunderding nicht ein paar eurer Kinder wert sein – ein prächtiger Homunkel mit leuchtendem Engelsfleisch, der sogar drei bis sieben Schritte weit laufen kann?«

In der linken Brustseite des künstlichen Knaben klaffte ein rundes Loch. Lambert fingerte darin herum und schaute dann betrübt zu Herbold auf. »Leider fehlt sein Herz, daran hatte ich nicht gedacht – auf meiner Flucht hatte ich es in einer Truhe mit meinen kostbarsten Besitztümern mitgenommen, und im Spessart haben es deine Mordbrenner wohl mit allem anderen in Brand gesteckt.«

Unverwandt sah Sanno den goldenen Knaben an, der aufrecht vor ihnen stand, an einem Arm von Lambert gehalten, der hinter ihm am Boden kauerte. »Vater«, sagte er leise, »meint Ihr etwa

diese goldenen Dinge?« Mit zitternder Hand nestelte er an seinem Gürtel. »Ist das hier sein Herz?« Er zog die Stäbchen und Halbkugeln aus Bernstein hervor und streckte sie dem Vater entgegen.
Lambert schaute erfreut, und im nächsten Moment verzerrte wieder das dämonische Grinsen seine Züge. Er hob den künstlichen Knaben auf, stand auf und nahm Sanno die vier goldenen Dinge aus der Hand. Dann kehrte er hinter den Ofen zurück, aber die gläserne Mutter, aus der immer noch rote Schwaden aufstiegen, schien er gänzlich vergessen zu haben. Geschickt setzte er die goldfarbenen Halbkugeln links und rechts auf die Enden der Stäbchen und drückte dann alles zwischen seinen Händen zusammen, sodass die Kugel wieder zu einem goldenen Ganzen vereinigt schien. Doch dann drehte er die Hälften mehrfach gegeneinander, wie man einen Apfel auseinanderdreht, und im Innern der Kugel erklang ein Schnarren und Knacken wie vom Räder- und Federwerk einer Uhr. Lambert schob den schnarrenden Ball in die Brust des künstlichen Knaben, hantierte noch eine Weile herum und stellte die Figur schließlich neben dem Ofen auf den Boden.
»Lauf, Söhnchen«, sagte er mit melodiöser Stimme. Er ließ den goldenen Knaben los, und der machte einen hölzernen Schritt und noch einen, wobei in seiner Brust lautes Schnarren und Schnappen wie von Federn und Hebeln erklangen.
In seinem Uhrenherz, dachte Sanno, seinem Herz wie ein Apfel aus Eisen und Engelfleisch.
»Mein Karlchen«, rief Linda, die unterdessen zu sich gekommen und zu dem künstlichen Knaben herumgefahren war. »Ihr habt mein Karlchen von den Toten auferweckt, Magister Lambertus – Ihr könnt wahrhaftig Wunder vollbringen! Und seht nur, wie golden der Knabe leuchtet – wie ein Engel sieht er aus!«
Mit dem dritten Schritt war der künstliche Knabe wieder beim

Felsloch angekommen. Seine wehmütige Miene veränderte sich auch nicht, als er in das Loch zurückstolperte, aus dem er eben nach achtjährigem Schlummer hervorgezogen worden war.
»Karlchen! Aber wo ist er denn hingekommen, Herr Lambertus«, rief Linda, »habt Ihr nicht mein Karlchen gesehen?«
Lambert trat zu ihr und nahm ihr sanft die Fackel aus der Hand. »Dort drüben, meine Liebe – er wartet da in dem Bodenloch.«
Wie eine Schlafwandlerin bewegte sich Linda auf das Loch zu. Am Rand kauerte sie sich hin und fasste mit dem Arm hinein, doch anscheinend bekam sie ihr Karlchen nicht zu fassen. »So tief, so tief«, murmelte sie, wandte sich um und schob sich mit den Füßen voran in das Loch.
Nicht, Linda!, wollte Sanno rufen, und im gleichen Moment verlor Linda den Halt. Sie rutschte in das Loch hinein, nur noch Kopf, Hals und Schultern schauten hervor. »Zu Hilfe«, stammelte sie, »hier ist . . . nichts!« Sie fuchtelte mit den Händen, versuchte sich am Rand festzuklammern, dann wurden ihre Augen vor Entsetzen weit. Niemals hatte sie Mutter Heidlinde ähnlicher gesehen als in diesem Moment – ihre grünen Augen, der kupferne Schimmer in ihrem goldenen Haar.
Sanno wollte sich losreißen, doch Herbolds Arm hielt ihn eisern fest. Während Linda tiefer und tiefer in den Fels von Maledun rutschte, kam plötzlich Lif zu sich. Das hutzlige Männchen hatte die ganze Zeit wie ohnmächtig am Boden gelegen – jetzt hob es den Kopf, wand und krümmte sich im Liegen, wie eine Eidechse mit gebrochenen Beinen, zum Schachtrand hin und packte Lindas Hand, die eben noch aus dem Loch hervorsah.
Mit schrecklicher Kraft schlossen sich Lindas Finger um Lifs Hand. Ihr Schrei vermischte sich mit seinem entsetzten Pfeifen, aber das kümmerliche Kerlchen hielt sie eisern fest. Mit ihrer Linken gelang es Linda, sich an den Schachtrand zu klammern, für einige Augenblicke war nur ihr angestrengter Atem zu hören.

Dann endlich ließ sie Lifs Finger los, stemmte sich mit beiden Händen auf den Felsrand und kroch mühevoll wieder aus dem Abgrund heraus.
Lindas Gesicht war grau vor Angst und Erschöpfung, als sie sich neben Lif hinkniete. Verkrümmt lag das Hutzelmännchen am Boden, auf der Seite wie im Schlaf. Als die Müllersmagd seine Schulter berührte, kippte Lif auf den Rücken wie eine hölzerne Puppe, und im selben Moment erkannte Sanno, dass Lif nicht mehr am Leben war. Sein Blick war starr – Angst und Anstrengung waren wohl zu viel für seinen schwachen Leib gewesen. Doch auf den runzligen Zügen lag ein leises Lächeln – Lif ist nicht umsonst gestorben, dachte Sanno, er hat sich geopfert, um Linda zu retten. Und bestimmt hat Gott im Himmel zugesehen und rechnet meinem armen Teufelsbruder die gute Tat dereinst an.

Noch während alle voller Entsetzen auf den offenen Abgrund und den reglosen Lif daneben starrten, drückte Herbold seinen Arm fester um Sannos Kehle und zerrte ihn mit sich, hinüber zur Wandnische, wo jetzt Lambert mit der halb heruntergebrannten Fackel stand.
»Um den Teufelsbalg ist es nicht schade«, sagte der Seelenbildmaler, »aber das junge Weib wolltest du aus reiner Bosheit in den Tod stürzen, du Unhold.«
»Bleib zurück«, erwiderte Lambert, »sonst verschlingt uns alle die Hölle.« Er deutete auf den magischen Halbkreis.
»Und wenn schon!«, brüllte Herbold. »Du hast mir die Hölle auf Erden bereitet, du Ungeheuer, und die Hexenjäger haben mir Knochen und Fleisch mit eisernen Spangen und glühenden Zangen zerquetscht! Wie soll mich da der Höllenfürst dort unten noch schrecken?« Und er stieß Sanno mit voller Kraft gegen Vater Lambert, der unter dem Anprall zu Boden ging.
Die Fackel entglitt Lamberts Hand und fiel in den Wulst aus ma-

gischem Staub. Sanno lag an seiner breiten Brust, und die Hände des Vaters schlossen sich seitlich um seinen Brustkorb – wie vor vielen, vielen Jahren, als Sanno durch den Wald von Maledun gerannt war, schreiend vor Angst, und der Teufelsvater ihn gepackt und aufgehoben und genauso umfasst gehalten hatte wie jetzt. Gleich wird sich unter uns die Hölle auftun, dachte Sanno, und uns alle verschlingen.

Mit seinen Stiefeln trampelte Herbold in dem Wulst aus Zauberstaub herum und versuchte, die Funken auszutreten, die von dem Pulver aufstiegen. Aber je wütender er zutrat, desto mehr gelbe und blaue und grüne Funken sprühten empor und tanzten vor der Wandnische wie fieberbunte Schneeflocken.

Sanno versuchte sich aus Lamberts Griff zu befreien, doch er wusste im Voraus, dass es ihm nicht gelingen würde. So wie er mich damals ins Teufelshaus zurückgetragen hat, so wird er mich diesmal mit in die Hölle hinabreißen. Wir werden zusammen zum Satan fahren, Teufelsvater und Teufelssohn. Obwohl der tapfere Lif die Müllersmagd Linda vor dem Sturz in den Höllenschacht bewahrt hatte, würde sein eigener Angsttraum sich nun erfüllen – nur dass in seinem Traum Mutter Heidlinde, nicht Vater Lambert ihn mit sich in die Tiefe hinabgezerrt hatte. Sanno hätte überhaupt nicht sagen können, warum alles so gekommen war, es erschien ihm entsetzlich, aber mehr noch unausweichlich.

Er verdrehte sich den Hals, um noch einmal, ein letztes Mal, Lunja zu sehen. Dort drüben war die Tür, doch auf der Schwelle sah er nur Krol und den jungen Fischer Soren, der sich eine Hand vors Gesicht hielt und zwischen den Fingern zu ihnen herüberspähte. Hinter ihnen war bloß ein Gewimmel aus fliehenden Schatten – anscheinend versuchten die Männer von Althoff, so rasch wie irgend möglich von diesem Ort zu fliehen.

Die Kleinen in der Nische waren unterdessen zu sich gekommen,

mit törichtem Lächeln haschten sie nach den bunten Funken, die vor ihnen durch die Luft tanzten. Herbold warf sich auf die Knie, zerrte die Kinder aus ihrer Nische heraus, rappelte sich stöhnend auf und humpelte mit seiner Last zur Tür, so schnell seine misshandelten Zehen es erlaubten. Benommen sah Linda um sich, dann tat sie es dem Seelenbildmaler nach – noch immer neben Lif kniend, nahm sie den leblosen kleinen Körper in ihre Arme, erhob sich taumelnd und eilte hinter Herbold zur Tür.
Währenddessen wurden die Funken zu einem bunten Nebel, der Sanno und Lambert einhüllte und mit sich davonzutragen schien. Sanno legte seine Wange auf Lamberts Brust und schloss die Augen. Die Hände auf seinem nackten Leib waren ihm so unangenehm wie stets, und er spürte die bedrückenden Wülste unter sich, wie immer, wenn er auf dem Bauch lag.
Aber das alles war nun nicht mehr zu ändern, dachte er, und letztlich kam es auf solche kleinen Beschwernisse auch wirklich nicht an.
Ich habe Lunja geliebt, dachte er, und ich bin von ihr geliebt worden. Ist das nicht mehr, als ein Teufelsjunge wie ich jemals erhoffen durfte? Doch, es ist viel, viel mehr, dachte er. Lieber Gott, ich danke dir, dass du mir diese Gnade gewährt hast, amen.

45

Sanno?« Es dauerte einige Augenblicke, bis er begriff, wo er war und wer da mit ihm sprach. »Verstehst du nun endlich, mein Sohn?«
Er war nicht in der Hölle, sondern im Felsensaal von Maledun. Er lag noch immer an Lamberts Brust, doch nun beeilte er sich, aus den Armen des Vaters freizukommen. Er rappelte sich auf, wich

vorsichtshalber ein paar Schritte zurück und sah sich ungläubig um.
Außer dem Vater und ihm war niemand mehr da. Aus dem Zauberstaub vor der Wandnische sprühten keine Funken mehr empor. Auch vom Ofen stiegen keine blutroten Dampfschwaden mehr auf. Das Kaminfeuer flackerte wie vorhin, doch vor den Löchern hoch droben in der Felswand schwebte mittlerweile die Sichel des Mondes.
»Wir haben geschlafen, Sanno«, sagte Lambert und lächelte. Er richtete sich auf und glättete sich Wams und Haupthaar. Der dämonische Gesichtskrampf schien von ihm gewichen. »Und die wackere Schar dort draußen hat uns nicht zu stören gewagt – aus Angst, dass sich der Felsen von Maledun doch noch bis zur Hölle hinab auftun könnte.«
Stumm sah Sanno ihn an. Was sollte das nun wieder heißen? Etwas in ihm ahnte die Antwort schon, doch sein Verstand vermochte sie noch immer nicht zu erfassen.
»Verstehst du jetzt endlich?«, wiederholte Lambert in drängendem Ton. »Der Zauberstaub vor der Wandnische hat überhaupt kein Schwarzpulver enthalten. Und er vermochte auch keine Höllengeister herbeizuzaubern – der bunte Dampf hat uns nur ein wenig in Schlaf versetzt. Was hast du geträumt, Sanno? Was siehst du mich so an? Hast du wirklich geglaubt, dass ich die Hölle beschwören könnte? Glaub mir, es gibt gar keine Hölle – nur den Teufel in uns selbst.«
Er schlug sich mit der Faust vor die Brust. »Ich werde dich nicht bitten, mir zu verzeihen, Sanno, denn ich weiß, dass das nicht geht. Als du damals im Gutshaus im Spessart zu dir gekommen bist, da habe ich mir nichts inständiger gewünscht, als dass ich allen Schrecken, alle grässlichen Erinnerungen für immer aus deiner Seele tilgen könnte. Ich habe es weiß Gott versucht, Sanno, mit all meiner Kraft habe ich tagaus, tagein versucht wieder-

gutzumachen, was ich in den Jahren davor an dir verbrochen hatte. Nur deshalb habe ich dir ja alle diese Geschichten aus deiner erfundenen Kindheit erzählt – damit du mich lieben könntest, obwohl du mich aus tausend Gründen und Abgründen hassen müsstest wie den Teufel in Menschengestalt, der ich damals hier in Maledun ja auch wirklich war.«

Draußen auf der Treppe waren nun Schritte zu hören – anscheinend hatte Lamberts weithin tönende Stimme die Männer von Althoff und den Seelenbildmaler Herbold wieder herbeigelockt. Auch Lambert hatte die Laute gehört – er sah sich zur Tür hin um und sprach dann hastig weiter.

»Viel Zeit bleibt uns nicht mehr, also lass mich zu Ende kommen. Als du mir die Zeichnung mit dem Haus von Maledun gezeigt hast, da wusste ich, dass mein Spiel verloren war. Schon vorher war ja fetzenweise die Erinnerung in dir wieder wach geworden – schon als du mir von dem weinenden kleinen Knaben erzähltest, der bei Nacht durch den Wald lief – schon da ahnte ich, dass der Vergessenstrunk damals die Wachstafel in deinem Gedächtnis nur oberflächlich geglättet hatte. Aber auch da wollte ich noch nicht aufgeben.«

Auf der Schwelle erschienen nun Herbold und Karst, Soren und Krol. »Dein Zauberpulver hat versagt, Teufelsmagier«, rief der Seelenbildmaler. »Aber keine Bange, meine Hand wird nicht zittern, wenn ich dir und deinem Satansbalg jetzt die Kehle durchschneide, wenn ich eure Kadaver in vier Stücke zerteile und eure Aasfetzen an weit entfernten Orten aufspieße, damit die Wölfe und Raben sich daran weiden.«

Lambert wandte sich zu ihm um. »Daran zweifle ich nicht, Herbold, denn du und ich sind nun einmal von der gleichen Art – Teufel in Menschengestalt, die um einer Wahnidee willen Leid und Schmerz über andere Menschen bringen und auch ihr eigenes Leben so gründlich zerstören, wie damals deine Brand-

schatzer mein Gutshaus im Bosengrund zertrümmert haben.«
Herbold wollte etwas erwidern, aber Lambert hob die Hand. »Ich bin gleich zu Ende. Ich will keine großen Worte mehr machen – das habe ich viel zu lange getan, und letztlich mit kläglichem Erfolg. Also nur noch so viel, Herbold: Du und ich mögen Teufel auf Menschenbeinen sein, aber Sanno ist nicht von unserer Art.«
Sanno versuchte zu begreifen, was diese Rätselworte bedeuten sollten. Er sah von Lambert zu Herbold, dann zur Tür, wo sich eben Lunja zwischen Krol und Soren hindurchschlängelte.
»Ich sehe, dass ihr alle immer noch nicht verstanden habt«, sagte Lambert. »Mein ganzes Leben habe ich vergeudet für die Wahnidee, ein großer Zauberer zu werden, ein Alchimist und Geisterbeschwörer, wie es noch keinen gegeben hat. Den Ruf, den heute der Herr Faust genießt, hatte ich mir in jüngeren Jahren für mich erträumt. Deshalb kaufte ich damals von dem Erbe meines Vaters dieses einsame Haus auf Maledun, deshalb heuerte ich zwei Gehilfen an – Breker und Todde – und sandte sie aus, in aller Heimlichkeit ein paar Kindlein für mich einzufangen. Denn in den weisesten Büchern der hermetischen Wissenschaft ist seit ältesten Zeiten niedergelegt, dass man, um im Labor künstliche Menschen zu erschaffen, nicht nur den Beistand der Hölle und eine erkleckliche Anzahl absonderlicher Elixiere braucht, sondern auch einige Kindlein, um auf dem alchimistischen Ofen den Lebensodem aus ihren Leibern und Seelen zu destillieren.«
Herbold machte Anstalten, wieder seinen Arm um Sannos Hals zu legen, aber Lambert trat rasch dazwischen. »Hört mich noch wenige Minuten lang an, ihr aufrechten Kämpfer der Christenheit«, sagte er, und wieder begann es in seinem Gesicht dämonisch zu zucken. »Ich selbst habe das Urteil über mich längst gesprochen, und glaube mir, Herbold, es fällt nicht milder aus als

das, was du mir zugedacht hast. Aber ob ihr auch meinen lieben Sanno unbedingt abschlachten müsst, das entscheidet bitte erst, wenn ihr mich zu Ende angehört habt.«

Er wandte sich wieder Sanno zu. »Um es kurz zu machen – als Alchimist, Zauberer und Dämonenbeschwörer habe ich vollständig versagt – niemals ist es mir gelungen, auch nur einen Krümel Gold im Labor zu erschaffen oder den unbedeutendsten Geist mir geneigt zu stimmen, geschweige denn einen der mächtigen Dämonen aus der Unterwelt. Teufel, Höllenqualen und satanische Versuchungen sind mir in Fülle begegnet, aber sie alle fand ich, wie schon gesagt, immer nur hier.«

Wieder schlug er sich auf die Brust, sein Gesicht zuckte stärker. »Mutter Heidlinde, mein lieber Sanno, lebte mit ihren beiden kleinen Knaben allein in einer Hütte am Rand des Nordmeers. Als Breker und Todde in der Nacht bei ihr einbrachen, um die Kinder zu rauben, da stand Heidlinde auf einmal mit einem Dolch in der Hand vor ihnen und schrie sie an, dass sie ihre Kindlein zurückgeben sollten. Todde aber floh mit dem einen Knaben im Arm hinaus auf die See, und Breker deckte sich gegen ihre Messerhiebe, indem er seinen Kleinen als Schutzschild vor sich hielt. Dieser zweite Knabe war Lif, und in dem verzweifelten Versuch, die Räuber zur Herausgabe ihrer Beute zu zwingen, fügte ihm Heidlinde unwillentlich schwere Wunden zu. Und gerade hierdurch kam ich schließlich auf den Gedanken, der vielleicht die teuflischste von allen meinen Höllenideen war.«

Sein Blick glitt über Sannos nackten Leib. Sanno wollte sich schon abwenden, um die Wülste auf seinem Bauch vor Lamberts Blicken zu verbergen, aber dann dachte er wieder: Wozu soll es jetzt noch gut sein, meine Verstümmelungen zu verstecken – und gar noch vor dem, der sie mir zugefügt hat?

»Du verstehst noch immer nicht, Sanno«, sagte Lambert. »Und Herbold schaut so finster drein, als ob er mir und dir in der nächsten Sekunde den Kopf abhauen wollte. Also noch rascher, noch klarer – der arme Lif hat damals Wunden am Bauch und am Kopf davongetragen, die ich hier auf Maledun mühsam genug wieder zusammengeflickt habe. Mühsam und stümperhaft, das will ich gar nicht leugnen, denn gerade das abstoßende Ergebnis brachte mich ja dann auf den Gedanken, einen zweiten Knaben auf die gleiche Weise zuzurichten, und diesmal mit eigener Hand und mit Vorbedacht.«

Das dämonische Zucken in seinem Gesicht wurde ärger, doch Sanno hatte immer noch nicht richtig verstanden. Oder vielmehr – etwas in ihm hatte längst begriffen, aber er wagte es noch nicht zu glauben. Es war einfach zu ungeheuerlich. Zu wunderbar. Zu himmlisch und höllisch zugleich.

»Da ahnte ich schon«, fuhr Lambert fort, »dass es mir nicht gelingen würde, einen Homunkel zu erschaffen, eine atmende Puppe, wie es in den alten Schriften heißt. Ich habe die Säfte der Männer und der Weiber, der Mädchen und der Knaben zusammengeschüttet, aber es hat nicht geholfen. Ich habe Alraunextrakt und Löwenöl hinzugegeben, Mondtau und den Geist des Drachenschwefels, aber die Puppe blieb tot. Mit den Tränen der Kinder habe ich das Fleisch der Engel getränkt, aber entstanden ist nur ein mechanischer Apparat. Ich habe Schlangen und Würmer von frischen Gräbern aufgesammelt und sie in die Köpfe meiner Kreaturen gegeben, aber alle meine Puppen blieben tot. Ich habe die Heidenpriester im Wald von Maledun angefleht, mich in ihre Zauberkunst einzuweihen, aber sie haben mich nur ausgelacht, und heute glaube ich, dass sie so wenig wie ich selbst das Geheimnis kennen.«

Lambert unterbrach sich, hob die Hände und vergrub sein Gesicht darin. Als er sie wieder sinken ließ, lief ein grässliches Zucken über sein Gesicht, und für einen Moment sprangen seine Augen wie Murmeln in ihren Höhlen umher. Doch als er weitersprach, klang seine Stimme noch immer so beherrscht und melodiös wie stets.

»Als ich jüngst von den angeblichen Erfolgen des Herrn Faust hörte, von der winzigen Kreatur, die er gerade unlängst erst wieder in Gelnhausen vor aller Augen aus einer Flasche geholt haben soll – da ist in mir noch einmal der Ehrgeiz aufgeflackert, Sanno, da habe ich mir aufs Neue eingeredet: Wenn der Herr Faust es vermag, warum nicht auch du? Der Gedanke nagte an mir, aber deshalb allein hätte ich mich wohl nicht entschlossen, es noch einmal mit dem Erschaffen künstlicher Menschlein zu versuchen.«

Er wandte sich zum Seelenbildmaler um, der mit der Hand auf dem Säbelknauf dastand und gewiss längst seine Waffe gezückt hätte, wenn er allein es hätte entscheiden dürfen. Aber Karst stand neben ihm, und auch Soren und Krol waren in den Saal zurückgekehrt und mit ihnen viele andere Männer, und alle hörten Lambert mit weit aufgerissenen Augen zu.

Eine schreckliche Lähmung hatte Sanno befallen, die ihn umso mehr erstarren ließ, je länger der Vater redete. Er wusste nun überhaupt nicht mehr, was er denken sollte. Ob Lambert den Verstand verloren hatte oder ob er wirklich allen Ernstes behaupten wollte, dass er, Sanno . . . Nein, es war einfach zu ungeheuerlich, er konnte den Satz nicht einmal zu Ende denken.

Der Vater wandte sich wieder Sanno zu. »In jener Nacht, in der du vorzeitig aus Gelnhausen zurückgekommen warst, mein lieber Junge, hatte Linda mich angefleht, sie an einen Ort zu führen, wo sie Gott um Gnade für ihren kleinen Sohn bitten konnte. Unablässig hatte sie hinter jener Kellertür gejammert und gebettelt, sodass Cramsen und ich gar nicht zum Arbeiten kamen. Also gab ich ihrem Wunsch schließlich nach und brachte sie und die Alte in die Kapellenruine hinauf. Als dann Herbolds Häscher herbeigepoltert kamen, verbarg ich mich selbst und Linda im Sarkophag des Ritters Hademar, während die alte Josepha die Flucht ergriff und wohl Herbolds Schergen ins offene Messer gelaufen ist. Als ich am nächsten Morgen neben Linda erwachte, da waren jedenfalls alle fort – du, Sanno, und jenes Mädchen, das Haus und das Labor, Gesinde und Tiere, auch die alte Josepha, alles war verschwunden oder zu Staub und Asche zerfallen – so als ob das Gut mit allem Drum und Dran nichts gewesen wäre als ein Spuk.«

Das Zucken im Antlitz des Vaters wurde stärker. »Letzten Endes, Herbold«, fuhr er fort, »habt also du und deine Mordbrenner mich dazu gebracht, nach Maledun zurückzukehren, wo dieses unterirdische Labor hier seit Jahr und Tag auf meine Heimkehr wartete. Ohne dein Eingreifen wäre ich wohl für immer in meinem Spessartwinkel hocken geblieben und hätte niemandem mehr etwas zuleide getan, aber so blieb mir keine Wahl. Ich wusste nun, dass die Männer, die mich damals hier in Maledun überfallen hatten, meine Spur wiedergefunden hatten, und ich wusste auch, dass Sanno sich auf den Weg hierher machen würde, um herauszufinden, was damals wirklich passiert ist.«

Mit starrem Lächeln sah er einige Augenblicke lang schweigend ins Leere. »Unten im Weiler Althoff ein paar Kindlein aus ihren Wiegen zu pflücken«, fuhr er fort, »sie mit einem Gift zu betäuben und unbemerkt hierherzuschaffen, fiel mir nicht schwer. Aber stell dir nur meine Lage vor, Sanno – da saß ich also hier in diesem Felsensaal, dort drüben in der Mauernische lagen die drei Kindlein, und vor dem Kamin kauerte Linda, der ich gleichfalls ein Mittel eingeflößt hatte, um ihre Willenskraft zu lähmen. Und es war alles vergeblich und falsch. Ich wusste, dass es mir wieder nicht gelingen würde, und ich wollte auch gar nicht mehr. Ich war verzweifelt, Sanno, weil ich dich verloren hatte, und anstatt zu überlegen, wie ich nun doch noch einen Homunkel erschaffen könnte, um den Herrn Faust zu übertrumpfen, grübelte ich unablässig darüber nach, wie ich dich wieder für mich gewinnen könnte. Nur deshalb hatte ich ja auch Linda die ganze weite Strecke mit hierhergenommen – mit ihrer Hilfe wollte ich dich doch noch davon überzeugen, dass deine Kindheit so verlaufen war, wie ich es dir immer erzählt habe. Goldene Jahre, ohne andere Schatten als die deiner Eltern, die sich liebevoll über dich beugten.«

Fröstelnd verschränkte Sanno die Arme vor der Brust. »Wie ...«, begann er und musste sich erst räuspern. »Wie wolltet Ihr das bewerkstelligen?«

»Seit Monaten«, rief Lambert mit unpassender Begeisterung, »hatte ich ja zu Hause im Gutslabor an einem neuen Elixier gearbeitet. Es war kein Heiltrunk, wie ich dir immer erzählt habe, sondern ein Extrakt, der die Einbildungskraft steigert und gleichzeitig das Bewusstsein trübt. Dieses Elixier wollte ich dir zu trinken geben, mein lieber Sanno, und wenn dein Geist dann benebelt und deine Fantasie besonders bildsam wäre, sollte Linda dir in der Rolle von Mutter Heidlinde all die Szenen vorspielen, die ich dir so häufig erzählt habe. Auf diese Weise würde dir alles glaubhafter und lebendiger erscheinen, und du würdest deine Zweifel vergessen, hoffte ich, und zu mir zurückkehren.«

»Aber, Vater ... Lambertus«, stotterte Sanno. »Mir wird ja immer wirrer im Kopf! Worauf wollt ihr mit alledem denn hinaus? Was wollt ihr mir sagen, redet doch endlich klar heraus!«

»Ich habe mich doch ganz und gar klar ausgedrückt.« Verwundert schüttelte Lambert den Kopf. »Der zweite Knabe, Sanno, den Todde und Breker damals aus Heidlindes Haus entführten, warst du. Weil ich ja mittlerweile wusste, dass es mir nie gelingen würde, einen Homunkel zu erschaffen, richtete ich dich an Leib und Seele so her, dass jeder dich dennoch für einen künstlichen Knaben halten musste, erschaffen in meinem Labor und vermittels höllischer Beschwörung.«

Er trat dicht zu Sanno, fuhr ihm mit der einen Hand über den Leib und mit der anderen durchs Haar. »Du selbst hast es geglaubt, mein Sohn, und jeder andere hätte es erst recht geglaubt. Ich hatte die größten Pläne mit dir – den Fürsten und Königen wollte ich dich vorführen, die allesamt danach gieren, künstliche Soldaten aus den Alchimistenlaboren zu erhalten, damit sie ihre Feinde mit Krieg und Verderben überziehen können. Jeder von ihnen wäre mit Freuden bereit, Tausende Silbertaler für die bloße Aussicht auf eine solche Homunkel-Streitmacht zu bezahlen.«

Er unterbrach sich, wieder lief das grässliche Zucken über sein Gesicht. »Doch dann wurden wir aus Maledun verjagt«, fuhr Lambert fort, »also musste ich meine Pläne über Nacht ändern – zunächst einmal brauchte ich einen sicheren Unterschlupf an einem Ort, wo niemand mich kannte oder gar verdächtigte. Diese Stätte hatte ich bald gefunden, das Haus im Bosengrund, doch als du dort in deiner Kammer aus dem Zauberschlaf erwacht warst, da geschah das ganz und gar Unerwartete, Sanno: Ich erkannte mit einem Mal, wie sehr du mir ans Herz gewachsen bist und dass ich dich wie meinen eigenen Sohn liebe.«

Er machte Anstalten, Sanno zu umarmen, aber Sanno wich mit einem Satz vor ihm zurück. »Ihr wollt also sagen, Vater Lambert, Ihr habt mich zweifach getäuscht? Ich bin gar kein Teufelskind, aber über Jahre und Jahre habt Ihr mir den Irrglauben eingeflößt, dass ich ein künstlich erschaffener Mensch wäre – und dann das Gegenteil, als Eure Pläne es so verlangten? Erst habt Ihr mich mit diesen, dann mit jenen Lügen vollgestopft? Mich erst über Jahre gequält und geängstigt und eingekerkert und mir Euren Mummenschanz mit der gläsernen Mutter vorgegaukelt, damit ich mich wie ein Teufelskind fühlen sollte – und mich dann mit erlogenen Geschichten von Liebe und Glück überschüttet, um meine wahren Erinnerungen darunter zu begraben?«

Sanno spürte, wie sich in seinem Magen ein dicker Klumpen lös-

te, der mit Urgewalt in seinem Innern aufzusteigen begann. »Und Lif ist also mein wirklicher Bruder?«, fuhr er fort. »Gütiger Gott, Ihr seid wahrhaftig ein Teufel, Vater!«
Seine Stimme brach. Er wollte sich umwenden, damit Lambert und die anderen seine Tränen nicht sahen, aber dann blieb er einfach so vor ihnen stehen, wie er war – halbnackt, verstümmelt, in Rotz und Tränen schwimmend.
»Ich glaub dem Satan kein Wort!«, grollte Herbold. »Das alles hat er sich doch nur auf die Schnelle ausgedacht, um uns zu foppen und zumindest seinem Teufelsbalg den Hals zu retten!«
Lambert hob wieder beide Hände. »Da euch meine Worte nicht überzeugen – seht meine allerletzte Tat.« Er warf sich vor Sanno auf die Knie. »Bitte vergib mir nicht! Vertraue niemandem, Sanno, nicht einmal dem eigenen Augenschein.« Er griff mit beiden Händen unter sein Gewand und zog zwei blitzende kleine Gegenstände hervor. Ehe Sanno begriffen hatte, was da mit ihm vorging, hatte der Vater ihm das eine funkelnde Ding in die Gürteltasche gesteckt und das andere an Sannos Bauch angesetzt – eine winzige Klinge, mit der er den dicksten Narbenwulst in Sannos Nabelgegend entzweischnitt.
Im ersten Moment wollte Sanno zurückweichen, aber wieder blieb er reglos stehen. Immer noch liefen ihm die Tränen übers Gesicht, doch der schreckliche Klumpen in seinem Magen schien schon kleiner zu werden. Er schaute an sich hinab und sah, wie der Vater mit beiden Händen den entzweigeschnittenen Narbenwulst auf seinem Bauch auseinanderzog. Neben ihm kauerte auf einmal Lunja am Boden, und nun sah sie mit einem scheuen Lächeln zu ihm auf.
»Was macht Ihr da?«, fragte Sanno mit tränenheiserer Stimme. »Was gibt es da zu sehen, Lunja?« Er wusste im Voraus, was sie sagen würde, und doch konnte er es kaum erwarten, ihre Antwort zu hören.

»Unter den Narben – dein Nabel, mein liebster Freund.«
Sanno lächelte auf sie hinab, blinzelte sich Tränen aus den Augen. Neben ihr kauerte der Vater, der sich nun taumelnd erhob. Sein Gesicht schien endgültig verwandelt, von dem Dämon in seinem Innern zerstört. Jeder Nerv, jede Sehne, jeder Muskel auf seinen Wangen, um seine Lippen, auf seiner Stirn war in unablässiger zuckender Bewegung.
»Nichts habe ich jemals gefühlt – keine Schmerzen, keine Hoffnung, keine Liebe –, nur Ekel vor mir selbst.« Seine Stimme war nur noch ein Belfern, und sein Atem pfiff, dass es beinahe wie Wolfsjaulen klang. »Nur Ekel vor mir selbst und die Gier, wie ihr zu sein. Und Ekel vor dieser Gier und vor mir und so wieder und wieder im Kreis.« Mit wenigen taumelnden Schritten war er beim Bodenloch. »Wenn euer Gott gerecht ist, muss es eine Hölle geben für Verworfene wie mich.« Mit den Füßen voran sprang er in den Schacht hinein und riss noch im Sprung die Arme empor, wie um glatter hindurchzugleiten.
»Aber dich, Sanno, habe ich geliebt!« Die Hände winkten noch einmal, dann verschwanden auch sie im Bodenloch, und der Vater fiel hinab auf den Grund von Maledun.

Epilog

Tag um Tag wanderten sie am Strand des Nordmeers entlang, und an jeder Hütte, jeder Kate klopften sie an und zeigten das goldene Medaillon vor.

Es hatte die Form eines Herzens und war nicht viel größer als die Kuppe von Sannos Daumen. Er klappte das Herz auf, die Leute schauten hinein, betrachteten lange oder kurz das winzige Bild und schüttelten dann jedes Mal die blonden oder grauen Köpfe. Nein, diese junge Frau mit den grünen Augen, den rotgoldenen Haaren, dem schwermütigen Lächeln hatten sie noch nie gesehen. Auch nicht die beiden Kindlein in ihren Armen, zwei Knaben, beide blond und mit einem vertrauensvollen Lächeln in den winzigen Gesichtern.

Unbegreiflich, wie ähnlich er und Lif sich damals sahen, beinahe wie Zwillinge. Wie gesund und munter sie beide aussahen – Sanno schaute das Bild wieder und wieder an, aber er hätte noch immer nicht sagen können, wer von den beiden Knäblein er selbst war und wer sein Bruder Lif.

Mein Vater hat mir dieses goldene Herz geschenkt, ehe er zur Hölle gefahren ist. Und meinen Bruder haben wir in Maledun begraben, unweit dem Kerker unserer Kindheit.

Das alles sagte Sanno nicht. Er und Lunja bedankten sich und zogen weiter.

Wir werden sie finden, ganz bestimmt. Sie muss noch am Leben sein. Warum sonst hätte Lambert mir dieses Medaillon in die Gürteltasche gesteckt – im Tausch gegen das schnarrende Apfelherz des künstlichen Knaben?

Am achten Tag gelangten sie zu einer ärmlichen Hütte, die sich auf einer Klippe mannshoch über dem Meer erhob.
Sannos Herz begann rascher zu pochen – das Herz in seiner Brust und scheinbar auch das zweite, goldene Herz in seiner Faust.
Er kletterte die Klippe hinauf und klopfte an, das offene Medaillon in der Hand.
Die Tür ging mit einem Seufzer auf. Im Halbdunkel stand eine Frau, hochgewachsen und schlank, und blinzelte ins Sonnenlicht hinaus.
»Gute Frau . . .«, begann Sanno und konnte nicht weitersprechen. Das Herz zuckte in seiner Brust, in seiner Hand.
Ihr Kleid war mit Flicken übersät, ihre Hand, die Halt am Türstock suchte, bedeckt mit einem Netz aus Rissen und Schwielen. Sie trat auf die Schwelle, und er sah, dass ihr Haar rotgolden war, mit einem grauen Glanz darin, ihre Augen grün und ein wenig schimmernd, so als ob sie gerade eben geweint hätte. Doch ihre Miene wirkte starr und stumpf, als läge eine Maske aus Wachs vor ihren Zügen.
»Mutter Heid. . . Heidlinde«, stammelte Sanno.
Sie runzelte die Stirn. Ihr Blick ging suchend über Sannos Gesicht und Gestalt und irrlichterte dann hinaus aufs Meer. »Heidlinde ist tot.« Ihre Stimme klang matt und rau, als ob sie seit Jahr und Tag mit keinem Menschen gesprochen hätte. »Ich bin Lamira, ihre Zwillingsschwester. Was willst du von ihr, Bursche, und warum nennst du sie . . .?«
Sie unterbrach sich mitten im Satz. Wieder schaute sie Sanno an, mit gerunzelter Stirn und schmalen Augen, und plötzlich trat sie auf die Schwelle, reckte ihren Arm und fuhr ihm mit prüfenden Fingern durchs Haar.
»Gütiger Gott – bist du es, Junge?« Ein Ausdruck tiefer Verwirrung schlich sich auf ihr Gesicht. »Aber nein«, murmelte sie, »das

ist ja unmöglich – wie könntest du der kleine Knabe sein, den Heidlinde in jener Nacht getötet hat in rasendem Zorn?« Ihre Hand glitt über seine Wange und Brust hinab, mit fahrigen Fingern tastete sie durch sein zerfetztes Hemd, das die Narben auf seinem Leib kaum mehr verdeckte.

»Mit dem Messer«, flüsterte sie, »sie hat ihr Messer erhoben gegen ihren eigenen Sohn! Der eine Räuber war schon in die Nacht hinausgerannt, den kleinen Sanno in seinen Armen. Der zweite aber beugte sich eben über die Wiege, als sie ins Zimmer stürzte – sie hat es mir ja mit brechender Stimme noch erzählt! Wie sie ihr Messer aus der Scheide gerissen, sich dem Kindsräuber entgegengeworfen hat, wie er herumgefahren ist, als er ihre Schritte und Schreie hörte. Heidlinde sah, dass er den schlafenden kleinen Lif im Arm hielt, und dennoch stach sie zu! Warum hat sie das gemacht, kannst du mir das vielleicht sagen?«

Sanno schüttelte nur stumm den Kopf. Tränen brannten in seinen Augen, wie ein Stück glühende Kohle brannte das offene Goldherz in seiner Hand. Er drehte sie herum, und mit einem dumpfen Klacken fiel das Medaillon zwischen Lamira und ihm in den Sand.

Unterdessen war Lunja neben Sanno getreten. In das Schweigen hinein bückte sie sich und nahm das goldene Herz vom Boden auf. »Verzeiht, liebe Frau, mein Name ist Lunja.« Sie blies ein wenig Sand aus dem Goldherz und hielt es Lamira neuerlich hin. »Bitte sagt doch, welcher der beiden Kleinen ist Sanno?«

Die Frau runzelte abermals die Stirn und kniff die Augen zusammen. Einige Zeit starrte sie auf das Medaillon hinab, dann hob sie wieder den Kopf und sah aufs Meer hinaus.

»Heidlinde ist tot«, wiederholte sie. »Der Räuber hat ihr schließlich das Messer entrissen und in ihre eigene Brust gebohrt, dorthin.« Sie deutete auf ihr Herz. »Als ich am Morgen hierherkam, um meine Schwester zu besuchen, lag sie wie leblos in ihrem

Blut. Doch ehe sie in meinen Armen starb, konnte sie mir noch alles erzählen, was in jener Nacht Schreckliches geschehen war.«
Wieder sah sie Sanno forschend ins Gesicht. »Und du bist wirklich nicht Lif?«
Er schüttelte den Kopf, seine Kehle brannte, als ob er alles Feuer dieser Welt geschluckt hätte. »So wenig, wie Ihr Mutter Heidlinde seid.«
Mit einem argwöhnischen Stirnrunzeln sah sie zu ihm empor. »Aber ihr wart Zwillinge«, sagte sie, »zwei Knaben, nicht ein und dasselbe Kind. Wie kann es da sein, dass du hier und hier« – sie legte ihre Hände kurz auf ihren Kopf und Leib – »vernarbte Wundmale trägst – gerade dort, wo Heidlindes Messer damals den armen Lif getroffen hat?«
»Unser Vater . . .« Sanno räusperte sich und begann von Neuem. »Der Mann, der Lif und mich verschleppen ließ, hat mir die gleichen Wunden beigebracht – aus sonderbaren Gründen . . .«
Mit einer Handbewegung schnitt sie Sanno das Wort ab. »Gründe sind Abgründe. Ich selbst habe Heidlinde damals beerdigt. Willst du ihr Grab sehen? Es ist gleich hinter der Hütte.«

Es war das seltsamste Grab der Welt. Ein Hügel im Sand, mit Disteln und wildem Hafer bewachsen, mitten darin ein hölzernes Kruzifix, viel zu groß für ein Grabkreuz und aus verquollenem Treibholz gezimmert. Mit halb schon verwischter roter Farbe war daraufgeschrieben:

Heidlinde Maroll
1485 —1504 A. D.
Wölfe rissen ihre Kindlein und
Zerrissen ihr mütterliches Herz.
Doch siehe, auch sie wird Frieden finden
Noch vor dem Jüngsten Tag.

Am Rand des Grabes sank Sanno auf die Knie. Er faltete die Hände, die das goldene Herz umschlossen. Tränen rannen aus seinen Augen, während er Abschied nahm.
Wie traurig, liebe Mutter, dass ich dich nicht mehr kennenlernen durfte. Wie traurig, dass die Jahre, die unsere glücklichsten hätten werden sollen, so sehr von Angst und Hass und Wahn verfinstert waren. Aber nun ist die Zeit der Schmerzen und des Entsetzens vorbei.
Er löste seine Hände voneinander und legte das Medaillon auf das Grab. Ich bin frei, dachte er, beugte sich tief hinab und berührte mit seinen Lippen das offene Herz.
Einige Augenblicke lang kniete er noch an Mutter Heidlindes Grab. Als er sich schließlich wieder erhoben und schon halb abgewendet hatte, hielt er noch einmal inne, beugte sich hinunter und klappte das Medaillon zu. Deutlich hörte Sanno, wie sich das goldene Herz verriegelte.
Er nahm Lunjas Hand und ging davon, ohne sich noch einmal umzusehen. Seine Kehle und seine Augen fühlten sich noch ein wenig wund an, doch seine Tränen waren getrocknet, und seine Seele war still und leicht. Ohne Lunjas Hand loszulassen, ging er um die düstere Hütte herum. Von Lamira war weit und breit nichts mehr zu sehen. Obwohl sich der Tag bereits neigte, fühlte sich die Luft warm und samtig an.
Sie kletterten die Klippe hinunter und begannen zu rennen, dass der weiche Sand unter ihren Füßen aufgewirbelt wurde. So liefen sie den Strand entlang, Hand in Hand gen Westen, bis die Sonne nur noch ein orangeroter Ball war, der weit draußen über dem Nordmeer schwebte. Von der Hütte mit dem Grab dahinter oder gar von Maledun weit im Osten war von hier aus nicht mal mehr ein Schatten zu sehen. Um sie herum war nichts als salzige Luft und wirbelnder Sand und die Schreie der Möwen über der brausenden See.

Schließlich blieb Sanno stehen und zog Lunja an sich. »Jeden Tag hab ich damals die Rufe der Vögel gehört«, sagte er atemlos, »und die Wellen, wie sie tief unter mir gegen den Fels von Maledun geklatscht sind. Das Salz hab ich gerochen und mir vorgestellt, wie herrlich es wäre, wie ein Fisch im Meer zu schwimmen, mich treiben zu lassen, frei zu sein.«
Er schaute Lunja argwöhnisch an, damit sie nur nicht wieder so ein Gesicht zog, wie er es nicht leiden mochte. Aber sie legte bloß ihre Arme um seine Mitte und lächelte erwartungsvoll zu ihm herauf. »Und jetzt?«, sagte sie leise.
»Jetzt ist es so weit.«
Als ob er es nicht abwarten könnte, seine nächtliche Regentschaft anzutreten, schwebte der Mond bereits als blasse Sichel am Himmel. Dabei versank die Sonne eben erst draußen im Meer und färbte den riesigen, schwankenden Spiegel kupferrot.
»Kannst du denn schwimmen?«, fragte sie.
Ohne sich aus Lunjas Umarmung zu lösen, ohne seinen Blick von ihr zu wenden, nestelte sich Sanno das zerfetzte Hemd vom Leib. »Ich bin kein Teufelsjunge«, sagte er, »ich habe eine unsterbliche Seele und sogar einen verborgenen Nabel, schau nur – hier.« Er nahm Lunjas Hand und legte sie vorne auf seinen Leib. »Aber schwimmen«, gab er schließlich zu und musste ein wenig grinsen, »schwimmen kann ich nicht.«
»Dann bring ich's dir bei.«
»Jetzt gleich?«
Lunja begann gleichfalls an ihrem Gewand zu nesteln. »Alles, was du willst, mein liebster Freund.«
Ich habe dem Vater sein künstliches Herz zurückgegeben, dachte Sanno, und der Mutter ihr goldenes Herz mit dem Bildnis darin. Ich habe meine Erinnerung wiedergefunden, alle Angst, allen Schrecken noch einmal durchlitten, und nun bin ich wahrhaftig frei.

In kupferne Dämmerung eingehüllt, sanken sie nebeneinander in den weichen Sand. »Schwimmen kannst du mir auch morgen beibringen«, flüsterte Sanno.
»Und dann zeigst du mir, wie man mit Bällen jongliert«, murmelte Lunja neben seinem Ohr. »Oder wie man Dinge verschwinden und wieder auftauchen lassen kann.«
Hoch über ihnen segelte der Mond zwischen roten Schäfchenwolken dahin. Sanno sah ihn verdoppelt und sehr verkleinert in Lunjas Nordmeeraugen, als er sich über sie beugte und mit seinen Lippen schüchtern ihren Mund berührte.
»Alles, was du willst, meine Liebste.«